LES COLLECTIONNEURS

David Baldacci

Les Collectionneurs

Traduit de l'anglais (États-Unis)
par Bernard Ferry

Titre original :
The Collectors

© Colombus Rose, Ltd, 2006
© Éditions Michel Lafon, 2008, pour la traduction française.
7-13, boulevard Paul-Émile-Victor – Île de la Jatte
92521 Neuilly-sur-Seine
www.michel-lafon.com

Chapitre 1

Roger Seagraves quitta le Capitole après une réunion fort intéressante où, curieusement, la politique ne tenait que peu de place. Seul dans le salon de sa petite maison de banlieue, il prit une décision importante. Il fallait supprimer quelqu'un, une personnalité en vue. Cette perspective, à première vue peu engageante, lui apparut pourtant comme un défi plutôt excitant.

Le lendemain matin, Seagraves se rendit en voiture à son bureau, dans le nord de la Virginie. Assis à sa table, dans la pièce exiguë en tout point semblable à celles qui s'alignaient le long du couloir, il assembla mentalement les morceaux du puzzle et en arriva à cette conclusion : il ne pouvait se fier à personne. Aussi se chargerait-il lui-même du meurtre. Il avait déjà tué, et même souvent ; la seule différence à présent, c'était qu'il n'agirait pas pour le compte de l'État, mais pour le sien.

Il consacra les deux jours suivants à préparer son plan tout en s'acquittant de ses tâches quotidiennes. Chacune de ses actions devait répondre à trois impératifs : d'abord, faire les choses simplement ; ensuite, envisager tous les aléas et enfin ne jamais paniquer au cas où le plan ne se déroulerait pas comme prévu. La quatrième règle, implicite, exigeait de ne pas prendre à la légère sa propre survie, comme le font tant d'imbéciles. Il n'y avait jamais dérogé.

À quarante-deux ans, Roger Seagraves était toujours célibataire et sans enfant. Son style de vie n'aurait pu s'accommoder d'une femme et de marmots. Dans le cours de sa précédente carrière de fonctionnaire fédéral, il avait adopté de fausses identités et parcouru le monde entier. Heureusement, à l'ère des ordinateurs, les changements d'identité étaient devenus d'une surprenante simplicité. Quelques clics de souris, un serveur se mettait en route quelque part en Inde, et d'une imprimante laser sortait un personnage tout neuf, bardé de toutes ses références officielles.

En outre, grâce à un mot de passe jalousement gardé, Seagraves pouvait acheter tout ce dont il avait besoin sur un site Internet très spécial, sorte de grand magasin pour criminels, surnommé parfois « EvilBay ». On y trouvait de tout, depuis les fausses pièces d'identité jusqu'aux services de tueurs professionnels, en passant par des armes rendues à leur virginité première. Ce site bénéficiait de la confiance quasi absolue de ses clients et garantissait en outre le remboursement en cas d'insatisfaction. Même les assassins ont besoin d'outils fiables.

Roger Seagraves était un bel homme, grand, solidement bâti, aux cheveux blonds ondulés ; il semblait décontracté et affichait un sourire contagieux. Les femmes (et certains hommes) le dévisageaient à la dérobée. Il en usait souvent à son avantage. Quand on doit tuer ou tromper, on utilise tous les moyens à sa disposition, comme le lui avaient enseigné les services de l'État. Bien qu'il fût toujours salarié de la fonction publique, il travaillait aussi pour son propre compte. Le montant de sa future retraite lui semblait insuffisant au regard des risques qu'il avait courus tout au long de sa vie pour défendre la bannière étoilée.

Trois jours après sa visite au Capitole, Seagraves modifia subtilement son apparence physique et superposa plusieurs couches de vêtements. À la nuit tombée, il se rendit à bord d'une camionnette dans les quartiers huppés du nord-ouest de Washington, là où des vigiles armés montent la garde devant les ambassades et les résidences de luxe.

Il se gara dans une cour, derrière un bâtiment à proximité d'une bâtisse en brique de style néoclassique, abritant un club où se réunissaient les grosses fortunes et les hommes politiques qu'on ne rencontre nulle part en aussi grand nombre qu'à Washington. Ces gens-là adorent se retrouver autour de repas médiocres arrosés de mauvais vins pour discuter sondages et gestion politique.

Seagraves portait un bleu de travail, barré dans le dos par l'inscription « Service ». La clé qu'il avait fait fabriquer lui permit d'ouvrir la porte du bâtiment vide en attente de rénovation. Sa boîte à outils à la main, il grimpa les marches jusqu'au dernier étage et pénétra dans une salle donnant sur la rue. Le faisceau de sa torche éclaira la pièce vide et l'unique fenêtre, qu'il avait graissée et entrouverte lors d'une précédente visite.

Il ouvrit sa boîte et assembla rapidement son fusil. Puis il fixa le silencieux, engagea une unique cartouche dans le magasin, rampa jusqu'à la fenêtre qu'il entrebâilla davantage, de façon à pouvoir y glisser le canon de son arme. Après un coup d'œil à sa montre, il examina la rue sans crainte de se faire remarquer, puisque le bâtiment était plongé dans l'obscurité. En outre, son fusil ne portait aucune signature optique et utilisait la technique dite Camoflex, c'est-à-dire qu'il changeait de couleur selon l'environnement.

Tout ce que le genre humain a appris de l'humble phalène…

Lorsque la limousine et la voiture des gardes du corps se furent rangées devant le club, il visa la tête de l'un des hommes qui descendaient, mais ne pressa pas la détente. Le moment n'était pas encore venu. L'homme pénétra dans le bâtiment, suivi de ses gardes du corps, oreillettes et cou de taureau. La limousine et le deuxième véhicule s'éloignèrent.

Une nouvelle fois, Seagraves consulta sa montre : deux heures à attendre. Il observa les voitures particulières et les taxis déversant leur flot de femmes au visage grave, vêtues de tailleurs stricts et parées de bijoux discrets, et non, comme on aurait pu s'y attendre, de rivières de diamants et de robes haute couture.

Les hommes au visage non moins sérieux qui les escortaient portaient costumes sombres à fines rayures, cravates unies, et affichaient des manières de voyous.

Ça ne va pas s'arranger, messieurs-dames, croyez-moi !

Au cours des cent vingt minutes qui suivirent, son regard ne quitta pas une seule fois la façade de brique. À travers les larges fenêtres, on apercevait le ballet des gens qui berçaient leurs verres en murmurant, sous des allures de conspirateurs.

Le moment est venu.

Une nouvelle fois, il scruta la rue. Personne ne regardait de son côté. Cela n'arrivait d'ailleurs jamais. Seagraves attendit patiemment que sa cible apparaisse dans le viseur, puis son doigt ganté appuya sur la détente. Il n'aimait pas beaucoup tirer à travers une vitre, bien que cela n'affectât en rien le trajet de la balle.

Un bruit de verre brisé, puis le choc sourd d'un corps trop gros sur le parquet ciré. L'honorable Robert Bradley n'eut même pas le temps de souffrir. La balle lui avait fracassé le crâne avant même qu'un cri ait pu jaillir de sa bouche. *Finalement, c'est pas une mauvaise façon de s'en aller.*

Seagraves posa son fusil et ôta son bleu de travail, révélant un uniforme de la police de Washington. Il coiffa une casquette réglementaire et dévala l'escalier jusqu'à la porte de derrière. En sortant du bâtiment, il entendit les hurlements en provenance de l'autre côté de la rue. Dix-neuf secondes seulement s'étaient écoulées depuis le tir ; il les avait comptées. Il descendit la rue et entendit bientôt le rugissement du moteur. Il tira son pistolet de sa ceinture et se mit à courir. Il avait cinq secondes pour atteindre l'emplacement prévu. En tournant le coin, il faillit être renversé par la berline, bondit sur le côté, roula sur le sol et se releva au milieu de la chaussée.

Sur le trottoir, des gens le regardaient en hurlant, montrant du doigt la voiture. Il se retourna, et, serrant son arme à deux mains, fit feu sur la berline qui s'éloignait. Les cartouches à blanc faisaient le même bruit que les vraies. Il tira cinq fois, puis se mit à courir sur une certaine distance, avant de s'engouffrer dans ce qui ressemblait à une voiture de police banalisée qui se lança à la poursuite de la berline, sirène hurlante et gyrophare allumé.

Le véhicule tourna à gauche au carrefour suivant, puis à droite et s'immobilisa au milieu d'une ruelle. Le chauffeur en sortit rapidement, se glissa dans une Coccinelle verte garée en face et s'éloigna.

Sirène et gyrophare coupés, la fausse voiture de police s'orienta dans la direction opposée. L'homme qui la conduisait ne jeta pas un regard à Seagraves lorsque ce dernier s'installa à l'arrière et ôta son uniforme de policier. En dessous, il portait une tenue de sport ajustée et il avait déjà aux pieds des baskets noires. Sur le plancher de la voiture était allongé un labrador noir âgé de six mois, muselé. Le chauffeur s'arrêta le long d'un parc, désert à cette heure de la nuit. Seagraves descendit par la portière arrière et la voiture s'éloigna.

Seagraves entama son jogging en tenant la laisse courte à son chien. Alors qu'ils tournaient à droite au carrefour suivant, quatre voitures de police le dépassèrent. Pas un seul flic ne lui adressa le moindre regard.

Une minute plus tard, dans un autre quartier de la ville, une boule de feu illumina le ciel. C'était la maison vide de l'homme assassiné. Au départ, on songerait à une fuite de gaz, mais dès que serait connu le meurtre de Bob Bradley, les autorités fédérales s'efforceraient, tant bien que mal, de trouver d'autres explications.

Après avoir couru sur une longueur de trois immeubles, Seagraves abandonna son chien et grimpa dans une voiture ; moins d'une heure plus tard, il était de retour chez lui.

D'ici là, il faudrait trouver un autre président de la Chambre des représentants pour remplacer le défunt Robert Bradley. Cela ne devrait pas poser de problème, songea Seagraves en se rendant au travail, à Langley, le lendemain matin, après avoir lu dans le journal le récit de l'assassinat. Après tout, cette foutue ville est pleine de politicards. Politicards ? Le mot lui semblait approprié. Il arrêta sa voiture à la grille et montra sa carte au garde, qui le connaissait bien et le laissa passer.

Il franchit ensuite l'entrée du bâtiment tentaculaire de la CIA, passa devant une nouvelle guérite et gagna enfin le minuscule placard à balai qui lui servait de bureau. Bureaucrate de rang moyen, il assurait la liaison entre son agence et les incompétents notoires que l'on avait élus pour siéger au Capitole. Nettement moins pénible que son ancienne affectation dans la même maison, ce poste lui avait été octroyé comme un os à ronger en remerciement pour ses services passés. À la différence d'autrefois, la CIA mettait désormais au frais ses agents « spéciaux » lorsqu'ils avaient atteint l'âge où les réflexes s'engourdissent et où diminue l'ardeur à la tâche.

Tout en parcourant distraitement quelques paperasses, Seagraves admit en son for intérieur qu'il regrettait l'époque où il tuait, comme tous ceux qui un jour ou l'autre ont gagné leur vie en répandant du sang. Au moins durant la soirée de la veille avait-il pu retrouver certaines sensations des jours glorieux de son passé.

Chapitre 2

Dans un ciel déjà assombri de nuages, les cheminées de la vieille briqueterie crachaient des volutes d'une fumée susceptible d'éradiquer une ou deux générations de citadins trop confiants. Cette ville industrielle se mourait au profit d'autres centres urbains encore plus pollués qui faisaient bénéficier leurs ouvriers de salaires de misère. Là, une foule s'était assemblée autour d'un homme. Il ne s'agissait ni d'un cadavre couché sur le sol, ni d'un acteur de rue débitant du Shakespeare, ni même d'un prédicateur enflammé invoquant Jésus et promettant la rédemption des péchés en échange d'une modeste contribution à sa cause. Cet homme s'efforçait de soulager les curieux de leur argent en pratiquant le jeu bien connu du bonneteau.

Quelques compères disséminés parmi les badauds relançaient les enjeux en gagnant de temps à autre. Le « gardien » – ou guetteur – semblait, lui, un tantinet léthargique. Ce fut du moins ce qu'en conclut la femme qui l'observait depuis l'autre côté de la rue, tant il se tenait de façon nonchalante, le regard perdu dans le vague. Elle ne connaissait pas le « videur » qui faisait également partie de l'équipe, mais il ne lui parut guère impressionnant. Les « harponneurs », comme leur nom l'indiquait, jeunes et dynamiques, étaient chargés d'amener les gogos à tenter leur chance à un jeu où ils ne pourraient jamais gagner.

Elle s'approcha de la petite assemblée. Elle-même avait débuté sa carrière comme « commère » pour l'un des meilleurs bonneteurs du pays. Cet arnaqueur-là pouvait dresser sa table dans n'importe quelle bourgade américaine et la quitter une heure plus tard avec deux mille dollars en poche, laissant derrière lui des pigeons persuadés d'avoir joué de malchance. Ce bonneteur-ci avait toutes les raisons d'exceller dans son art, puisqu'il avait été formé à la même école. L'œil exercé, la femme comprit d'emblée qu'il utilisait la technique dite de la double reine avant, consistant à substituer la dernière carte à la reine, au bon moment.

Il s'agissait de deviner quelle était la dame parmi les trois cartes posées à l'envers sur la table, après que le bonneteur les eut mélangées avec une redoutable dextérité. C'était impossible, puisque la reine ne s'y trouvait pas au moment où le joueur faisait son estimation. Puis, une seconde avant la révélation, le bonneteur remplaçait prestement l'une des cartes par la reine et la montrait au public ébahi. Depuis qu'il avait appris à manier les cartes, il avait plumé gens du monde et simples soldats.

La femme se glissa derrière une poubelle, croisa le regard de quelqu'un dans la foule et chaussa une paire de grosses lunettes noires. Une seconde plus tard, l'attention du gardien fut attirée par une jolie joueuse en minijupe. Se baissant pour ramasser un billet de banque tombé à terre, elle lui offrit une vue imprenable sur sa croupe rebondie, à peine dissimulée par une culotte rouge. Ravi, l'homme crut bénéficier d'une chance extraordinaire, mais, comme au bonneteau, la chance n'y était pour rien. La femme avait en effet payé la fille en minijupe pour qu'elle se livre à son petit manège au moment où elle chausserait ses lunettes noires. Cette technique avait fait la preuve de son efficacité depuis que les femmes portaient des vêtements.

En quelques enjambées, la femme s'avança au milieu du groupe, avec une détermination qui lui ouvrit aussitôt un chemin.

– C'est bon ! aboya-t-elle en brandissant une carte. Veuillez me montrer vos papiers, ajouta-t-elle en tendant le doigt vers le bonneteur, un homme grassouillet d'âge moyen aux yeux verts, le visage orné d'une courte barbe noire.

Tout en l'étudiant de sous la visière de sa casquette de base-ball, l'homme tira un portefeuille de la poche intérieure de son manteau.

– Allons, messieurs-dames, la fête est terminée ! dit-elle en écartant sa veste pour exhiber la plaque argentée à sa ceinture.

La plupart des gens commencèrent à s'éloigner. La femme devait avoir entre trente et trente-cinq ans, rousse, grande, large d'épaules, les hanches étroites, vêtue d'un jean noir, d'un chandail vert à col roulé et d'une courte veste en cuir noir. Au-dessus de l'œil droit, une petite cicatrice rouge en forme d'hameçon était en partie dissimulée par ses lunettes de soleil.

– J'ai dit : la fête est finie. Ramassez votre argent et décampez !

Elle avait déjà remarqué que les paris posés sur la table avaient disparu au moment de son entrée en scène et elle savait très exactement où ils avaient abouti. Le bonneteur était vraiment habile, il avait réagi instantanément à la situation en s'emparant de la seule chose qui comptait : l'argent. Les joueurs s'en allaient sans oser réclamer leur mise.

Le videur s'avança d'un pas hésitant vers l'intruse, mais se figea en croisant son regard.

– N'y pensez même pas : dans les prisons fédérales, on adore les gros dans votre genre.

La lèvre tremblante, le videur recula comme s'il voulait se fondre dans le mur.

Elle s'avança vers lui.

– Dites donc, mon garçon, quand j'ai dit « décampez », c'était valable pour vous aussi.

Après le départ du gros bras, elle vérifia les papiers du bonneteur, les lui rendit en grimaçant puis lui demanda de s'appuyer contre le mur pour le palper. Après quoi elle souleva une carte sur la table, révélant une dame noire.

– Apparemment, j'ai gagné.

Le bonneteur examina la carte sans se démonter.

– Depuis quand les fédéraux s'intéressent-ils à un simple jeu de hasard ?

Elle reposa la carte.

– Heureusement, vos parieurs ne savent pas à quel genre de hasard ils ont eu affaire. Je devrais peut-être l'apprendre à certains costauds qui pourraient revenir vous flanquer une raclée.

Il baissa les yeux sur la dame noire.

– Vous dites vrai, vous avez gagné. À combien estimez-vous vos gains ? dit-il en tirant de sa poche une liasse de billets.

Pour toute réponse, elle posa sur la table sa carte et sa plaque. Il y jeta un coup d'œil furtif.

– Allez-y, dit-elle négligemment. Je n'ai rien à cacher.

Il les ramassa. La carte plastifiée n'était pas une carte de police mais celle du Costco Warehouse Club. Quant à la plaque en fer-blanc, elle portait le logo d'une marque de bière allemande.

Elle retira ses lunettes noires.

– Annabelle ? s'écria-t-il.

– Mais enfin, Leo, s'exclama Annabelle Conroy, qu'est-ce tu fiches à jouer au bonneteau avec ces minables, dans ce trou perdu ?

Leo Richter haussa les épaules, mais un large sourire éclairait son visage.

– Les temps sont durs. Les gars sont réglos, un peu verts, mais ils apprennent vite. Et le bonneteau, ça marche toujours, pas vrai ? (Il agita la liasse de billets avant de la glisser dans la poche de sa veste.) Mais dis-moi, c'est risqué de se faire passer pour un flic !

– Je n'ai jamais dit que j'étais flic, les gens l'ont simplement cru. C'est comme ça que ça marche, Leo, suffit d'avoir du cran et les gens y croient. Mais tant qu'on y est… essayer de corrompre un flic !

– D'après mon humble expérience, ça marche souvent.

Il tira une cigarette et en offrit une à Annabelle, qui refusa.

— Combien tu te fais sur ce coup-là ? demanda-t-elle négligemment.

Leo la considéra d'un air soupçonneux, alluma sa Winston, tira une bouffée et souffla par les narines un petit nuage de fumée un peu semblable à ceux qui pesaient sur leurs têtes.

— Assez pour payer mes employés.

— Des employés ! Ne me dis pas que tu établis des fiches de paie, maintenant !

Avant qu'il ait pu répondre, elle ajouta :

— Je m'en fous, du bonneteau, Leo. Alors, combien ? Si je te demande ça, c'est pour une bonne raison.

Les bras croisés sur la poitrine, elle s'adossa contre le mur et attendit sa réponse.

Il haussa les épaules.

— D'habitude, on fait cinq lieux différents, environ six heures par jour. Quand ça marche bien, on engrange trois ou quatre mille dollars. Ya pas mal d'ouvriers par ici, et ces gars, ça les démange de claquer leur fric. Mais on va bientôt partir. Il va y avoir de nouvelles vagues de licenciements, et on tient pas à ce que les gens se rappellent trop nos bobines. Pas besoin de te dire que c'est tendu. Je touche soixante pour cent du net, mais les frais sont élevés de nos jours. J'ai mis de côté environ trente mille dollars. Je compte doubler cette somme avant l'hiver. Ça me permettra de tenir un bout de temps.

Annabelle ramassa sa plaque et sa carte du Costco.

— Ça t'intéresserait de toucher vraiment gros ?

— La dernière fois que tu m'as dit ça, je me suis fait tirer dessus.

— Nous nous sommes fait tirer dessus parce que t'as été trop gourmand.

— C'est quoi, l'affaire ?

— Je te le dirai quand on aura recruté encore un peu de main-d'œuvre. J'ai besoin de monde, c'est un gros coup.

— Un gros coup ! Mais qui fait encore des trucs pareils ?

Elle le dévisagea, la tête penchée de côté.

– Moi. D'ailleurs, je n'ai jamais cessé.

Il remarqua ses longs cheveux roux.

– Tu n'étais pas brune la dernière fois que je t'ai vue ?

– Ça varie suivant les besoins.

Un sourire éclaira son visage.

– Toujours la même, Annabelle !

– Non, pas la même. Meilleure. Tu marches ?

– C'est risqué ?

– Oui, mais ça peut rapporter gros.

Une alarme de voiture se déclencha dans un fracas assourdissant. Aucun des deux ne tressaillit. À leur niveau, les escrocs qui perdent leur sang-froid se retrouvent soit derrière les barreaux, soit six pieds sous terre.

Leo finit par battre des paupières.

– C'est bon, je marche. Qu'est-ce qu'on fait, maintenant ?

– Maintenant, on embauche encore deux personnes.

– On fait appel à des vedettes ?

– Pour un gros coup il nous faut les meilleurs. Comme j'ai réussi à trouver la reine, ce soir, c'est toi qui m'offres à dîner.

– J'ai peur qu'il n'y ait pas un seul restau décent dans le coin.

– Non, pas ici. Dans trois heures, on prend l'avion pour Los Angeles.

– Pour Los Angeles, dans trois heures ! J'ai même pas fait mes valises. Et je n'ai pas de billet.

– Il est dans la poche gauche de ta veste. Je l'y ai mis quand je t'ai palpé. Tu t'es empâté, Leo.

Tandis qu'elle tournait les talons et s'éloignait à grands pas, il trouva le billet d'avion dans la poche de sa veste. Il ramassa les cartes et courut après elle, abandonnant la table.

Foin du bonneteau, l'heure était à la grosse galette.

Chapitre 3

Ce soir-là, à Los Angeles, au cours du dîner, Annabelle dévoila une partie de son plan à Leo et lui communiqua le nom des deux personnes qu'elle comptait associer à l'affaire.

– Ça me paraît bien, mais en quoi consiste ton projet, exactement ? Tu ne m'as pas encore tout dit.

– Chaque chose en son temps.

Tout en caressant son verre de vin, elle examina la salle de restaurant, comme si elle recherchait quelque pigeon.

Allez, respire, songea-t-elle, *et trouve un crétin*. D'un mouvement de tête, elle rejeta en arrière sa chevelure rousse et croisa le regard d'un homme, trois tables plus loin. Ce gommeux lui faisait de l'œil depuis une heure, émoustillé par sa petite robe noire, tandis que sa compagne humiliée gardait le silence. À présent, il lui adressait un clin d'œil en se passant lentement la langue sur les lèvres.

Toi, mon coco, t'es pas près de m'avoir.

Leo interrompit le cours de ses pensées.

– On est associés. Tu peux tout me dire. Je n'en parlerai à personne.

– N'insiste pas, Leo…

Un serveur fit alors son apparition et lui tendit une carte.

– De la part du monsieur là-bas, dit-il en montrant l'homme qui la reluquait.

D'après sa carte, le type était un « découvreur de talents ». Au dos, il avait détaillé une activité sexuelle qu'il souhaitait pratiquer avec elle.

Très bien, monsieur le découvreur de talents, vous l'aurez cherché.

Avant de quitter le restaurant, elle s'arrêta à une table où avaient pris place cinq costauds en complet à rayures. Elle prononça quelques mots qui les firent rire, puis donna une tape amicale sur le crâne de l'un d'eux et déposa un baiser sur la joue d'un deuxième, un type d'une quarantaine d'années aux larges épaules et aux tempes grisonnantes. Elle lança une boutade qui déclencha encore leur hilarité, puis s'assit à leur table et bavarda quelques instants avant de se lever et de se diriger vers la sortie, sous l'œil intrigué de Leo.

Lorsqu'elle arriva à hauteur du découvreur de talents, celui-ci la héla :

– Hé, poulette, appelle-moi. Pour de vrai, hein ! Je suis chaud !

D'un geste preste, Annabelle saisit un verre d'eau sur le plateau d'un garçon qui passait par là et lui en projeta le contenu sur la braguette.

– Tiens, pour te refroidir.

– Tu vas me payer ça, espèce de salope ! éructa-t-il en se levant d'un bond.

Sa cavalière posa la main sur ses lèvres pour dissimuler son rire.

Avant que l'homme ait pu la saisir au collet, elle lui attrapa le poignet.

– Vous voyez ces types, là-bas ?

D'un mouvement de menton, elle désigna les cinq hommes en complet qui le dévisageaient d'un air hostile. L'un d'eux fit craquer ses phalanges tandis qu'un autre glissait la main dans la poche intérieure de sa veste.

— Comme vous me reluquez depuis le début de la soirée, je suis allée leur parler, reprit Annabelle d'un ton doucereux. Eh bien, il s'agit de la famille Moscarelli. Et celui qui est assis au bout, c'est mon ex, Joey junior. Bien qu'officiellement je ne fasse plus partie de la famille, on ne quitte jamais vraiment le clan Moscarelli.

— Les Moscarelli ? Qui c'est, ceux-là ?

— L'une des trois familles qui tenaient Las Vegas, avant que le FBI les chasse de la ville. Ici, ils font ce qu'ils savent faire, contrôler les syndicats d'éboueurs comme à New York et à Newark. Alors, si votre pantalon vous gêne, je suis sûre que Joey pourra arranger ça.

— Vous croyez que je vais gober vos conneries ? rétorqua le type.

— Si vous ne me croyez pas, allez donc lui poser la question.

L'homme tourna le regard vers la table. Joey junior tenait un couteau à viande dans sa grosse main tandis qu'un de ses compagnons s'efforçait de le maintenir assis sur sa chaise.

La poigne d'Annabelle se resserra sur son bras.

— Ou préférez-vous que Joey vienne vous voir avec quelques-uns de ses amis ? Ne vous inquiétez pas ; en ce moment, il est en liberté conditionnelle, alors il ne pourra pas vraiment vous démolir sans attirer les fédéraux.

— Non. Non ! C'est pas grave. C'est que de l'eau, hein ?

Il se rassit et sécha son pantalon avec sa serviette.

Comme sa compagne ne pouvait contenir son fou rire, Annabelle se tourna vers elle.

— Vous trouvez ça drôle, ma petite chérie ? Mais vous savez, c'est plutôt vous qui êtes ridicule. Essayez donc de retrouver un peu d'amour-propre, sinon vous passerez votre vie à fréquenter ce genre de petite frappe.

Le rire de la belle se tarit.

En sortant du restaurant, Leo glissa à Annabelle :

— Ouah ! Et moi qui perdais mon temps à lire des bouquins sur la confiance en soi, alors qu'il suffisait de t'accompagner !

– Laisse tomber.

– D'accord. Mais qu'est-ce que c'est que cette histoire de famille Moscarelli ? Qui c'est, ces gars-là, en vérité ?

– Cinq consultants de Cincinnati, qui cherchaient probablement des filles à baiser.

– Tu as eu de la chance qu'ils aient eu des têtes de vrais durs.

– Ce n'était pas de la chance. Je leur ai dit que je répétais en public une scène de film avec un de mes amis et que ce genre de chose arrivait tout le temps à Los Angeles. Je leur ai demandé de nous aider et de jouer les voyous, pour créer l'ambiance. Je leur ai dit aussi que s'ils étaient convaincants, ils pourraient même figurer dans le film. Ils n'ont probablement jamais rien vécu d'aussi excitant de toute leur vie.

– Bon, d'accord, mais comment savais-tu que ce guignol allait t'attraper quand tu quitterais le restaurant ?

– Peut-être à cause du piquet de tente qu'il avait dans le froc. Pourquoi crois-tu que je lui ai jeté un verre d'eau sur l'entre-jambe ?

Le lendemain, Annabelle et Leo descendaient Wiltshire Boulevard, sur Beverly Hills, à bord d'une Lincoln bleue de location. Leo examinait avec attention les vitrines des magasins.

– Comment comptes-tu le retrouver ?

– Par les moyens habituels. Il est jeune et n'a guère l'expérience de la rue, mais si je suis ici, c'est à cause de sa spécialité.

Annabelle se gara et lui montra une vitrine de magasin.

– Voilà, c'est ici que notre bricoleur baise le consommateur.

– À quoi il ressemble ?

– Très métrosexuel.

– Métrosexuel ? Qu'est-ce que c'est ? Un nouveau genre d'homo ?

– Tu devrais sortir le dimanche, Leo, et surfer plus souvent sur Internet.

Quelques instants plus tard, Annabelle le conduisait dans une boutique de vêtements de luxe où ils furent accueillis par un jeune homme mince, distingué, tout de noir vêtu, les cheveux blonds coiffés en arrière et une ombre de barbe tout ce qu'il y avait de plus chic.

— Vous êtes tout seul, aujourd'hui ? lui demanda-t-elle en indiquant les clients élégants qui déambulaient dans le vaste espace.

Ces clients-là devaient être fort riches, car les paires de chaussures débutaient à mille dollars.

— Oui, mais j'aime beaucoup tenir la boutique. J'adore m'occuper de la clientèle.

— Je n'en doute pas, murmura Annabelle.

Lorsque les derniers clients furent partis, Annabelle fixa sur la porte un panneau « Fermé », tandis que Leo apportait au comptoir un chemisier de femme. Il tendit sa carte de crédit au vendeur, mais ce dernier la laissa échapper et se pencha pour la ramasser. En se redressant, il trouva Annabelle juste derrière lui.

— Vous avez un beau joujou, là, dit-elle en montrant la machine dans laquelle le vendeur venait de glisser la carte.

— Madame, vous n'êtes pas autorisée à passer derrière le comptoir.

— Vous l'avez fabriquée vous-même ? demanda Annabelle, ignorant la remarque.

— C'est un appareil anti-fraude pour s'assurer de la validité de la carte. Elle vérifie les codes cryptés. Nous avons eu beaucoup de cartes volées, et le directeur nous a demandé de vérifier au moment du paiement. Je m'efforce de le faire discrètement, de façon à ne pas embarrasser les clients. Je suis sûr que vous comprenez.

— Oh, je comprends tout à fait. (Elle lui ôta prestement l'appareil des mains.) En fait, mon cher Tony, cette machine lit le nom, le numéro de compte et le code inscrit sur la bande magnétique. Tout ce qu'il faut pour fabriquer une fausse carte.

– Ou plutôt vendre les informations à un réseau qui s'en chargera, ajouta Leo. Comme ça, vous ne serez pas obligé de salir vos jolies mains de métrosexuel.

Le dénommé Tony les toisa tour à tour.

– Comment connaissez-vous mon nom ? Vous êtes flics ?

– Oh, bien mieux que ça, dit Annabelle en lui passant le bras sur les épaules. On est comme toi.

Deux heures plus tard, Annabelle et Leo longeaient le quai à Santa Monica. C'était une belle journée, avec un ciel sans nuages, et une brise tiède soufflait délicieusement de l'océan. Leo s'essuya le front avec son mouchoir, ôta sa veste et la posa sur son bras.

– Putain, j'avais oublié à quel point il peut faire chaud, dans ce coin.

– Le temps est magnifique et on trouve ici les plus beaux pigeons du monde et…

– Et on y fait les plus belles arnaques, poursuivit Leo à sa place.

– Bon, le voilà, Freddy Driscoll, prince héritier de la fausse monnaie.

Clignant des yeux, Leo lut l'enseigne du kiosque en plein air :

– « Designer Heaven » ?

– C'est ça. Fais comme je t'ai dit.

– Comment faire autrement ? grommela Leo.

Des jeans, des montres et des sacs à main étaient disposés sur l'étal. Le vendeur, un homme plutôt âgé, de petite taille et bedonnant, des cheveux blancs s'échappant de sous son chapeau de paille, offrait un visage avenant.

– Ouah, c'est vraiment pas cher, s'exclama Leo en contemplant la marchandise.

L'homme se rengorgea.

– Je n'ai pas une belle boutique, seulement le soleil, le sable et l'océan.

Ils choisirent quelques articles qu'Annabelle paya avec un billet de cent dollars.

L'homme chaussa d'épaisses lunettes, inclina le billet selon un angle bien précis et le lui rendit.

– Désolé, madame, mais ce billet est faux.

– Certes, mais je me suis dit qu'il convenait de payer des contrefaçons avec de la fausse monnaie.

Il lui adressa un sourire désolé, mais aucun trait de son visage ne bougeait.

Annabelle examina le billet de la même façon.

– Le problème, c'est que même le meilleur faussaire ne peut pas reproduire l'hologramme de Benjamin Franklin, parce qu'il faudrait une machine de deux cents millions de dollars. Il n'y en a qu'une seule aux États-Unis et aucun faussaire n'y a accès.

Leo intervint.

– Alors on souligne au crayon gras le visage du vieux Benny, et si quelqu'un a l'idée de vérifier le billet il obtiendra un petit éclair et il aura l'impression d'avoir vu l'hologramme.

– Mais vous, vous connaissez la différence, fit Annabelle. Parce que vous avez fabriqué des faux billets, comme tout le monde. (Elle prit une paire de jeans.) À votre place, je dirais à votre fournisseur de graver le nom de la marque sur la fermeture Éclair, comme sur les vrais. (Elle reposa le jean et prit un sac à main.) Et de doubler la couture sur la courroie. Ça aussi, c'est un oubli impardonnable.

Leo brandit une montre.

– Et les vraies Rolex font tic-tac, les aiguilles n'avancent pas par à-coups.

– Vraiment, saletés de faussaires ! Il y a quelques instants, j'ai vu un policier arpenter le quai. Je vais aller le chercher. Ne bougez pas d'ici… Il aura besoin de vos dépositions.

Annabelle lui saisit le bras.

– Gardez vos bobards. Il faut qu'on parle.

– De quoi ? demanda-t-il, perplexe.

– De deux petites arnaques et d'une grande, répondit Leo.

Le regard de l'homme s'éclaira.

Chapitre 4

D'un air peu amène, Roger Seagraves contempla l'homme à la tête de souris assis de l'autre côté de la table, avec sa dizaine de cheveux noirs et gras qui tentaient piteusement de cacher un crâne chauve. L'homme avait les épaules étroites, le ventre et les fesses bombés, et, bien qu'il fût encore dans la quarantaine, il n'eût probablement pas pu courir plus de vingt mètres sans s'effondrer. Ni soulever plus lourd qu'un sac de provisions. L'illustration parfaite de la décadence masculine au XXIᵉ siècle, se dit Seagraves, exaspéré, parce que l'exercice physique avait toujours occupé une place essentielle dans sa vie.

Il courait huit kilomètres tous les jours, avant le lever du soleil, il pouvait encore faire des pompes sur une main et soulever sur un banc deux fois son poids. Il tenait en apnée quatre minutes et s'entraînait parfois avec l'équipe de football d'un lycée de son quartier, à l'ouest du comté de Fairfax. Aucun quadragénaire ne peut se mesurer avec des jeunes gens de dix-sept ans, mais il ne leur cédait guère. Au cours de sa carrière précédente, ces qualités lui avaient servi à rester en vie.

Il reporta son attention sur son vis-à-vis. Chaque fois que ses yeux se posaient sur cette malheureuse créature, une envie folle le prenait de lui loger une balle dans la tête pour abréger sa misérable existence. Mais pas question de tuer la poule aux œufs d'or, même une poule à tête de souris ! Seagraves avait beau trouver son partenaire repoussant, il en avait besoin.

La créature se nommait Albert Trent et Seagraves devait bien reconnaître qu'un cerveau habitait ce corps chétif. Il était à l'origine d'un élément important de leur plan, d'un élément peut-être primordial, et c'était pour cette raison que Seagraves avait accepté de s'associer avec lui.

Pendant un moment, les deux hommes discutèrent du prochain témoignage de la CIA devant le comité permanent du renseignement à la Chambre des représentants, dont Albert Trent était un membre éminent. Ensuite, ils évoquèrent quelques données glanées par les gens de Langley et d'autres services de renseignement qui espionnaient les communications téléphoniques, les courriels, les fax, souvent depuis l'espace, et parfois par-dessus votre épaule.

Une fois le sujet épuisé, les deux hommes sirotèrent en silence un café tiède. *Y a pas un de ces bureaucrates capable de faire un café buvable*, songea Seagraves. Mais peut-être était-ce dû à la qualité médiocre de l'eau.

— Le vent commence à forcir, observa Trent, le regard fixé sur le dossier posé devant lui.

Il lissa sa cravate rouge et se frotta le nez.

Seagraves jeta un coup d'œil par la fenêtre. Cette réflexion anodine sur le temps était codée, au cas où leur conversation aurait été épiée. Ces derniers temps, on n'était à l'abri nulle part, et surtout pas sur la colline du Capitole.

— J'ai vu aux informations que la perturbation avançait. Possible qu'on ait bientôt de la pluie, mais c'est pas sûr non plus.

— J'ai entendu dire qu'il y aurait peut-être une tornade, répondit Trent.

Seagraves dressa l'oreille, comme chaque fois que l'on évoquait une tornade. Le président de la Chambre des représentant, Bob Bradley, avait été une véritable tornade. Il reposait à présent dans un carré de terre de son Kansas natal, sous un amoncellement de fleurs.

Seagraves pouffa.

– Vous savez ce qu'on dit au sujet de la météo : tout le monde en parle, mais personne ne fait jamais rien.

Trent se mit à rire lui aussi.

– Ici, tout a l'air de bien se passer. Comme toujours, nous apprécions la coopération de la CIA.

– Mais… le C est l'initiale de coopération. Vous ne le saviez pas ?

– L'audition du directeur adjoint aux opérations est toujours prévue pour vendredi ?

– Oui. Et une fois les portes fermées, on peut se montrer très francs.

Trent acquiesça.

– Le nouveau président de la commission sait se conformer au règlement. Ils ont déjà procédé à un vote nominatif pour mettre un terme à l'audition.

– Nous sommes en guerre avec les terroristes, alors les règles du jeu ont changé. Les ennemis du pays sont partout et il faut agir en conséquence. Les tuer avant qu'ils ne frappent.

– Tout à fait, dit Trent. Ça n'est plus comme avant, le combat n'est plus de même nature. Mais il se déroule en parfaite légalité.

– Cela va sans dire.

Seagraves étouffa un bâillement.

Si quelqu'un écoutait, il serait certainement ravi de ces foutaises patriotiques. Pour sa part, la patrie était depuis longtemps le cadet de ses soucis. Désormais, il se souciait exclusivement de lui-même : l'État indépendant de Roger Seagraves.

– Bon, s'il n'y a rien d'autre, je vais me tirer. À cette heure-ci, la circulation doit être infernale.

– Comme à n'importe quelle heure, dit Trent en tapotant le recueil de notes.

Seagraves jeta un coup d'œil au recueil que son associé venait de lui tendre tout en ramassant le dossier que Trent avait poussé vers lui. Ce dossier contenait des demandes de précisions et de clarifications concernant certaines pratiques de surveillance de la CIA. Quant au classeur qu'il avait donné à Trent, on y trouvait les habituelles analyses emberlificotées que son agence destinait à la commission parlementaire, belle démonstration de l'art de ne rien dire en un nombre incalculable de pages.

Pourtant, en lisant entre les lignes, ce que Trent ferait le soir même, il découvrirait les noms codés de quatre agents américains agissant sous couverture à l'étranger. Le droit d'accès aux noms et aux adresses avait déjà été vendu à une organisation terroriste abondamment financée, qui liquiderait ces agents dans trois pays du Moyen-Orient. Deux millions de dollars par nom avaient déjà été versés sur un compte qu'aucun contrôleur de banque américain ne viendrait jamais inspecter. Trent, lui, était chargé d'acheminer les informations à leurs destinataires.

Les affaires de Seagraves marchaient du tonnerre. Alors que les États-Unis accumulaient des ennemis dans le monde entier, lui vendait des secrets à des terroristes musulmans, à des communistes sud-américains, à des dictateurs asiatiques et même à des gouvernements de l'Union européenne.

– Bonne lecture, lui dit Trent.

Dans le dossier qu'il venait de recevoir, Seagraves découvrirait le nom de la « tornade », ainsi que tous les renseignements y afférant.

Le soir même, chez lui, Seagraves s'attaqua aux préparatifs de sa mission avec sa minutie habituelle. Sauf que cette fois-ci, il lui faudrait quelque chose d'infiniment plus subtil qu'un fusil et une lunette, mais Trent lui avait fourni des données d'une valeur inestimable sur la cible, ce qui simplifierait sa tâche. Il savait très précisément qui appeler.

Chapitre 5

À 6 h 30 précises, alors qu'un temps frais et sans nuage régnait sur Washington, Jonathan DeHaven sortit sur le seuil de sa maison. La cinquantaine avancée, maigre, de haute taille, les cheveux argentés bien coiffés en arrière, DeHaven observa pendant quelques instants les vieilles et magnifiques demeures avoisinantes.

DeHaven n'était pas, et de loin, le plus riche propriétaire du quartier, où le prix moyen des grosses demeures en brique atteignait plusieurs millions de dollars. Il avait eu la chance d'hériter sa maison de ses parents, assez sages pour investir très tôt dans l'un des quartiers les plus renommés de Washington. Des fondations charitables avaient reçu la plus grosse partie de l'héritage, mais le fils unique de la famille DeHaven avait bénéficié de sommes substantielles lui permettant d'améliorer son salaire de fonctionnaire et de satisfaire certains caprices.

Mais si DeHaven n'avait pas le souci de gagner de l'argent par tous les moyens possibles, il n'en allait pas de même de tous les habitants de Good Fellow Street. L'un de ses voisins, par exemple, était marchand de mort, encore que le terme officiel fût fournisseur du ministère de la Défense.

L'homme, Cornelius Behan – il aimait se faire appeler CB –, vivait dans un espace gigantesque de quatorze cents mètres carrés, résultat de la réunion de deux maisons en une entité proprement monstrueuse. Dans ce quartier classé patrimoine historique de la ville, ces transformations n'avaient pu se réaliser que grâce à la distribution de quelques pots-de-vin ciblés – c'était du moins le bruit qui courait. Ce palais grandiose disposait même d'un ascenseur et d'une aile séparée pour les domestiques.

Behan ramenait également une ribambelle de femmes ridiculement belles dans sa demeure, aux heures les plus incongrues. Il avait toutefois la décence de le faire uniquement en l'absence de son épouse, lorsqu'elle partait effectuer ses emplettes en Europe. DeHaven ne doutait d'ailleurs pas que la dame n'allât vivre quelques aventures de l'autre côté de l'Atlantique.

Laissant là les peccadilles amoureuses de ses voisins, il prit d'un pas vif le chemin de son travail. Jonathan DeHaven occupait, avec une immense fierté, les fonctions de directeur de la division des livres rares et des collections particulières à la Bibliothèque du Congrès. À son avis, certes partial, cette collection de livres rares était la plus belle du monde, même s'il avouait, presque à regret, qu'il pouvait en exister d'autres en France, en Italie ou en Grande-Bretagne.

Il franchit quatre cents mètres avec les mêmes longues enjambées que sa défunte mère. La veille de sa mort, il s'était dit que sa mère, connue pour son caractère autoritaire, réussirait à échapper aux obsèques pour gagner directement le paradis, où comme à son habitude elle régenterait les lieux. Arrivé au coin de la rue, il monta à bord d'un autobus bondé et prit place à côté d'un jeune homme aux vêtements poussiéreux, qui tenait entre ses pieds une vieille glacière. Vingt-cinq minutes plus tard, le bus le déposa à un carrefour noir de monde.

Il gagna alors un petit café pour y prendre son habituelle tasse de thé accompagnée d'un croissant et du *New York Times*. Comme toujours, les gros titres étaient déprimants. Guerres, cyclones, terrorisme, une possible pandémie de grippe… de quoi se réfugier chez soi en verrouillant les portes à double tour. Un article traitait d'irrégularités et de corruption dans des affaires de contrats passés avec le ministère de la Défense, mettant en cause des hommes politiques et des fabricants d'armes. *Quelle surprise !* songea-t-il non sans ironie. Accusé d'avoir touché des pots-de-vin, le précédent président de la Chambre des représentants avait déjà été contraint à la démission. Puis son successeur Robert Bradley avait été abattu dans les locaux mêmes du Federalist Club. Le ou les coupables n'avaient pas été rattrapés, bien qu'un groupe baptisé « Les Américains contre 1984 » (en référence au chef-d'œuvre de George Orwell) eût revendiqué l'assassinat. D'après les médias, l'enquête piétinait.

Par la fenêtre du café, DeHaven jeta un coup d'œil rapide à des fonctionnaires battant le pavé d'un air agité. Décidément, se dit-il, l'endroit était des plus bizarres. Des croisés de la bonne cause côtoyaient de sordides affairistes, au milieu d'un ballet d'intellectuels et d'imbéciles, ces derniers occupant malheureusement les échelons les plus élevés du pouvoir. C'était la seule ville des États-Unis en position de déclarer la guerre, d'augmenter les impôts ou de réduire les prestations de la Sécurité sociale. Les décisions prises à l'intérieur de ces quelques kilomètres carrés de monuments et de caricatures ambulantes provoquaient la joie ou la fureur de millions d'êtres humains. Quant aux batailles, conspirations et retournements de veste destinés à conquérir ou reconquérir le pouvoir, ils absorbaient jusqu'à la dernière parcelle d'énergie d'individus souvent brillants et talentueux. Seuls les acteurs frénétiques de cette mosaïque folle ne pouvaient en saisir le sens. On se trouvait là dans une sorte de jardin d'enfants mortifère étendant ses ramifications à l'infini.

Quelques minutes plus tard, DeHaven grimpa allègrement les larges marches du Jefferson Building, qui abritait sous son dôme massif la Bibliothèque du Congrès. Il se fit reconnaître au poste de police et gagna rapidement la salle LJ239 au premier étage. Là se trouvaient la salle de lecture des livres rares et les chambres fortes abritant la plupart des documents les plus précieux du pays. Au nombre de ces trésors bibliophiliques, on trouvait l'un des originaux de la Déclaration d'indépendance rédigée par les Pères fondateurs à Philadelphie. *Que penseraient-ils de cet endroit, à présent ?*

Il déverrouilla les portes massives de la salle de lecture et les rabattit contre les murs avant de composer le code donnant accès à la salle proprement dite. Tous les jours, il était le premier à y pénétrer. Bien que son travail le tînt éloigné de la salle de lecture, DeHaven vivait avec les vieux livres une relation particulière, incompréhensible au profane mais évidente pour un bibliophile.

La salle de lecture était fermée durant les fins de semaine, ce qui permettait à DeHaven de faire du vélo, de partir à la recherche de recueils rares pour sa collection personnelle et de jouer du piano. Ce modeste talent de pianiste, il l'avait acquis sous la direction sourcilleuse de son père, qui avait dû renoncer lui-même à une carrière de concertiste en raison de son manque évident de dispositions. Malheureusement, le fils avait hérité des limites du père, même si, depuis la disparition de celui-ci, DeHaven avait pris un réel plaisir à jouer. En fait, à part quelques mouvements de révolte dus à leur autoritarisme, il s'était presque toujours plié aux exigences de ses parents.

Pourtant, une fois, il avait agi contre leur volonté, et la transgression était de taille. Il avait épousé une femme plus jeune que lui de vingt ans, une femme très en dessous de sa condition, lui avait inlassablement répété sa mère jusqu'à ce que, un an plus tard, il finisse par faire annuler le mariage. Une mère ne devrait pas pouvoir obliger son fils à quitter la femme qu'il aime. Elle avait menacé de lui couper les vivres, poussant la bassesse jusqu'à le menacer de vendre les livres rares qu'elle avait promis de lui léguer après sa mort. Mais n'aurait-il pas dû trouver la force de résister et de l'envoyer au diable ? C'est ce qu'il pensait aujourd'hui, trop tard, bien sûr. Si seulement il avait eu plus de fierté, à cette époque…

DeHaven poussa un soupir en déboutonnant sa veste et en lissant sa cravate d'un revers de la main. Il avait vécu là les douze mois les plus heureux de sa vie. Il ne rencontrerait plus jamais quelqu'un comme elle. *Et pourtant, je l'ai laissée partir parce que maman m'y a forcé.* Plusieurs années après, il avait écrit à son ex-femme pour s'excuser. Il lui avait envoyé de l'argent, des bijoux, des objets exotiques à chacun de ses voyages autour du monde, mais sans jamais lui demander de revenir. Jamais. Elle lui avait répondu quelquefois, puis ses lettres et ses paquets commencèrent à lui revenir sans avoir été ouverts. Après la mort de sa mère, il avait songé à la retrouver, mais il avait fini par se dire qu'il était trop tard, qu'il ne la méritait plus.

Il fourra les clés dans sa poche et promena le regard autour de lui. Décorée dans le style néoclassique de l'Independance Hall, la salle de lecture exerçait sur lui un effet apaisant. DeHaven appréciait les lampes de cuivre disposées sur les tables. Il passa amoureusement la main sur l'une d'elles, et le sentiment de détresse qui naissait en lui chaque fois qu'il pensait à la seule personne qui l'eût vraiment rendu heureux s'évanouit petit à petit.

DeHaven traversa la salle et passa sa carte de sécurité devant le lecteur optique, adressa un signe de tête à la caméra de surveillance fixée au mur au-dessus de la porte et pénétra dans la chambre forte. Ce rituel quotidien l'aidait à recharger ses batteries, le renforçait dans sa conviction qu'au fond, pour lui, seuls les livres avaient de l'importance.

Il passa quelque temps dans la salle Jefferson, où il feuilleta un volume de Tacite, l'historien romain qu'affectionnait tant le troisième Président des États-Unis. Ensuite, il gagna la chambre forte Rosenwald J. Lessing, abritant les incunables et les codex légués par Lessing, l'ancien président de Sears, Rœbuck and Cº. Bien que le budget de la bibliothèque fût des plus réduits, un système de climatisation y maintenait une température constante de 15,56 degrés et une hygrométrie de 68 %, ce qui devait permettre pendant quelques siècles encore la conservation des manuscrits.

D'ailleurs, que représentaient quelques dollars pour un budget fédéral qui avait toujours consacré plus d'argent à la guerre qu'aux œuvres pacifiques ? Pour une fraction infime de ce que coûtait un missile, l'État aurait pu compléter la collection de livres rares de la Bibliothèque du Congrès. Mais les hommes politiques se croient mieux défendus par les missiles que par la littérature. Ils se trompent. C'est l'ignorance qui cause les guerres et les gens qui lisent beaucoup sont rarement ignorants. Peut-être s'agissait-il là d'une vision simpliste, mais DeHaven y tenait dur comme fer.

Après avoir vérifié deux volumes récemment confiés au service de restauration, il grimpa l'escalier menant aux chambres fortes qui surplombaient la salle de lecture, où l'on conservait une collection de vieux livres de médecine américains ainsi que des livres pour enfants, et tapota affectueusement au passage la tête d'un petit buste installé sur une table d'angle.

Quelques instants plus tard, Jonathan DeHaven s'effondra sur une chaise et entra en agonie. Sa mort ne fut pas sans douleur, comme en témoignaient les convulsions agitant son corps et les cris étouffés qui ne parvenaient pas à franchir ses lèvres, mais trente secondes plus tard il était allongé sur le sol à six mètres de la chaise. Son regard semblait rivé sur une série de livres aux couvertures illustrées représentant des petites filles en robe d'organdi et chapeau de paille.

Il mourut sans savoir ce qui l'avait tué. Son corps ne l'avait pas trahi, il était en parfaite santé. Personne ne lui avait infligé la moindre blessure et aucun poison n'avait touché ses lèvres.

Et pourtant, Jonathan DeHaven n'était plus.

À une quarantaine de kilomètres de là, la sonnerie du téléphone retentit chez Roger Seagraves. C'était le bulletin météo : temps clair et ensoleillé dans les jours à venir. Seagraves termina son petit déjeuner, prit sa serviette et partit travailler. Quel bonheur lorsque la journée débute sur une bonne nouvelle…

Chapitre 6

Caleb Shaw pénétra dans la salle des livres rares, et déposa sur son bureau son sac à dos et son casque de vélo. Il lui fallut un moment pour ôter l'élastique empêchant son pantalon de se prendre dans la chaîne, puis il s'assit enfin. Il y avait beaucoup à faire, ce matin-là. La veille, un célèbre auteur américain avait réclamé plus de six cents sources afin de préparer une bibliographie, et Caleb, documentaliste spécialisé, était chargé de les rassembler. Ils les avaient trouvés dans le fichier de la bibliothèque, et il lui restait la tâche fastidieuse de descendre les bouquins des rayonnages.

Il passa la main dans sa chevelure grise en bataille et relâcha un cran de sa ceinture. Plutôt mince, Caleb avait accumulé récemment certaines rondeurs au niveau de la taille et comptait sur ses trajets à vélo pour s'en débarrasser. En revanche, il refusait l'idée même d'alimentation équilibrée, trop attaché qu'il était aux bons vins et à la bonne chère. Caleb s'enorgueillissait également de n'être jamais entré dans une salle de sport depuis la fin de ses études secondaires.

Il gagna la chambre forte, passa sa carte devant le voyant optique et tira la porte. Caleb avait été un peu surpris de ne pas voir Jonathan DeHaven, car celui-ci arrivait toujours le premier et la porte de la salle de lecture avait été déverrouillée. Le directeur devait se trouver soit dans son bureau, soit dans les chambres fortes.

– Jonathan ? lança-t-il à la cantonade.

Pas de réponse.

Il jeta un coup d'œil à la liste qu'il tenait à la main en se disant qu'il en avait au moins pour la journée, prit un chariot rangé contre le mur et se mit au travail. Une demi-heure plus tard, il ressortit d'une des chambres fortes et vit entrer dans la salle de lecture une de ses collègues.

Après avoir échangé quelques plaisanteries avec elle, il retourna dans la chambre forte. Il y faisait très froid, et il se rappela alors que, la veille, il avait laissé son chandail sur une chaise, au quatrième niveau. Il pensa prendre l'ascenseur, avant d'opter pour l'escalier, dont il gravit les dernières marches au pas de course. Il passa devant la collection de livres de médecine et monta encore quelques marches jusqu'à la mezzanine, là où il avait laissé son chandail.

En apercevant le corps de Jonathan DeHaven gisant sur le sol, Caleb Shaw étouffa un cri et s'évanouit.

L'homme sortit du pavillon et pénétra dans le petit cimetière. C'est fou ce qu'il y avait à faire pour maintenir en l'état la demeure des morts. Officiellement, lui-même résidait dans une tombe du Cimetière national d'Arlington, et la plupart de ses anciens collègues auraient été bien surpris de le savoir encore en vie. Lui-même, d'ailleurs, s'en étonnait encore, car les services pour lesquels il travaillait autrefois avaient fait de leur mieux pour l'éliminer, et cela simplement parce qu'un jour, il avait décidé de ne plus tuer au profit de l'État.

Soudain, il aperçut la bestiole du coin de l'œil et s'assura que personne ne le regardait depuis les fenêtres de l'immeuble voisin. Il tira alors un poignard de sa ceinture et le lança d'un geste vif. La tête clouée au sol, la vipère cuivrée se tortilla ; cette sale bête avait failli le mordre deux fois au cours de la semaine précédente. Lorsqu'elle eut cessé de se débattre, il retira le poignard, l'essuya et jeta la vipère dans une poubelle.

Il n'utilisait pas souvent ses talents, même s'ils se révélaient parfois nécessaires. L'époque où il planquait longuement avant de tuer était derrière lui, et il s'en félicitait, mais son passé imprégnait encore sa vie actuelle, à commencer par son nom.

Cela faisait plus de trente ans que Jim Carr avait troqué son identité contre celle d'Oliver Stone. Il avait changé de nom afin de se protéger des assassins à la solde de son ancien employeur, mais aussi par défiance envers un État qu'il jugeait malhonnête envers ses citoyens. Pendant des années, avec d'autres « contestataires permanents », il avait maintenu une petite tente dans Lafayette Park, devant la Maison-Blanche. Sur l'écriteau posé à côté de la tente, on lisait simplement : « Je veux la vérité. » À cette fin, il avait également créé une association de vigilance nommée le Camel Club, qui se proposait de rendre le gouvernement américain comptable de ses agissements devant le peuple et qui avait échafaudé un certain nombre de théories.

Les autres membres du club, Milton Farb, Reuben Rhodes et Caleb Shaw, n'occupaient pas de position de pouvoir au sein de l'appareil d'État et ne bénéficiaient d'aucune influence particulière, ce qui ne les empêchait pas de garder les yeux ouverts et d'obtenir ainsi de remarquables résultats.

La pluie menaçait. Le vent qui se levait ébouriffa ses cheveux blancs coupés court, qu'il avait eus autrefois longs jusqu'aux épaules, à l'époque où il portait également une barbe qui lui recouvrait la poitrine. Désormais, il ne restait jamais plus de quelques jours sans se raser. Pour demeurer en vie, il avait dû sacrifier barbe et cheveux lors de la dernière aventure du Camel Club.

Stone jeta un paquet de mauvaises herbes dans un seau puis consacra un certain temps à nettoyer la tombe d'un célèbre prêcheur afro-américain qui avait perdu la vie au cours de son combat pour la liberté. Curieux, songea Stone, qu'on eût à lutter pour la liberté dans le pays le plus libre du monde. En regardant autour de lui, dans ce cimetière de Mount Zion qui fut une étape sur le chemin menant les esclaves du Sud vers la liberté, il s'émerveilla une fois encore du grand nombre de personnalités éminentes qui y reposaient.

Tout en travaillant, il écoutait les nouvelles sur un poste de radio posé sur le sol à côté de lui. Le journaliste venait d'évoquer la mort de quatre interprètes auprès du ministère des Affaires étrangères en Irak, en Inde et au Pakistan.

Des interprètes du ministère des Affaires étrangères ? Stone savait qu'il s'agissait d'agents secrets américains, mais que comme d'habitude, le grand public n'en saurait rien. Lui-même veillait à se tenir au courant de l'actualité internationale. L'église qui l'employait lui fournissait, en plus de son salaire, trois quotidiens, et il était capable de lire entre les lignes.

La sonnerie de son téléphone portable le tira de ses réflexions. Il écouta sans poser de questions, puis se mit à courir. Son ami Caleb Shaw, membre du Camel Club, venait d'être hospitalisé, et l'un de ses collègues à la Bibliothèque du Congrès était mort. Dans sa hâte, Stone oublia de refermer les grilles du cimetière.

Les vivants d'abord ! Les morts ne lui en voudraient pas.

Chapitre 7

Sur son lit d'hôpital, Caleb Shaw était entouré des membres du Camel Club. Reuben Rhodes, la soixantaine, 1,95 mètre, taillé comme un joueur de football américain, de longs cheveux noirs bouclés tombant jusqu'aux épaules et une barbe broussailleuse qui lui donnait parfois l'allure d'un fou. Milton Farb, 1,56 mètre, mince, les cheveux longs lui aussi, et un visage de chérubin qui le faisait paraître bien plus jeune qu'il ne l'était.

Vétéran de la guerre du Vietnam, titulaire de nombreuses décorations et ancien agent des renseignements militaires, Reuben travaillait actuellement sur un quai de déchargement, après avoir dû mettre un terme à sa carrière dans l'armée en raison de sa dépendance à l'alcool et à la drogue – et après s'être publiquement opposé à la guerre. Oliver Stone l'avait aidé à disparaître de la circulation en le faisant faussement inhumer au cimetière national d'Arlington, au pied d'un érable.

Milton, lui, avait été un enfant prodige dont les parents, des forains, avaient exploité les talents. Après ses études, il avait travaillé à l'Institut national de la santé, mais avait dû être hospitalisé sur décision de justice, en raison de graves problèmes psychiatriques.

Une fois encore, Oliver Stone s'était porté à sa rescousse alors qu'il travaillait dans l'hôpital où Milton était interné. Remarquant ses brillantes capacités intellectuelles, et notamment son étonnante mémoire visuelle, il avait réussi à le faire participer (sous médicaments) au jeu télévisé *Jeopardy* ; Milton y avait récolté une petite fortune en l'emportant haut la main sur tous les autres concurrents. Après des années de psychothérapie et de traitements médicamenteux au long cours, il avait fini par reprendre une existence presque normale. Il gagnait à présent fort bien sa vie en construisant des sites Web pour des entreprises.

Les bras croisés sur la poitrine, Oliver Stone appuya sa haute stature contre un mur et regarda son ami allongé dans son lit.

Titulaire de deux doctorats, l'un en sciences politiques et l'autre en littérature du XVIIIᵉ siècle, Caleb Shaw était depuis plus de dix ans un habitué de la salle des livres rares de la Bibliothèque du Congrès. En dehors de ses amis, la bibliothèque représentait la passion de la vie de ce célibataire sans enfant.

Quelques instants plus tard, Alex Ford fit à son tour son entrée dans la chambre. Ancien agent du Service secret, il avait été nommé membre honoraire du Camel Club en raison de l'aide inestimable qu'il lui avait apportée.

Soulagé de voir Caleb hors de danger, Ford demeura sur place une bonne demi-heure.

— Prends soin de toi, dit-il avant de prendre congé. Et appelle-moi si tu as besoin de quoi que ce soit.

— Comment ça va, au WFO ? lui demanda Stone, évoquant ainsi le Washington Field Office, antenne du Service secret dans la capitale.

— Ils sont sur les dents. Les criminels sont passés à la vitesse supérieure.

— Bon, j'espère que tu t'es remis de notre petite aventure.

— La menace d'une apocalypse mondiale, je n'appelle pas ça une petite aventure. Et je crois que je ne m'en remettrai jamais complètement.

Après le départ d'Alex Ford, Caleb se tourna vers les autres.

– C'était vraiment horrible de le voir là, étendu sur le sol.

– Et tu t'es évanoui ? demanda Stone.

– Probablement. Je me rappelle être arrivé là-bas pour chercher mon pull, et je l'ai vu. Brusquement, c'est comme si tout s'était effacé. J'ai eu la respiration coupée, j'avais très froid. J'ai cru que j'allais avoir une crise cardiaque… et puis je me suis évanoui.

– D'après la Fondation nationale de psychiatrie, découvrir un cadavre est le deuxième traumatisme le plus important dans une vie, déclara Milton.

Reuben esquissa un sourire.

– Et quel est le premier ? Trouver sa femme au lit avec un singe qui brandit une boîte de Cheese Whiz périmé ?

– Tu connaissais bien DeHaven ? demanda Stone.

– Oui. C'est une tragédie. Il était en excellente santé et il venait de subir un bilan cardiologique complet à l'hôpital Johns Hopkins. Mais enfin, j'imagine qu'une crise cardiaque, ça peut arriver à tout le monde.

– C'était une crise cardiaque ? demanda Stone.

– Qu'est-ce que ça pourrait être d'autre ? Un accident cérébral ?

– D'un point de vue statistique, il s'agit probablement d'une crise cardiaque, répliqua Milton. C'est la première cause de mort subite aux États-Unis. N'importe lequel d'entre nous peut être foudroyé.

– Sympa, Milton. Toujours le mot pour rire.

– Jusqu'au résultat de l'autopsie, on en est réduit aux spéculations, fit observer Stone. Tu n'as vu personne d'autre dans cette chambre forte ?

– Non.

– Mais comme tu t'es évanoui très rapidement, tu aurais pu ne pas voir quelqu'un qui se serait trouvé au troisième étage.

– Tu sais, Oliver, pour accéder à la chambre forte, il faut utiliser une carte magnétique. Et il y a une caméra à l'entrée principale.

– D'abord, dit Stone, le président de la Chambre des représentants est assassiné, maintenant le directeur du département des livres rares meurt dans des circonstances mystérieuses.

— Je doute que les terroristes visent les bibliothécaires, alors ne commence pas à imaginer un complot mettant en jeu le sort de l'humanité. Je ne combats qu'un seul démon par mois, merci bien.

— Laissons le sujet de côté en attendant d'en savoir plus, répondit Stone.

— Je peux te ramener chez toi à moto, Caleb, proposa Reuben.

Il possédait une moto indienne de 1928, équipée d'un side-car gauche qui faisait sa fierté.

— Euh… je préfère pas. Franchement, ton engin me terrifie.

Une infirmière franchit alors le seuil de la chambre, prit le pouls de Caleb et lui inséra un thermomètre dans l'oreille gauche.

— Je pourrai bientôt rentrer chez moi ?

Elle consulta le thermomètre.

— Votre température est presque remontée à la normale. Oui, je crois que le médecin est en train de rédiger le formulaire de décharge.

Stone prit Reuben à part.

— Gardons un œil sur Caleb pendant un certain temps.

— Pourquoi ? Tu crois qu'il est sous le choc ?

— Je ne tiens pas à ce qu'il lui arrive malheur.

— Mais ce type est mort d'une crise cardiaque, Oliver. Ça arrive tout le temps.

— Pas à quelqu'un qui vient de subir un bilan satisfaisant.

— Bon, alors c'est qu'il a eu une rupture d'anévrisme, ou bien il est tombé et il s'est fracturé le crâne. Tu as entendu ce qu'a dit Caleb, il était seul, là-dedans.

— Peut-être, mais il n'en est pas sûr.

— Mais il y a la caméra de sécurité et la carte magnétique, protesta Reuben.

— C'est vrai, et ça confirmera peut-être que Jonathan DeHaven était seul au moment de sa mort. Ça ne prouve quand même pas qu'il n'a pas été assassiné.

— Allez ! Qui pourrait en vouloir à un bibliothécaire ?

— Tout le monde a des ennemis. La seule différence, c'est que pour certains ils sont plus difficiles à trouver.

Chapitre 8

– Qu'est-ce que ça donne ?

Leo Richter, assis dans sa voiture face à un distributeur de billets de Beverly Hills, un casque sur la tête, pianotait sur son ordinateur. Dans une camionnette garée le long du trottoir d'en face, Tony Wallace, l'ancien vendeur de la boutique de luxe, examinait l'écran de son moniteur.

– Super. On voyait très bien tes doigts qui composaient le code secret. Et j'ai un gros plan de la carte qui pénètre dans la fente. Avec le zoom, on peut lire tous les chiffres.

La veille, ils avaient remplacé le présentoir métallique contenant des prospectus de la banque par un autre, confectionné par Tony lui-même. Auparavant, en guise de modèle, ils avaient dérobé un présentoir dans une autre agence, et fabriqué la réplique dans le garage de la maison louée par Annabelle. Dans le présentoir, Tony avait intégré une caméra vidéo, alimentée par une batterie, et pointée sur le clavier et la fente du distributeur de billets. La caméra pouvait envoyer ses images à deux cents mètres de là, bien au-delà de l'endroit où était garée la camionnette.

Pour faire bonne mesure, ils avaient ajouté un lecteur au-dessus de la fente du distributeur. La réplique était parfaite. Cet appareil captait toutes les informations présentes sur la carte, y compris le code secret de la piste magnétique, et les transmettait par liaison sans fil à un récepteur situé dans la camionnette.

Annabelle avait pris place à côté de Tony, face à Freddy Driscoll, l'homme qui vendait des contrefaçons sur le quai de Santa Monica. Freddy, lui, braquait une autre caméra vidéo à travers la vitre teintée du van.

— Je distingue très bien les plaques d'immatriculation des voitures.

— C'est bon, Leo, dit Annabelle dans son micro. Tire-toi de là, le vrai pognon va arriver.

— Tu sais, dit Tony, on n'a pas vraiment besoin de la caméra parce qu'on a le lecteur de carte. Ça fait double emploi.

— Le lecteur transmet parfois des informations incomplètes, lâcha Annabelle sans quitter des yeux son écran. Et s'il manque un chiffre, la carte ne nous sert à rien. En outre, la caméra nous donne des informations que ne donne pas le lecteur. On ne fera ça qu'une fois, on n'a pas droit à l'erreur.

Pendant deux jours, ils demeurèrent à l'intérieur de la camionnette, tandis que la caméra et le lecteur optique enregistraient les données des cartes de crédit. Méthodiquement, Annabelle confrontait ces informations avec les marques de voiture et les plaques d'immatriculation, et entrait le tout dans son ordinateur portable.

— Les Bugatti Veyron, Saleen, Pagani, Kœnigsegg, Maybach, Porsche Carrera GT et Mercedes SLR McLaren, je leur mets cinq étoiles. Les Bugatti valent 1 250 000 dollars et les autres entre quatre cent et sept cent mille dollars. Les Rolls Royce, Bentley et Aston Martin, quatre étoiles. Les Jaguar, BMW et les autres Mercedes, trois étoiles.

— Et les Saturn, KIA et autres Yugo ? demanda Leo d'un ton badin.

À la fin de la deuxième journée, ils se retrouvèrent tous dans leur maison de location.

– Nous avons privilégié la qualité par rapport à la quantité, déclara Annabelle. Trente cartes. On n'a pas besoin de plus.

Leo parcourut les données sur l'ordinateur.

– Parfait, parce que nous avons vingt et une cinq-étoiles et neuf quatre-étoiles, qui correspondent toutes aux numéros de cartes de crédit.

– Il n'y a qu'à Los Angeles qu'on peut voir deux Bugatti Veyron se présenter au même distributeur de billets, remarqua Tony. Mille chevaux, quatre cents kilomètres à l'heure de vitesse de pointe et de l'essence à plus d'un dollar le litre. D'où ils tirent tout cet argent ?

– Ils font comme nous, ils arnaquent les gens, répondit Leo. Sauf que pour eux, c'est légal.

– « J'ai enfreint la loi et la loi a gagné », chantonna Tony d'une voix de crooner.

Il jeta un regard vers Annabelle et Leo.

Vous avez déjà fait de la taule, tous les deux ? reprit-il.

Leo se mit à battre un paquet de cartes.

– C'est un marrant, ce mec, hein ?

– Pourquoi vous avez aussi pris leurs numéros de plaques ? demanda Tony.

– On ne sait jamais, ça peut être utile, répondit Annabelle.

Pendant ce temps, Freddy s'affairait avec le matériel disposé sur une longue table ; on distinguait un paquet de cartes de crédit vierges et une imprimante thermique.

– Tu as tout ce qu'il te faut ? demanda-t-elle.

Il acquiesça, contemplant ses outils d'un air satisfait.

– Annabelle, tu as monté un coup de première.

Trois jours plus tard, Freddy avait confectionné trente cartes de crédit avec le nom de la victime et son numéro de compte au recto, et le code secret inscrit dans la bande magnétique au verso. La touche finale était apportée par l'hologramme, une mesure de sécurité introduite par les banques dès le début des années 1980. Seule différence, les vrais hologrammes sont incrustés dans la carte, tandis que les faux sont disposés en surface, artifice que les distributeurs de billets sont incapables de déceler.

– On peut acheter tous les numéros de cartes qu'on veut sur Internet, fit valoir Tony. C'est là que se fournissent les vrais pros.

– Et je peux t'assurer qu'aucun propriétaire de ces cartes ne possède de Bugatti, sauf miracle.

Leo alluma une cigarette.

– C'est probablement un pro qui t'a dit ça, mon garçon, pour que tu ne lui fasses pas de concurrence. Choisir le pigeon, c'est la règle d'or de l'arnaque.

– Ah bon ? J'ai été aussi bête que ça ? s'exclama Tony.

– Mais oui, fit Annabelle. Bon, voilà le plan. J'ai loué des voitures sous de fausses identités. Vous trois, vous prenez huit cartes chacun, et moi j'en prendrai six, ce qui nous fait notre total de trente. Vous opérerez sur quarante distributeurs avec deux transactions à chaque fois, soit un quart de vos cartes. Vous alternerez les cartes à chaque distributeur, de sorte qu'à la fin vous ayez tiré dix fois sur chaque compte. « J'ai une liste de tous les distributeurs. Tous sont accessibles en voiture, et assez proches les uns des autres. Nous serons déguisés à cause des caméras. J'ai des déguisements pour tout le monde.

– Mais les retraits quotidiens sont limités, dit Freddy, justement pour se protéger des vols.

– Nos pigeons ont certainement augmenté leur plafond de retrait. Des gens qui conduisent des voitures à sept cent mille dollars ne se contentent pas de trois cents dollars d'autorisation de retrait. D'après mes contacts dans une banque, l'augmentation habituelle va jusqu'à deux mille cinq cents dollars. À part ça, ces cartes nous donnent accès à tous les comptes de leurs titulaires. Si nous opérons un virement du compte épargne sur le compte courant, l'ordinateur va augmenter automatiquement le plafond de retrait.

– Donc, ajouta Leo, si nous transférons, disons… cinq mille dollars du compte épargne vers le compte courant, et que nous en retirons quatre mille, ça ne figurera même pas comme un retrait du compte courant.

– Exactement.

– Tu en es sûre ? demanda Tony.

– J'ai fait un essai le mois dernier avec dix des plus grandes banques, et chaque fois ça a marché. C'est une faille du logiciel qui n'a pas encore été corrigée. D'ici là, on aura fait fortune.

En souriant, Leo se remit à battre ses cartes.

– Après cette histoire, je te parie qu'ils vont la corriger.

– Pourquoi ne pas faire huit retraits à chaque distributeur ? proposa Tony. Un par carte. Comme ça, on ne serait pas obligés de taper autant de banques.

– Parce que s'il y a des gens qui attendent derrière, introduire huit cartes à la suite, ça pourrait paraître suspect, répondit Annabelle avec agacement. Avec deux cartes, on peut croire qu'on s'est trompés de code et qu'on a recommencé.

– Ah, ces jeunes délinquants, si gourmands et si étourdis, murmura Leo.

Elle tendit à chacun un calepin à trois anneaux.

– Vous y trouverez les codes secrets de chacune des cartes, le montant exact du transfert que vous opérerez de compte à compte et le montant du retrait. À la fin, on brûlera ces carnets. (Elle se leva et gagna un placard d'où elle tira des sacs en toile.) Vos déguisements sont là-dedans, vous utiliserez ensuite les sacs pour transporter l'argent. (Elle alla se rasseoir.) Je vous donne dix minutes par banque. Nous resterons tout le temps en contact. Si quelque chose vous semble louche dans un endroit, n'y allez pas et passez au suivant.

Freddy lut les montants portés sur son calepin.

– Et si les comptes ne sont pas suffisamment approvisionnés ? Même les riches ont parfois des problèmes d'argent.

– Ceux-là ont de l'argent, répondit Annabelle. J'ai déjà vérifié.

– Comment ? demanda Tony.

– J'ai appelé leur banque et leur ai demandé si le compte était provisionné à hauteur de cinquante mille dollars.

– Et ils t'ont répondu ?

– Ils répondent toujours, mon garçon, fit Leo. Faut simplement savoir demander.

— Et au cours des deux derniers jours, je suis allée voir les maisons de nos pigeons. À première vue, toutes valent au moins cinq millions de dollars. Dans l'une d'elles, il y avait deux Saleen. Ne t'inquiète pas, y a du fric.

— Tu as vu leurs maisons ?

— Comme t'a dit la dame, lança Leo, les plaques d'immatriculation, ça peut servir.

— Nous allons ramasser neuf cent mille dollars, soit en moyenne trente mille par carte, reprit Annabelle. Les banques remettent les compteurs des distributeurs à zéro toutes les douze heures. Nous serons loin. Et juste au cas où certains d'entre vous auraient envie de se tirer avec le fric, sachez que la deuxième petite arnaque doit nous rapporter deux fois plus.

— Dis donc ! s'écria Tony, vexé. Moi, je trouve ça marrant.

— Ça n'est marrant que si tu ne te fais pas prendre, rétorqua Annabelle.

— Toi, tu as déjà été prise ? s'obstina Tony.

— Pourquoi tu ne potasses pas ton carnet ? lança Annabelle en guise de réponse. Comme ça, tu ne feras pas de bêtises.

— C'est juste des retraits dans des distributeurs, ça ira.

— Ce n'était pas une suggestion, répondit-elle sèchement avant de quitter la pièce.

— Elle reste plutôt discrète, nota Freddy.

— Tu aimerais travailler avec quelqu'un qui ne le serait pas ? demanda Leo.

— Qui est-ce ?

— Annabelle.

— Ça, je le sais, mais c'est quoi, son nom de famille ? Je suis étonné de ne pas l'avoir déjà croisée. Le monde des escrocs de haute volée est plutôt petit.

— Si elle avait voulu que tu le saches, elle te l'aurait dit elle-même.

— Allez, Leo, dit Freddy. Vous savez tout de nous, tous les deux. Je te promets de garder ça pour moi.

Leo réfléchit un instant.

– D'accord, mais jure-moi d'emporter ce secret dans ta tombe. Et si tu lui dis que c'est moi qui te l'ai dit, je nierai, et ensuite je te tuerai. Je ne plaisante pas.

Freddy jura tout ce qu'on lui demandait.

– Elle s'appelle Annabelle Conroy.

– Paddy Conroy ? s'écria aussitôt Freddy. Alors lui, j'en ai entendu parler. J'imagine qu'ils sont de la même famille ?

Leo acquiesça.

– C'est sa fille, dit-il à voix basse. Mais c'était un secret bien gardé. Presque personne ne savait que Paddy avait un enfant. De temps en temps, il faisait passer Annabelle pour sa femme. Plutôt bizarre, mais c'était du Paddy tout craché.

– Je n'ai jamais eu le plaisir de travailler avec lui.

– Eh bien moi, j'ai eu le « plaisir » de travailler avec le vieux Paddy Conroy. C'était un des plus grands filous de sa génération. Et aussi un enfoiré de première. (Il coula un regard vers l'endroit où avaient disparu Annabelle et Tony et poursuivit à voix plus basse encore.) Tu as vu cette cicatrice, sous l'œil droit d'Annabelle ? Eh bien, c'est son vieux qui lui a fait ça. Pour la punir d'avoir bousillé une arnaque à la roulette dans un casino de Vegas. Elle avait à peine quinze ans mais elle en paraissait vingt et un. Ça a coûté trois mille dollars à son vieux et il lui a flanqué une sacrée dérouillée. Et c'était pas la seule fois, je peux te l'assurer.

– Putain, dit Freddy. Sa propre fille ?

Leo hocha la tête.

– Annabelle n'en parle jamais. Je l'ai appris par quelqu'un d'autre.

– Alors tu travaillais avec eux, à l'époque ?

– Oui, avec Paddy et sa femme, Tammy. Ils avaient de bons plans. C'est Paddy qui m'a appris le bonneteau. Sauf qu'Annabelle est encore plus douée que son vieux.

– Et pourquoi ?

– Parce qu'elle a une qualité que n'a jamais eue Paddy. Elle est honnête. Elle tient ça de sa mère. Tammy Conroy était une bonne femme tout ce qu'il y a de réglo, en tout cas pour une arnaqueuse.

— L'honnêteté ? Drôle de qualité pour des gens comme nous, remarqua Freddy.

— Paddy menait toujours ses équipes par la peur. Sa fille, elle, le fait avec discernement et compétence. Et jamais elle ne te baisera la gueule, jamais. Paddy, lui, je compte pas les fois où il a dû se barrer vite fait. Voilà pourquoi il a fini par travailler seul. Plus personne ne voulait bosser avec lui. Et j'ai entendu dire que même Tammy a fini par le plaquer.

Freddy demeura un moment songeur.

— Tu as des infos sur le gros coup ?

Leo secoua la tête.

— Ce sera elle qui l'annoncera. Moi, je ne fais qu'exécuter.

Alors que Freddy et Leo se rendaient à la cuisine pour préparer un café, Tony passa la tête par la porte entrebâillée. Il avait oublié son calepin et en revenant chercher il avait entendu toute la conversation. Il sourit. Tony adorait savoir des choses à l'insu des autres.

Chapitre 9

L'arnaque rapporta finalement neuf cent dix mille dollars parce que Tony s'était montré gourmand.

– Qu'est-ce qu'il va devoir faire, le pauvre type ? Vendre sa Pagani ?

– Ne refais plus jamais ça, dit sèchement Annabelle.

Ils prenaient leur petit déjeuner dans une nouvelle maison louée à huit kilomètres de la première, soigneusement nettoyée au cas où la police aurait fait une descente. Toutes les voitures de location avaient été rendues et les déguisements jetés dans différentes poubelles aux quatre coins de la ville. L'argent était déposé dans des coffres-forts loués par Annabelle. Les prises de vue et les dossiers d'ordinateur avaient été effacés, et les calepins détruits.

– Qu'est-ce que ça fait, dix mille dollars de rab ? protesta Tony en haussant les épaules. On aurait pu en prendre plus, tant qu'on y était.

Annabelle lui appuya l'index sur la poitrine.

– Il ne s'agit pas de l'argent. Quand je mets au point un plan, tu le suis. Sans ça, on ne peut pas te faire confiance. Et si on ne peut pas te faire confiance, tu n'appartiens pas à mon équipe. Ne me fais pas regretter de t'avoir choisi, Tony.

Elle le regarda longuement dans les yeux puis se détourna.

– Bon, passons à la deuxième petite arnaque. Cette fois, c'est en direct. Si vous ne suivez pas mes instructions à la lettre, vous risquez de vous retrouver en taule, parce qu'il n'y a aucune marge d'erreur.

Tony s'enfonça dans son siège, maussade.

– Tu sais, Tony, il n'y a rien de mieux que de se retrouver face à face avec le pigeon, ça permet de prendre toute la mesure, et de lui et de soi.

– OK.

– Tu en es sûr ? Parce que s'il y a un problème, je préfère le savoir tout de suite.

Il glissa un regard inquiet vers les autres.

– J'ai pas de problème.

– Bon. On va à San Francisco.

– Qu'est-ce qu'il y a, là-bas ? demanda Freddy.

– Le facteur, répondit Annabelle.

Ils gagnèrent San Francisco à bord de deux voitures, Leo et Annabelle dans la première, Tony et Freddy dans la seconde, puis louèrent un appartement pour deux semaines dans les environs de la ville, avec une vue partielle sur le Golden Gate. Pendant quatre jours, ils surveillèrent tour à tour un complexe d'immeubles de bureaux dans un quartier chic de la banlieue, guettant les boîtes aux lettres extérieures remplies à ras bord de courrier qu'un employé des postes venait relever entre 17 heures et 17 h 15.

Le cinquième jour, à 16 h 30 précises, Leo, vêtu en postier, arriva devant la boîte au volant d'un camion postal qu'Annabelle avait réussi à obtenir grâce à des relations. Ces gens-là fournissaient à la demande des véhicules pour toutes sortes de tâches inavouables, depuis les camions blindés jusqu'aux ambulances. Installée dans une voiture garée en face, Annabelle observa l'arrivée de Leo. À l'entrée du complexe, Tony et Freddy étaient chargés de prévenir Leo, grâce à son oreillette, de l'arrivée éventuelle du véritable facteur. Leo devait ramasser seulement le courrier déposé dans des sacs à l'extérieur de la boîte puisqu'il n'en possédait pas la clé. Il aurait pu aisément forcer la serrure, mais Annabelle s'y était opposée, jugeant cela inutilement dangereux.

– On prendra ce qui est déposé au pied de la boîte ou ce qui en dépasse. Ça suffira amplement.

Tandis qu'il chargeait les sacs dans le camion, Leo entendit la voix d'Annabelle dans son oreillette.

– Il y a une femme qui arrive en courant avec du courrier, ce doit être une secrétaire.

– Compris.

Il se tourna. La femme semblait déçue.

– Oh, où est Charlie ? demanda-t-elle.

Le dénommé Charlie, le postier habituel, était grand et bel homme.

– Je suis venu en renfort parce qu'il y a beaucoup de courrier, répondit poliment Leo. C'est pour ça que je suis passé un peu plus tôt. (Avisant le paquet de lettres qu'elle tenait à la main, il lui tendit son sac ouvert.) Vous n'avez qu'à les mettre là-dedans.

– Merci. Ce sont les chèques de salaire, ils doivent partir ce soir.

– Vraiment ? Dans ce cas, je vais en prendre soin, dit-il avant de reprendre la collecte des sacs.

De retour à l'appartement, ils opérèrent rapidement le tri du courrier, et Annabelle demanda à Tony d'aller jeter dans la boîte aux lettres la plus proche le courrier qui ne leur était d'aucune utilité.

À son retour, Tony lança :

– Vous avez écarté plein de chèques de salaire. Pourquoi ?

– Les chèques de salaire et ceux qui sont encaissables sur un compte ne nous intéressent pas, répondit Freddy. Grâce à des lasers, l'encre est incrustée dans le papier et dans des chiffres sécurisés, de façon à empêcher la modification du montant.

– Je n'ai jamais compris pourquoi, intervint Leo. Après tout, ces chèques sont envoyés à des gens qu'ils connaissent.

Freddy tendit un chèque.

– C'est ce qui nous intéresse : un chèque de remboursement.

– Mais ils sont envoyés à de parfaits inconnus, remarqua Tony.

– C'est ça qui me paraît absurde, mon garçon, renchérit Leo. On sécurise les chèques envoyés à des gens qui travaillent dans la boîte ou à des sociétés avec lesquelles on est en relations d'affaires. Et il n'y a rien sur les chèques destinés à des inconnus.

– J'ai choisi ce complexe de bureaux parce qu'il abrite les sièges d'un certain nombre des cent sociétés les plus importantes des États-Unis. Des milliers de chèques quittent cet endroit tous les jours, et les comptes sont toujours approvisionnés.

Cinq heures plus tard, Freddy avait rassemblé quatre-vingts chèques.

– Ceux-ci sont nickel. Ni filigrane, ni bandeau ni case de détection.

Il porta les chèques jusqu'au petit atelier installé dans une autre pièce, et, aidé des autres, il disposa du ruban adhésif sur la signature, sur le recto et le verso, les disposa dans une poêle à frire et versa du vernis à ongles sur le papier. L'acétone contenue dans le vernis parvint à dissoudre rapidement tout ce qui n'était pas rédigé à l'encre d'imprimerie. Après avoir retiré le ruban adhésif, il ne restait plus sur les quatre-vingts chèques que la signature des présidents ou des directeurs financiers.

– Un jour, on a déposé un faux chèque sur mon compte, dit Leo.

– Alors, qu'est-ce que t'as fait ? demanda Tony.

– J'ai retrouvé ce salaud. C'était un amateur, qui faisait surtout ça pour s'amuser, mais ça m'a quand même fait chier. Alors je me suis débrouillé pour effectuer un changement d'adresse à son nom, j'ai détourné toutes ses factures et le type a été harcelé par ses créanciers pendant deux ans. Ce genre de trucs, il faut le laisser à des professionnels. J'aurais pu utiliser son identité, le baiser dans les grandes largeurs…

– Et pourquoi tu ne l'as pas fait ? demanda Tony.

– J'suis pas salaud à ce point, grommela Leo.

– Quand les chèques seront secs, je changerai les numéros de la Réserve fédérale, annonça Freddy.

– C'est quoi, ça ? demanda Tony.

– Hein ? T'es sûr que t'es un pro de l'arnaque ? demanda Leo, stupéfait.

– Moi, mes outils, c'est les ordinateurs et Internet. Je suis un arnaqueur du XXIe siècle. Le papier, connais pas.

– Félicitations ! riposta Leo.

Annabelle agita en l'air une formule de chèque.

– C'est ça, le numéro de Réserve fédérale, dit-elle en montrant les deux premiers chiffres d'une série disposée en bas. Il indique à la banque que le chèque a été déposé dans telle ou telle chambre de compensation. La chambre de compensation de New York porte le numéro 02. San Francisco, 12. Par exemple, une société ayant son siège à New York utilisant des chèques émis par une banque new-yorkaise aura le numéro 02 sur ses chèques. Comme nous allons encaisser les chèques ici, Freddy va inscrire sur les formules le numéro de New York. Comme ça, la société mettra plus de temps à récupérer ses chèques et à se rendre compte qu'ils ont été falsifiés… « Plus important encore, on a affaire à de grosses sociétés qui ne pratiquent jamais le paiement en espèces. Donc il y a de fortes chances qu'ils ne se rendent compte qu'à la fin du mois qu'un chèque d'un montant relativement peu important a été falsifié. Aujourd'hui, on est le 5, ce qui veut dire qu'on a presque un mois avant qu'ils découvrent l'affaire. À ce moment-là, on sera partis depuis longtemps.

– Et si l'employé de banque se rend compte que le numéro de Réserve fédérale ne correspond pas ? demanda Tony.

— Tu ne regardes jamais la télé, on dirait, répliqua Leo. Tu sais, cette émission où le journaliste se pointe dans une banque avec un chèque sur lequel il y a marqué « Pas d'encaissement, gros nigaud, ce chèque est faux » ? Et le gros nigaud l'encaisse.

— Je n'ai jamais vu un employé vérifier le numéro de Réserve fédérale sur un chèque, renchérit Annabelle. Simplement, il ne faut pas éveiller les soupçons.

Lorsque les chèques furent secs, Freddy les scanna sur l'ordinateur. Six heures plus tard, il ressortait quatre-vingts chèques pour un montant de 2,1 millions de dollars.

Annabelle passa le doigt sur le bord perforé du chèque, signe qu'il était véritable, même si son montant était fantaisiste. Elle se tourna ensuite vers ses compagnons.

— Et maintenant, il y a le côté humain : présenter les chèques au guichet.

— C'est ce que je préfère, dit gaiement Leo en terminant un sandwich au jambon qu'il fit passer avec une rasade de bière.

Chapitre 10

Leo et Annabelle décidèrent d'encaisser la première série de chèques falsifiés pour montrer à Tony comment opérer. Tous trois possédaient une série de pièces d'identité confectionnées par Freddy, prouvant qu'ils travaillaient bien pour la société dont ils encaissaient le chèque. Annabelle avait enjoint à Tony et à Leo de n'emporter sur eux qu'une série de pièces d'identité. Au cas où ils seraient arrêtés, il leur serait difficile de justifier huit identités différentes.

Certains de ces chèques étaient personnels, mais aucun ne dépassait dix mille dollars, pour éviter toute notification au fisc, et, en raison de ce montant limité, il leur en aurait fallu un grand nombre pour réunir les 2,1 millions de dollars initialement prévus. Les autres chèques étaient donc libellés au nom de sociétés fictives et devaient être déposés sur les comptes ouverts par Annabelle dans différentes banques. Les chèques à l'intention de sociétés pouvaient dépasser dix mille dollars sans attirer l'attention du fisc, mais le problème était qu'aucune banque n'acceptait de régler de tels chèques en liquide. Il fallait d'abord que ces comptes soient provisionnés. Pendant plusieurs mois,

Annabelle avait donc procédé à des mouvements de fonds sur ces comptes, sachant très bien qu'en constatant de brusques retraits en liquide de comptes nouvellement ouverts, les banques soupçonnaient immédiatement des opérations de blanchiment d'argent.

Deux jours durant, Annabelle et Leo entraînèrent Tony à affronter toutes les situations possibles, jouant tour à tour le rôle de caissiers, directeurs de banque, vigiles ou clients. Tony apprenait vite et, au bout des deux jours, ils le déclarèrent apte à faire ses premiers pas.

Les dix premiers passages se déroulèrent sans problème. Annabelle était tantôt rousse, tantôt blonde, tantôt brune. L'arrière de la camionnette avait été aménagé en vestiaire équipé d'une petite table de maquillage et d'un miroir, où Leo et elle se changeaient après quelques incursions dans les banques. Parfois, elle portait des lunettes noires, ou alors un foulard sur la tête, ou bien un pantalon, un sweat-shirt et une casquette de base-ball. En revanche, elle n'avait que des chaussures à talons plats, pour ne pas en rajouter sur son 1,80 mètre. Enfin, bien qu'elle ne levât jamais les yeux dans leur direction, elle savait que chaque fois son entrée était capturée par les caméras de surveillance.

Leo, lui, se présentait tour à tour sous l'apparence d'un homme d'affaires, d'un coursier, d'un retraité ou d'un avocat.

Avec les employés de banque, Annabelle se montrait des plus à l'aise, sans la moindre trace d'appréhension. D'emblée, elle les mettait en confiance en parlant de leurs vêtements, de leur coiffure, de son admiration pour la ville même si le temps était maussade.

La onzième fois, elle confia à l'employée :

– Ça fait quatre ans que j'ai monté cette société de consultants, et ce sont les honoraires les plus importants que j'aie reçus. Il faut dire que j'ai travaillé d'arrache-pied.

– Félicitations, dit la femme en passant la transaction. Quarante mille dollars, il faut dire que c'est une belle somme.

Mais au goût d'Annabelle elle examinait d'un peu trop près le chèque et les papiers de la société. Elle remarqua alors que l'employée ne portait pas d'alliance, mais qu'elle avait dû la retirer récemment parce que la peau était un peu plus claire sur l'annulaire gauche.

– Mon ex m'a quittée pour une femme plus jeune et il a vidé notre compte, dit Annabelle d'un ton amer. J'ai dû reconstruire entièrement ma vie, et ça n'a pas été facile. Mais je n'allais pas lui laisser cette satisfaction. J'ai accepté la pension alimentaire parce que j'y ai droit, mais ce n'est pas lui qui va régenter mon existence.

Aussitôt, l'employée changea d'attitude.

– Je vois très bien ce que vous dites, chuchota-t-elle. Après douze ans de mariage, mon ex lui aussi m'a plaquée pour une autre.

– Il nous aurait fallu une potion magique pour les faire tenir tranquilles, hein ?

– Oui, mais à mon ex j'aurais bien donné une potion empoisonnée.

Annabelle jeta alors un coup d'œil aux documents étalés sur le comptoir.

– J'imagine que le versement des fonds va être mis en attente, non ? C'est qu'il faut que je paye un certain nombre de vendeurs. J'aimerais bien conserver tout le montant, mais ma marge de profit n'est que d'environ dix pour cent, avec un peu de chance.

L'employée hésita.

– Eh bien… d'habitude, c'est ce qu'on fait avec un chèque d'un tel montant (elle regarda alternativement Annabelle et son écran d'ordinateur). Mais le compte à débiter permet tout à fait de couvrir le chèque, et sur le compte de votre société, il n'y a eu aucun problème. Bon, je vais mettre les fonds à disposition immédiatement.

– C'est parfait. Je vous remercie beaucoup.

– Nous, les filles, il faut qu'on se tienne les coudes.

– C'est vrai, ça, dit Annabelle avant de s'en aller, un bordereau à la main indiquant que sa « société » était plus riche de quarante mille dollars.

De son côté, Leo déposait aussi son lot de chèques, sans passer plus de dix minutes dans chaque banque ; il fallait faire vite, certes, mais sans hâte excessive. D'ordinaire, il lançait une plaisanterie, souvent à ses dépens, pour mettre le guichetier à l'aise.

— J'aimerais bien que tout cet argent aille sur mon compte, dit-il à un employé, alors qu'il jouait le rôle d'un coursier d'entreprise. Ça me permettrait de payer mon loyer. Bon Dieu, dans cette ville, il faut donner son premier-né en dépôt de garantie pour louer un studio !

— Oui, c'est la coutume, répondit l'employé, compatissant.

— Et quand je dis studio… J'ai tout juste la place de mettre un canapé-lit.

— Vous avez de la chance. Avec ce que je touche à la banque, je suis encore obligé de crécher chez mes parents.

— Peut-être, mais j'ai trente ans de plus que vous. Au train où ça va, quand vous serez directeur, c'est moi qui vivrai chez mes parents.

En riant, l'employé lui tendit un bordereau de dépôt pour un montant de trente-huit mille dollars.

— Ne dépensez pas tout en une fois, plaisanta le jeune homme.

— Vous inquiétez pas.

Leo glissa le papier dans sa poche et s'en alla en sifflotant.

En milieu d'après-midi, ils avaient déposé soixante-dix-sept chèques sur le total de quatre-vingts. Tony avait effectué dix dépôts et prenait de l'assurance à chaque opération.

— C'est facile, déclara Tony dans la camionnette, en se changeant avec Leo.

Annabelle faisait de même, abritée par un drap tendu en travers.

— Ces idiots gobent tout ce qu'on leur raconte, ajouta-t-il. Ils ne regardent même pas le chèque qu'on leur tend. Je ne sais pas pourquoi il y en a qui s'emmerdent encore à braquer des banques.

Annabelle passa la tête par-dessus le drap.

— Il nous reste trois chèques. On en prend un chacun.

– Et fais attention à ta tête quand tu sortiras, dit Leo.

– Comment ça ? demanda Tony.

– Elle est tellement gonflée qu'elle risque de ne pas passer.

– Pourquoi tu me mets la pression, Leo ?

– Il te met la pression parce que ça n'est pas si facile de passer des chèques falsifiés, lança Annabelle.

– Pour moi, si.

– Parce que Annabelle, dans son infinie sagesse, t'a donné les plus faciles.

Tony se tourna vers elle.

– C'est vrai ?

Les épaules nues d'Annabelle dépassaient au-dessus du drap.

– Oui.

– Je sais me débrouiller tout seul. Je n'ai pas besoin de baby-sitter.

– Je ne fais pas ça pour toi, répondit Annabelle. Si tu tombes, on tombe avec toi. (Elle lui lança un regard dur, puis son expression se radoucit.) En outre, ce serait dommage de perdre un escroc de talent.

Elle se pencha. Avec la lumière venant des vitres teintées de la camionnette, le drap était translucide, révélant la silhouette d'Annabelle qui ôtait ses vêtements.

Leo donna à Tony un coup de coude dans les côtes.

– Un peu de respect, mon garçon.

Tony se tourna lentement vers lui.

– Dis donc.

– Quoi, tu n'as jamais vu une belle femme se dévêtir ?

– Non, enfin si, bien sûr.

Il baissa la tête.

– Mais qu'est-ce que t'as ? questionna Leo.

Tony releva les yeux.

– Elle vient de dire que j'étais un escroc de talent.

Chapitre 11

C'était le dernier passage. Tony se tenait face à l'employée de la banque, une jeune Asiatique, mignonne, de longs cheveux noirs tombant jusqu'aux épaules, la peau soyeuse et cuivrée. Le bras appuyé sur le comptoir, Tony se pencha en avant.

— Ça fait longtemps que vous vivez ici ? lui demanda-t-il.

— Quelques mois. Je viens de Seattle.

— Avec le temps qu'il fait, ça n'a pas dû vous changer beaucoup.

— C'est vrai, répondit la jeune femme en souriant.

— Moi, je viens d'arriver de Las Vegas. Ça, c'est une ville marrante.

— Je n'y suis jamais allée.

— Vous devriez. (Il la scruta avec insistance.) J'aimerais beaucoup vous faire visiter la ville.

Elle lui lança un regard désapprobateur.

— Je ne vous connais même pas.

— Bon, on n'est pas obligés d'aller tout de suite à Vegas. On pourrait commencer par un déjeuner.

— Qu'est-ce qui vous dit que je n'ai pas déjà un petit ami ?

— Belle comme vous êtes, c'est certainement le cas. Mais ça veut dire que je vais devoir redoubler d'efforts pour vous le faire oublier.

La jeune femme rougit et baissa les yeux, mais elle souriait à nouveau.

– Vous êtes fou. (Elle pianota sur son clavier d'ordinateur.) Bon, est-ce que vous auriez une pièce d'identité ?

– Seulement si vous me promettez de ne pas dire non quand je vous inviterai officiellement.

En lui prenant sa carte d'identité, elle laissa ses doigts s'attarder sur ceux de Tony. Il lui sourit.

Elle jeta alors un coup d'œil à la carte et sembla étonnée.

– Je croyais que vous veniez d'arriver de Las Vegas !

– C'est vrai.

– Mais d'après votre carte, vous viviez en Arizona. (Elle la lui montra.) Et cette photo ne vous ressemble pas du tout.

Et merde ! Il avait tiré la mauvaise carte de sa poche. En dépit des instructions d'Annabelle, il emportait sur lui ses différentes pièces d'identité falsifiées. Sur cette photo, il avait les cheveux blonds, une barbiche et arborait des lunettes rondes.

– Je vivais en Arizona mais je travaillais à Las Vegas, c'était moins cher, lança-t-il rapidement. Et j'ai décidé de changer de look, de couleur de cheveux, de mettre des lentilles de contact.

Tout en débitant son discours, il comprit que c'en était fait de lui.

L'employée examina le chèque et ses soupçons ne firent que croître.

– C'est un chèque d'une société californienne tiré sur une banque californienne, mais le numéro de Réserve fédérale est celui de New York. Pourquoi ?

– La Réserve fédérale ? Je ne sais même pas ce que c'est, dit Tony d'une voix qui commençait à trembler.

À son visage, Tony comprit que l'employée l'avait déjà condamné pour tentative d'escroquerie. Elle posa le chèque et la pièce d'identité falsifiés devant elle, sur le comptoir, et glissa un regard en direction du vigile.

– Je vais devoir appeler le directeur pour…

– Mais qu'est-ce qui se passe ici ? lança soudain une voix irritée. Permettez.

La femme écarta Tony et se planta devant l'employée. Elle était grande, plutôt forte, les cheveux teints en blond avec des racines plus foncées. Les lunettes à la mode pendues au bout d'une chaîne, elle était vêtue d'un pantalon noir et d'un chemisier rouge foncé.

Elle s'adressa à la jeune fille d'un ton ferme.

– Ça fait dix minutes que j'attends ici pendant que vous roucoulez. C'est comme ça qu'on accueille les clients, dans votre banque ? Je vais demander au directeur de venir voir un peu ce qui se passe au guichet.

L'employée, effrayée, eut un mouvement de recul.

– Excusez-moi, madame, je ne faisais que…

– Je sais très bien ce que vous faisiez, dit la femme en lui coupant la parole. J'ai tout entendu, et les autres clients de la banque aussi vous ont entendue minauder.

Le visage de l'employée s'empourpra.

– Mais pas du tout, madame !

La cliente appuya les deux mains sur le comptoir et se pencha en avant.

– Ah bon ? Et quand vous parliez de votre petit ami, de Las Vegas, et quand il vous a dit que vous étiez très belle, c'était quoi, ça ? Une discussion professionnelle ? Vous faites ça avec tous les clients ? Ça vous intéresse aussi de savoir avec qui je couche ?

– Madame, je vous en prie…

– Laissez tomber. Moi, je m'en vais !

La femme tourna les talons et s'en alla, furieuse.

Tony avait déjà disparu, entraîné au-dehors par Leo quelques secondes auparavant.

Une minute plus tard, Annabelle les rejoignit à l'arrière de la camionnette.

– On y va, Freddy !

Il démarra aussitôt.

Elle ôta le perruque blonde, glissa les lunettes dans sa poche, ôta sa veste et le rembourrage autour de sa taille, puis jeta sa carte d'identité à Tony.

Celui-ci la prit, puis s'exclama :

– Mon Dieu, ils ont le chèque…

Il s'interrompit en voyant apparaître le chèque soigneusement plié entre les doigts d'Annabelle.

– Pardonne-moi, Annabelle, vraiment, je suis désolé.

Elle se pencha vers lui.

– Un petit conseil, Tony : ne drague jamais les pigeonnes, surtout quand tu travailles sous pseudo.

– On a bien fait de te garder à l'œil, pour ce coup-là.

– Pourquoi vous avez fait ça ?

– Parce que quand tu es sorti de la camionnette, tu avais l'air beaucoup trop présomptueux, répondit Annabelle. La présomption, c'est la mort de l'arnaque. Ça aussi, c'est une règle à ne pas oublier.

– Je peux retenter le coup dans une autre banque.

– Non. Le risque est trop grand. De toute façon, on a ramassé suffisamment pour le gros coup.

Tony voulut protester, mais se ravisa et garda le silence.

Leo et Annabelle échangèrent un regard en laissant échapper en même temps un soupir de soulagement.

Deux jours plus tard, dans l'appartement qu'ils avaient loué, Leo frappa à la porte d'Annabelle.

– Oui ?

– T'as une minute ?

Il s'assit sur le rebord du lit pendant qu'elle rangeait quelques vêtements dans un sac de voyage.

– Trois millions, dit-il, admiratif. Tu sais, tu appelles ça les « petits coups » mais pour beaucoup de gens ça en ferait deux gros. C'est de la belle ouvrage, Annabelle.

– N'importe quel escroc un peu malin aurait fait pareil. J'ai seulement monté un peu la barre.

— Un peu ? Trois millions de dollars à partager à quatre, c'est pas peu.

Elle lui lança un regard acéré.

— Je sais, je sais, dit-il rapidement. Tu as une part plus importante parce que c'est toi qui as monté l'opération. Mais même avec ma part plus réduite, je pourrais vivre à l'aise quelques années, et même prendre de vraies vacances.

— Pas encore. Il reste le gros coup, Leo, c'était ça, notre accord.

— C'est vrai, mais réfléchis quand même.

Elle fourra une pile de vêtements dans le sac.

— C'est tout réfléchi.

Leo se leva, tripotant une cigarette non allumée.

— D'accord, mais le gamin ?

— Oui, quoi ?

— Tu as dit qu'on aurait que des pros sur cette affaire. Bon, j'ai pas de problème avec Freddy, ses trucs sont de première classe. Mais le gamin a failli nous faire tous plonger. Si tu n'avais pas été là…

— Si je n'avais pas été là, il aurait trouvé un moyen de s'en sortir.

— N'importe quoi ! L'employée l'avait déjà repéré. Il lui avait donné une mauvaise pièce d'identité. Quel con !

— T'as jamais fait d'erreur sur un coup, Leo ? Laisse-moi un peu réfléchir. Et Phœnix ? Ou Jackson Hole ?

— Oui, mais c'était pas une histoire de plusieurs millions de dollars. On ne m'a pas tout donné sur un plateau quand j'étais encore en couches-culottes, comme Tony.

— La jalousie est un vilain défaut, Leo. Et Tony est capable de se débrouiller.

— Peut-être que oui, peut-être que non. En tout cas, je préfère ne pas être là si c'est non.

— Laisse-moi m'occuper de ça.

— Parfait, puisque tu t'occupes de tout pour nous.

— Bon, je suis heureuse que l'affaire soit réglée.

Les mains enfoncées dans les poches, Leo se mit à arpenter la pièce.

– Il y a autre chose ? demanda-t-elle.

– Oui. C'est quoi, le gros coup ?

– Je te le dirai le moment venu. Pour l'instant, tu n'as pas besoin de le savoir.

Il se rassit sur le rebord du lit.

– Je suis pas à la CIA, je suis un arnaqueur, et je ne fais confiance à personne. (Il jeta un coup d'œil sur le sac d'Annabelle.) Et si tu ne me dis pas de quoi il s'agit, je ne t'accompagne nulle part.

– Tu connais notre accord, Leo. Si tu pars maintenant, t'auras que dalle. Deux petits coups et un gros coup. C'était convenu comme ça.

– Oui, mais dans notre accord il n'était pas question de materner un charlot qui a failli nous envoyer en taule, alors il serait peut-être temps de le renégocier, cet accord.

Elle le considéra avec dédain.

– Quoi, tu me laisses tomber, après tout ce temps ? Je t'offre la plus belle opération de ta vie.

– Je ne veux pas plus d'argent. Je veux savoir où je mets les pieds. Sinon, compte pas sur moi !

Annabelle cessa d'empiler des vêtements dans son sac et se prit à réfléchir.

– Si je te dis où on va, ça te suffira ?

– Ça dépend de l'endroit.

– Atlantic City.

Leo blêmit.

– T'es pas folle ? La dernière fois, ça t'a pas suffi ?

– C'était il y a longtemps, Leo.

– Pour moi, ça ne fera jamais assez longtemps ! Pourquoi ne pas faire un truc plus facile, comme s'attaquer à la mafia ?

– A-tlan-tic-Ci-ty, répéta-t-elle en détachant les syllabes.

– Pourquoi ? À cause de ton vieux ?

Elle ne répondit pas. Il pointa sur elle un index accusateur.

— Tu es folle à lier, Annabelle. Si tu crois que je vais retourner dans ce trou à rats parce que tu as quelque chose à te prouver, tu ne me connais pas ! Je m'appelle Leo Richter !

— L'avion décolle à 7 heures du matin.

— Est-ce qu'au moins on voyage en première classe ?

— Oui. Pourquoi ?

— Parce que si ça doit être mon dernier vol, j'aime autant partir en beauté.

— Si ça peut te faire plaisir, Leo.

Il quitta la pièce et Annabelle reprit ses préparatifs.

Chapitre 12

Caleb Shaw travaillait dans la salle de lecture des livres rares. Plusieurs directeurs de recherche avaient demandé du matériel rangé dans la chambre forte, ce qui exigeait l'accord d'un conservateur. Puis il passa un long moment au téléphone avec un professeur qui écrivait un livre sur la bibliothèque privée de Jefferson ; cette bibliothèque, vendue à la nation après l'incendie de Washington par les Britanniques en 1812, formait le fonds principal de l'actuelle Bibliothèque du Congrès. Après cela, Jewell English, une vieille dame habituée de la salle de lecture, demanda à voir un exemplaire des *Beadle's Dime Novels*, dont elle possédait, de son propre aveu, une jolie collection. Mince, les cheveux blancs, le sourire engageant, elle avait un jour confié à Caleb que son mari était mort dix ans auparavant et que sa famille était dispersée aux quatre coins du pays ; chaque fois qu'elle venait à la bibliothèque, il prenait plaisir à converser avec elle.

— Vous avez de la chance, Jewell, il vient tout juste de revenir du service de restauration.

Il prit le livre puis évoqua quelques instants avec elle la disparition de Jonathan DeHaven avant de retourner à son bureau.

70

Pendant quelques instants, il observa la vieille dame qui chaussait ses épaisses lunettes, puis parcourait le livre en prenant des notes sur une feuille de papier. Pour des raisons évidentes n'étaient autorisés dans cette salle que les crayons noirs et les feuilles volantes, et même les directeurs de recherche devaient soumettre leurs sacs à la fouille avant de s'en aller.

Un peu plus tard, une employée des services administratifs fit son entrée dans la salle. Caleb se leva pour l'accueillir.

– Bonjour, Caleb, j'ai un papier pour vous de la part de Kevin.

Kevin Philips venait d'être nommé pour remplacer DeHaven.

– Kevin ? Pourquoi ne m'a-t-il pas passé un coup de fil ou envoyé un mail ?

– Je crois qu'il a essayé, mais soit la ligne était occupée, soit vous n'avez pas répondu. Et pour une raison que j'ignore, il ne voulait pas envoyer de courriel.

– C'est que je suis débordé, en ce moment.

– Je crois que c'est assez urgent.

Elle lui remit une enveloppe et s'en alla. Caleb retourna à son bureau, trébucha sur le coin de son tapis de sol, fit tomber ses lunettes posées sur le bureau et les écrasa malencontreusement.

– Oh, bon sang, qu'est-ce que je peux être maladroit, parfois !

Impossible de lire la lettre, à présent, songea-t-il en ramassant ses lunettes brisées. Et d'après cette femme, c'était urgent.

– Ce n'est pas la première fois que vous trébuchez sur ce tapis, Caleb, lui rappela Jewell.

– Merci pour la remarque, grommela-t-il entre ses dents.

Il ajouta aussitôt à haute voix :

– Jewell, pourriez-vous me prêter vos lunettes une seconde, pour que je puisse lire cette lettre ?

– Je suis myope comme une taupe, elles risquent de ne pas vous convenir. Vous ne préférez que je vous la lise ?

– Euh... non, merci. C'est peut-être... enfin...

– Vous voulez dire que ça pourrait être confidentiel ? demanda-t-elle d'un air gourmand.

La vieille dame lui tendit ses lunettes et il examina la lettre. Kevin Philips lui demandait de venir immédiatement dans les bureaux de l'administration, situés dans un étage sécurisé. Il n'avait jamais été convoqué dans ces bureaux, en tout cas par ce biais. Il plia le billet et le glissa dans sa poche.

— Merci, Jewell, je crois que vous et moi avons le même handicap visuel, parce que vos verres me convenaient parfaitement.

Il lui rendit ses lunettes et tourna les talons.

Kevin Philips l'accueillit en compagnie d'un homme en complet sombre, qu'il lui présenta comme l'avocat de Jonathan DeHaven.

— Selon les termes du testament de M. DeHaven, vous avez été désigné comme l'exécuteur littéraire de sa collection de livres, lui annonça l'avocat en lui tendant une feuille de papier et deux clés. « La grosse clé est celle de la maison de M. DeHaven, et la petite celle du coffre où sont rangés certains ouvrages. Le premier numéro est le code de l'alarme de la maison, et le deuxième, la combinaison du coffre. Pour l'ouvrir, il faut la clé et la combinaison.

Caleb considéra d'un air hébété les objets qu'on lui tendait.

— Son exécuteur littéraire ?

— Oui, Caleb, dit Philips. Apparemment, vous l'avez aidé à acquérir un certain nombre de volumes pour sa collection personnelle.

— C'est vrai, reconnut Caleb. Il disposait de pas mal d'argent et connaissait suffisamment bien son domaine pour réunir une excellente collection de livres rares.

— En tout cas, il appréciait grandement votre aide, dit l'avocat. D'après les dispositions du testament, vous bénéficiez d'un accès sans restriction à sa collection. Vous êtes chargé d'en dresser un inventaire détaillé, de la faire estimer, puis de la vendre, y compris en plusieurs lots si vous l'estimez nécessaire, puis de verser l'argent à différentes œuvres humanitaires citées dans le testament.

– Il voulait que je vende ses livres ? Et sa famille ?

– Mon cabinet représente la famille DeHaven depuis de nombreuses années, et il n'y a plus aucun membre vivant. Un de mes anciens associés, à présent à la retraite, m'a dit un jour que M. DeHaven avait été marié. Apparemment, cela n'a pas duré longtemps. Je crois même que, d'après lui, le mariage avait été annulé. C'était avant mon entrée au cabinet. De toute façon, il n'avait pas d'enfant, et donc pas d'ayant-droit. Vous recevrez évidemment un pourcentage sur le produit des ventes.

– Cela pourrait représenter une jolie somme, nota Philips.

– Je le ferai gracieusement, se hâta de dire Caleb.

– Je ferai comme si je n'avais rien entendu, répondit l'avocat en riant. Cette mission représente plus de travail que vous ne l'imaginez. Alors acceptez-vous cette charge ?

– Oui, je l'accepte, répondit Caleb après un instant d'hésitation. En souvenir de Jonathan.

– Parfait. Signez ici pour votre accord, et pour le reçu des clés et des codes.

Il avança une feuille de papier vers Caleb, qui la signa avec un peu de difficulté sans ses lunettes.

– Eh bien, tout cela vous attend, désormais, déclara finalement l'avocat.

De retour à son bureau, Caleb contempla les clés d'un air songeur avant de téléphoner à Milton, Reuben et Stone. Ils convinrent de se retrouver le soir même chez Jonathan.

Chapitre 13

Reuben se rendit chez DeHaven sur sa moto indienne, le grand Stone recroquevillé dans le side-car, tandis que Caleb et Milton les suivaient à bord de la vieille Chevrolet Nova de Caleb, qui laissait derrière elle un panache de fumée noire. Pour l'occasion, Caleb avait récupéré une vieille paire de lunettes qui lui permettrait au moins de lire sans trop de difficulté.

— Chouette baraque, commenta Reuben en ôtant son casque et ses lunettes. Pas mal, pour un fonctionnaire.

— Sa famille était riche, observa Caleb.

— Ça doit être bien. Moi, ma famille, c'était que des ennuis. Et avec vous, les copains, j'ai comme l'impression que ce n'est pas fini.

Caleb ouvrit la porte d'entrée, désactiva l'alarme, et ils pénétrèrent dans la maison.

— Je suis déjà entré dans la chambre forte, dit Caleb. Il y a un ascenseur pour aller au sous-sol.

— Un ascenseur ! s'écria Milton. Je n'aime pas les ascenseurs.

— Dans ce cas, tu peux prendre l'escalier, il est là-bas.

Reuben contempla les meubles anciens, les tableaux, les sculptures disposées dans des niches, puis frotta le bout de sa botte sur le magnifique tapis persan du salon.

— Il ne faudrait pas que quelqu'un s'installe ici jusqu'à ce que tout soit réglé ?

— La réponse est non, fit Caleb.

Ils prirent l'ascenseur et retrouvèrent Milton dans une antichambre.

La porte du coffre, monstrueuse, était équipée d'un clavier digital et d'une fente pour la clé de sécurité. Caleb leur expliqua qu'il fallait introduire la clé en même temps que l'on tapait la combinaison.

— Plusieurs fois, j'ai accompagné Jonathan à l'intérieur de la chambre forte.

La porte glissa en silence sur ses gonds et ils pénétrèrent à l'intérieur. La pièce mesurait environ neuf mètres de long sur trois de large et deux mètres soixante-quinze de haut. Dès qu'ils eurent franchi le seuil, un éclairage tamisé s'alluma.

— La chambre forte est à l'épreuve du feu et des bombes. La température et l'humidité sont constantes, ce qui est indispensable pour les livres, notamment dans les sous-sols, où elles peuvent varier considérablement.

Sur les étagères, le long des parois, on apercevait des livres, brochures et autres objets, qui, même pour un œil non exercé, semblaient rares et précieux.

— On peut les toucher ? demanda Milton.

— Il vaut mieux me laisser faire, répondit Caleb. Certains de ces objets n'ont pas vu la lumière du jour depuis plus de cent ans.

— Bon Dieu, s'exclama Reuben en promenant le doigt sur la tranche d'un volume. C'est comme s'ils étaient condamnés à la prison à perpétuité.

— Voilà une façon très injuste de voir les choses, dit Caleb d'un ton de reproche. Ces livres sont protégés de manière que les générations suivantes puissent en profiter. Jonathan a dépensé beaucoup d'argent pour abriter sa collection.

– Comment est-elle, cette collection ? demanda Stone en regardant un grimoire dont la couverture semblait gravée dans du chêne.

Avec précaution, Caleb sortit le livre que contemplait Stone.

– Jonathan avait une belle collection, mais pas très importante ; il aurait été le premier à le reconnaître. Tous les grands collectionneurs disposent de fonds apparemment illimités, mais surtout ils savent très exactement ce qu'ils recherchent, et ils le font d'une manière qu'on peut qualifier d'obsessionnelle. On appelle ça la bibliomanie, l'obsession la plus inoffensive qui soit. Tous les grands collectionneurs sont ainsi. Il y a des livres que Jonathan n'avait pas les moyens d'acquérir.

– Lesquels, par exemple ? demanda Stone.

– Les folios de Shakespeare, et notamment le premier. Il contient neuf cents pages et trente-six pièces. Aucun des manuscrits originaux du poète barde n'a survécu, et ces folios ont donc une valeur inestimable. Il y a quelques années, en Angleterre, un premier folio a été vendu trois millions et demi de livres sterling.

Milton émit un sifflement.

– Six mille dollars la page.

– Et puis, reprit Caleb, il y a les livres évidents, comme ceux de William Blake, les *Principa Mathematica* de Newton, et enfin des ouvrages de Caxton, l'un des premiers imprimeurs anglais. Si mes souvenirs sont bons, J. P. Morgan avait plus de soixante Caxton dans sa collection. Un *Mainz Psalter* de 1457 ou 1459 ; *The Book of St Albans*, un Durand, l'un des plus beaux livres imprimés en dehors de la Bible de Gutenberg. Il n'y a que neuf exemplaires de la Bible de Gutenberg en parfait état dans le monde entier. La Bibliothèque du Congrès en a un. Leur valeur est inestimable.

« Jonathan possédait une édition de 1472 de la *Divine Comédie* de Dante, qui ferait honneur à n'importe quelle collection importante. Il détenait aussi un exemplaire du *Tamerlan* d'Edgar Poe, qui est exceptionnel et difficile à obtenir. Il y a quelque temps, l'un d'entre eux s'est vendu deux cent mille dollars. La réputation de Poe a beaucoup grandi ces dernières années, de sorte qu'aujourd'hui ce livre atteindrait un prix beaucoup plus élevé. Dans sa collection, on trouve une belle sélection d'incunables, surtout allemands, mais il avait aussi des italiens, et pas mal de premières éditions de romans contemporains, souvent dédicacées. Il était très féru de documents américains et il possédait de nombreux autographes de Washington, Adams, Jefferson, Franklin, Madison, Hamilton, Lincoln, etc. Comme je l'ai dit, c'est une belle collection, mais pas très importante.

— Et, ça ? demanda Reuben en montrant un coin peu éclairé, au fond de la chambre forte.

C'était un tableau représentant un homme en habit médiéval.

— Je ne me rappelle pas l'avoir vu auparavant, s'étonna Caleb.

— Pourquoi accrocher un tableau dans une chambre forte ? ajouta Milton.

— Et seulement un tableau, renchérit Stone. Ça ne fait pas vraiment une collection.

Il examina le portrait sous tous ses angles avant de tirer sur l'un des bords du cadre, qui bascula, révélant la porte d'un coffre-fort.

— Un coffre-fort dans une chambre forte, dit Stone. Caleb, essaye la combinaison de la porte principale !

Caleb s'exécuta, mais sans rien obtenir, et n'eut pas plus de succès en essayant d'autres chiffres.

— D'habitude, fit remarquer Stone, les gens utilisent un code qu'ils n'oublieront pas, de façon à ne pas être obligés de l'écrire : des chiffres, des lettres, ou un mélange des deux.

— Pourquoi donner à Caleb la clé et la combinaison du coffre principal et pas celle du petit ? demanda Milton.

— Il se disait peut-être que Caleb le devinerait, suggéra Reuben. Stone acquiesça.

— Je suis d'accord avec Reuben. Réfléchis, Caleb. Ça pourrait avoir un rapport avec la salle des livres rares.

— Pourquoi ? demanda Milton.

– Parce que ici, d'une certaine façon, c'était sa salle de lecture personnelle.

– Eh bien, dit Caleb d'un ton pensif, Jonathan ouvrait la porte de la salle tous les jours, une heure environ avant l'arrivée des autres. Il avait pour cela des clés spéciales et aussi un code secret. Mais ce code, je ne le connais pas.

– C'est peut-être quelque chose de plus simple. Si simple que ça saute aux yeux.

Soudain, Caleb claqua des doigts.

– Bien sûr !

Il entra des chiffres et des lettres sur le clavier et la porte s'ouvrit avec un déclic.

– LJ239. C'est le numéro de la salle de lecture des livres rares. À l'intérieur du coffre se trouvait une boîte que Caleb retira doucement avant de l'ouvrir.

– Il est en mauvais état, remarqua Reuben en découvrant le livre à l'intérieur.

La couverture noire était déchirée et la reliure commençait à partir en morceaux. Caleb l'ouvrit avec précaution et tourna la première page. Puis une autre, et ensuite une autre.

– Oh, mon Dieu !

– Qu'est-ce qu'il y a, Caleb ? demanda Stone.

Les mains de Caleb tremblaient.

– Je crois que… c'est la première édition du *Bay Psalm Book*.

– Il est rare ?

– C'est le livre le plus ancien imprimé sur le territoire des actuels États-Unis, Oliver. Il n'en existe que onze exemplaires dans le monde entier, et seulement cinq complets. Ils n'apparaissent jamais sur le marché. La Bibliothèque du Congrès en possède un, qui nous a été donné il y a des dizaines d'années. Sans cela, jamais nous n'aurions eu les moyens de l'acheter.

– Comment se fait-il, alors, que Jonathan DeHaven en ait un ? questionna Stone.

Avec une prudence infinie, Caleb remit le livre dans la boîte, puis déposa celle-ci dans le coffre et referma la porte.

— Je ne sais pas. Le dernier exemplaire est apparu sur le marché voilà plus de soixante ans, et il a été vendu pour l'équivalent de plusieurs millions de dollars. Il se trouve à présent à la fac de Yale.

— S'il n'y en a que onze dans le monde, il doit être facile de les retrouver, fit Milton. Je pourrais voir sur Google.

Caleb le considéra avec dédain. Alors que Milton suivait les moindres avancées de l'informatique, Caleb se voulait technophobe convaincu.

— On ne peut pas pister les *Bay* sur Google, Milton. Et pour autant que je sache, tous les *Bay* se trouvent dans des institutions comme Yale, Harvard ou la Bibliothèque du Congrès.

— Tu es sûr que c'est un original ? insista Stone.

— Il y a eu de nombreuses éditions, mais je suis presque sûr qu'il s'agit de celle de 1640. C'est inscrit sur la page de titre et il y a d'autres marques qui me sont familières.

— Qu'est-ce que c'est, exactement ? demanda Reuben. J'arrive à peine à lire les mots.

— C'est un psautier constitué par un certain nombre de pasteurs à la demande des puritains ; il devait servir à la pratique religieuse quotidienne. Les procédés d'impression étaient rudimentaires à l'époque, et si on ajoute à ça le style désuet, la lecture en est difficile.

— Mais si tous les *Bay* sont dans des institutions ? dit Stone.

Caleb se tourna vers lui, au comble de l'excitation.

— Il est possible, même si c'est difficile à admettre, qu'il existe encore des exemplaires qui n'aient pas été référencés. Par exemple, une femme a retrouvé dans son grenier la moitié du manuscrit de *Huckleberry Finn*. Et quelqu'un d'autre a découvert un exemplaire original de la Déclaration d'indépendance derrière une image encadrée, et puis on a retrouvé aussi des pages manuscrites de Byron dans un vieux bouquin. Après des centaines d'années, tout est possible.

Bien qu'il fît plutôt frais dans la chambre forte, Caleb essuya une goutte de sueur à son front.

– Vous vous rendez compte de l'énorme responsabilité qui m'incombe ? Cette collection contient un *Bay* ! Un *Bay* !

Pour le calmer, Stone posa une main sur l'épaule de son ami.

– Je n'imagine pas quelqu'un de plus qualifié que toi pour cette tâche, Caleb. Et tu peux compter sur nous pour t'apporter toute l'aide dont nous serons capables.

– Ouais, fit Reuben. D'ailleurs, j'ai quelques dollars sur moi, alors si tu veux sortir des livres avant que les poids lourds s'en mêlent, à combien t'évalues cette *Divine Comédie* ? Ça doit être marrant.

– Tu sais, Reuben, aucun d'entre nous n'aurait même les moyens d'acheter le catalogue de la vente.

– Super ! s'écria Reuben, feignant la colère. Et maintenant, vous allez me dire que je ne vais pas pouvoir quitter mon boulot de merde sur les quais.

– Qu'est-ce que vous fabriquez ici ? s'écria soudain une voix.

Ils se retournèrent d'un bloc vers ceux qui se tenaient sur le seuil de la chambre forte : deux costauds en uniforme de vigile, leurs armes pointées vers les membres du Camel Club. L'homme qui se tenait devant les vigiles était mince, de petite taille, la tignasse rousse, une barbe courte de même couleur, et des yeux bleus et brillants.

– J'ai dit : qu'est-ce que vous fabriquez ici ?

– On pourrait vous demander la même chose, mon vieux, gronda Reuben.

Caleb s'avança d'un pas.

– Je m'appelle Caleb Shaw, de la Bibliothèque du Congrès ; je travaillais avec Jonathan DeHaven. Dans son testament, il m'a désigné comme son exécuteur littéraire. (Il montra les clés de la maison et de la chambre forte.) L'avocat de Jonathan m'a autorisé à venir ici inventorier la collection. Mes amis sont venus m'aider.

Il tira de sa poche sa carte de la Bibliothèque du Congrès, et l'attitude de son interlocuteur changea aussitôt.

– Bien sûr, bien sûr, excusez-moi, dit l'homme en lui rendant la carte après l'avoir examinée. Mais j'ai vu des gens pénétrer dans la maison de Jonathan, la porte n'était pas verrouillée et j'ai aussitôt songé au pire.

D'un signe de tête, il fit signe à ses hommes de rengainer leur arme.

— Vous ne nous avez pas encore dit votre nom, ajouta Reuben en le considérant d'un air soupçonneux.

Avant qu'il ait pu répondre, Stone lança :

— Je crois que nous venons de faire la connaissance de M. Cornelius Behan, P-DG de Paradigm Technologies, l'un des plus importants fournisseurs de matériel militaire des États-Unis. Le troisième par ordre d'importance, me semble-t-il.

Behan sourit.

— Et bientôt le premier si j'arrive à mes fins, ce qui est généralement le cas.

— Eh bien, monsieur Behan... commença Caleb.

— Appelez-moi CB, comme tout le monde. (Il s'avança d'un pas et regarda autour de lui.) Voici donc la collection de livres de DeHaven.

— Vous connaissiez Jonathan ? demanda Caleb.

— On ne peut pas dire que nous étions amis. Je l'ai invité une fois ou deux à des soirées. Je savais qu'il travaillait à la Bibliothèque du Congrès, et on bavardait de temps en temps quand on se croisait dans la rue. J'ai été bouleversé d'apprendre sa mort.

— Nous aussi, dit Caleb d'un air sombre.

— Vous êtes donc son exécuteur littéraire. Qu'est-ce que ça signifie, au juste ?

— Il m'a confié la tâche de dresser le catalogue de sa collection, de l'évaluer et de faire procéder à la vente.

— Elle contient de belles choses ?

— Vous êtes collectionneur ? s'enquit Stone.

— Oh, je collectionne beaucoup de choses, répondit-il vaguement.

— Eh bien, c'est une très belle collection. Elle sera vendue aux enchères. Au moins les plus belles pièces.

— Très bien, dit Behan d'un air absent. Des nouvelles sur les causes de sa mort ?

Caleb secoua la tête.

– Apparemment, il a eu une crise cardiaque.

– Il semblait pourtant en excellente santé. En tout cas, ça nous invite à profiter pleinement du temps qui nous est accordé, parce qu'on ne sait pas de quoi demain sera fait.

Il pivota sur ses talons et s'en alla, entraînant ses hommes à sa suite. Stone se tourna vers Caleb.

– C'est très délicat de sa part de venir jeter un œil à la maison d'un homme avec qui il ne faisait que bavarder à l'occasion.

– C'était son voisin. Normal qu'il se soit inquiété.

– Je ne l'aime pas, fit Milton. Il fabrique des engins de mort.

– Des engins qui tuent beaucoup de gens, renchérit Reuben. Pour moi, ce cher CB est une vraie tête de nœud.

Ils passèrent cette soirée-là et la suivante à dresser la liste des objets contenus dans la chambre forte, puis Milton rentra les données dans son ordinateur portable.

– Et maintenant ? demanda Milton lorsqu'ils eurent refermé le dernier livre.

– D'habitude, on fait venir un expert de Sotheby's ou de Christie's, répondit Caleb, mais j'ai quelqu'un d'autre en tête. D'après moi, c'est le meilleur dans le domaine des livres anciens, et je serais curieux de savoir s'il était au courant pour le *Bay* de Jonathan.

– Il est à New York ? demanda Stone.

– Non, ici, dans le district de Columbia. À vingt minutes en voiture.

– Qui est-ce ? demanda Reuben.

– Vincent Pearl.

Stone consulta sa montre.

– Dans ce cas, il faudra aller le voir demain. Il est déjà 23 heures.

– Oh non, fit Caleb. Maintenant, c'est parfait. La boutique de livres rares de Vincent Pearl n'ouvre que la nuit.

Chapitre 14

Deux paires de jumelles étaient braquées sur les membres du Camel Club quittant la maison de DeHaven. La première depuis l'une des fenêtres de la maison d'en face, l'autre depuis la vitre arrière d'une camionnette garée un peu plus loin dans la rue, et qui portait sur ses flancs l'inscription DC Public Works.

La camionnette démarra à la suite de la moto et de la Chevrolet Nova.

Après la disparition des véhicules, les jumelles poursuivirent leur balayage.

Comme l'avait prévu Caleb, il leur fallut vingt minutes pour rejoindre la boutique de Vincent Pearl. Rien n'indiquait que l'on eût affaire à un marchand de livres rares, et seul un écriteau annonçait : « Ouvert du lundi au samedi de 20 heures à minuit ». Caleb appuya sur le bouton de la sonnette.

– Apparemment, la publicité n'est pas son fort, remarqua Reuben en regardant autour de lui.

– Tous les collectionneurs avisés savent où trouver Vincent Pearl, répondit Caleb.

– Tu le connais bien ? demanda Stone.

– Oh, non. J'opère rarement au niveau de Vincent Pearl. En dix ans, je ne l'ai rencontré que deux fois, ici. Mais je l'ai déjà entendu donner des conférences, et c'est inoubliable.

À l'ouest, on apercevait la coupole éclairée du Capitole. Le quartier se composait de maisons anciennes de brique et de pierre, souvent recouvertes de mousse.

– Tu es sûr qu'il y est ? s'inquiéta Milton au moment même où une voix demandait sèchement :

– Qui est là ?

Caleb se pencha vers un petit Interphone à moitié dissimulé sous une branche de lierre.

– Bonsoir, monsieur Pearl, je suis Caleb Shaw, de la Bibliothèque du Congrès.

– Qui ?

Un peu embarrassé, Caleb débita son laïus plus rapidement.

– Caleb Shaw. Je travaille au département des livres rares. Nous nous sommes rencontrés il y a quelques années, lorsque je vous ai amené un collectionneur d'autographes de Lincoln, qui était venu nous voir à la Bibliothèque.

– Vous n'avez pas rendez-vous ce soir, répondit l'homme avec un certain agacement.

– Non, mais il s'agit d'une urgence. Si vous pouviez nous consacrer quelques minutes…

Quelques secondes plus tard, la porte s'ouvrit avec un déclic. Tandis que ses compagnons franchissaient le seuil, Stone remarqua une lueur au-dessus d'eux : la lentille d'une caméra de surveillance, dissimulée dans un refuge à oiseaux, venait de réfléchir la lueur du lampadaire de la rue. La plupart des gens n'auraient pas remarqué le dispositif, mais, en matière de surveillance, Oliver Stone n'était pas le premier venu.

Il nota également deux autres détails. D'abord, la porte, qui semblait vieille et en bois, était en acier blindé, sertie dans un cadre également en acier, et munie d'une serrure incrochetable. Et le verre était en polycarbonate, épais de huit centimètres.

Il fut également surpris par l'intérieur de la maison. Il s'attendait à une boutique encombrée de livres poussiéreux et de vieux parchemins alignés sur des étagères, et il découvrait une pièce d'une grande propreté, où les livres étaient impeccablement rangés dans de belles bibliothèques vitrées et fermées à clé. Une échelle sur roulettes permettait d'atteindre les rayonnages supérieurs, situés à plus de deux mètres de hauteur. Au milieu de la salle, longue et plutôt étroite, étaient disposées trois tables ovales en merisier avec chaises assorties, assez mal éclairées par trois lustres anciens. Un escalier en colimaçon donnait accès à une mezzanine où l'on apercevait d'autres étagères et une balustrade de style Chippendale.

Le fond de la salle était occupé par des rayonnages et par un long comptoir en bois. En revanche, et à sa grande surprise, Stone ne vit aucun ordinateur, pas même une caisse enregistreuse.

— Ça donne envie de fumer un cigare devant un verre de bon whisky, déclara Reuben.

— Oh non, s'écria Caleb, choqué. La fumée est mortelle pour les vieux livres. Et la moindre goutte de whisky pourrait endommager un trésor inestimable.

Reuben s'apprêtait à répondre lorsqu'une porte lourdement sculptée s'ouvrit derrière le comptoir, livrant le passage à un vieil homme corpulent, de haute taille, aux longs cheveux blancs tombant en désordre sur les épaules et à la barbe fleurie, vêtu d'une surprenante robe de chambre couleur lavande avec des galons d'or aux manches. Des yeux noirs, des lunettes ovales sans monture, perchées sur son front, achevaient le portrait d'un homme que tous, en dehors de Caleb, trouvèrent fort étonnant.

— C'est un moine ? chuchota Reuben à Caleb.

— Chut, souffla ce dernier.

— Eh bien, dit Pearl en s'avançant vers Caleb d'un air inquisiteur, vous êtes monsieur Shaw ?

— Oui.

— Quelle est donc cette urgence ? Et qui sont ces gens ?

Caleb fit rapidement les présentations, en n'utilisant que les prénoms. Le regard de Pearl s'attarda sur Stone.

— Je vous ai déjà aperçu dans le parc Lafayette, et dans une tente, n'est-ce pas, monsieur ? demanda-t-il avec une politesse exagérée.

— C'est exact.

— Sur la pancarte posée à côté de vous, il y avait écrit, si mes souvenirs sont bons : « Je veux la vérité. » L'avez-vous trouvée ?

— Je ne saurais l'affirmer.

— Si moi-même je cherchais la vérité, je ne crois pas que je commencerais mes recherches devant la Maison-Blanche. (Il se tourna vers Caleb.) Et maintenant, monsieur, quel est donc l'objet de votre visite ?

Caleb expliqua ses nouvelles fonctions d'exécuteur littéraire de DeHaven et sa demande d'expertise.

— Oui, quelle tragédie pour DeHaven ! déclara Pearl avec solennité. Ainsi, c'est vous qu'il a désigné, ajouta-t-il, surpris.

— J'ai aidé Jonathan à constituer sa collection, et nous travaillions ensemble à la Bibliothèque, répondit Caleb, sur la défensive.

— Je vois. Mais visiblement, il vous faut l'œil d'un expert.

Le visage de Caleb s'empourpra légèrement.

— Euh... oui. Nous avons un inventaire de la collection sur l'ordinateur portable de Milton.

— Je préfèrerais une liste sur papier, rétorqua Pearl.

— Si vous avez une imprimante, dit Milton, je peux vous la sortir tout de suite.

Pearl secoua la tête.

— J'ai bien une presse à imprimer, mais elle date du XVIe siècle, et je doute qu'elle soit compatible avec votre engin.

— J'en doute aussi, répondit Milton, abasourdi.

— Nous pourrons l'imprimer et vous l'apporter demain, suggéra Caleb. Mais... Autant aller droit au but, monsieur Pearl, je dois vous avertir que Jonathan possédait dans sa collection une édition originale du *Bay*. Le saviez-vous ?

Pearl baissa les lunettes sur son nez.

– Pardon ? Qu'avez-vous dit ?

– Jonathan possédait un *Bay* de 1640.

– Impossible.

– Je l'ai tenu entre mes mains.

– Certainement pas.

– Mais si !

D'un geste désinvolte, Pearl balaya l'objection.

– Dans ce cas, c'est une édition postérieure. Pas de quoi provoquer un tremblement de terre.

– Il n'y a pas de musique. Celle-ci est apparue dans la neuvième édition, en 1698.

Pearl lui jeta un regard sévère.

– Vous imaginez bien que je le savais. Mais comme vous l'avez fait vous-même remarquer, il y a sept autres éditions sans musique.

– C'est l'édition de 1640. L'année figure sur la page de titre.

– Dans ce cas, cher monsieur, il s'agit soit d'un fac-similé, soit d'un faux. Il y a des gens habiles, vous savez. Un de ces petits malins a fabriqué un *Oath of a Freeman*, précédant d'un an la parution du *Bay*.

– Mais je croyais que le *Bay* de 1640 était le premier livre imprimé en Amérique, fit valoir Stone.

– C'est exact, répondit Pearl, agacé. Le *Oath* n'était pas un livre mais un document d'une page. Comme son nom l'indique, c'était un serment, un serment d'allégeance si vous préférez, que chaque puritain prêtait afin de pouvoir jouir des différents privilèges de la colonie de Massachusetts Bay.

– Et c'était un faux ?

– De façon amusante, le faussaire a utilisé un fac-similé du *Bay*, et cela parce que ce livre avait été imprimé sur la même presse que le *Oath* et par le même imprimeur, qui avait donc utilisé les mêmes caractères. Ce délinquant a été habile au point qu'il a failli vendre son faux document à votre Bibliothèque du Congrès. Il a fallu l'œil exercé d'un spécialiste des presses à imprimer pour déceler certaines irrégularités.

– Cela fait douze ans que je travaille au département des livres rares. J'ai examiné notre exemplaire du *Bay*, et à mon avis, celui de Jonathan est authentique.

– Comment vous appelez-vous, déjà ?

Le visage de Caleb vira au cramoisi.

– Caleb Shaw !

– Eh bien, monsieur Shaw, avez-vous procédé aux examens standard en matière d'authentification ?

– Non, mais je l'ai examiné, je l'ai tenu entre mes mains, je l'ai senti.

– Comment pouvez-vous acquérir une telle certitude après un examen aussi rudimentaire ? DeHaven n'avait pas une collection de ce genre. Un *Tamerlan*, quelques incunables, et même le Dante, que je lui ai d'ailleurs vendu, constituaient l'essentiel de sa collection de livres rares. Jamais il n'a possédé de première édition du *Bay*.

– Dans ce cas, où donc Jonathan a-t-il pu se procurer ce livre ?

– Comment voulez-vous que je le sache ? Comme votre ami a dû vous le dire, il n'existe de par le monde que onze exemplaires du tirage original du *Bay Psalm Book*. En comparaison, il y a deux cent vingt huit exemplaires des premiers folios de Shakespeare, mais seulement onze du *Bay*. Et sur ces onze, seuls cinq sont complets. (Il tendit les doigts de sa main droite.) Seulement cinq.

En plongeant son regard dans les yeux noirs et brillants qui semblaient jaillir de leurs orbites, Stone se dit que le diagnostic était évident : Vincent Pearl souffrait de bibliomanie.

Le marchand se tourna vers Caleb.

– Et comme les onze exemplaires sont répertoriés, je ne vois pas comment l'un d'eux aurait pu se retrouver dans la collection de Jonathan DeHaven.

– Dans ce cas, pourquoi conserver un faux dans une chambre forte ? rétorqua Caleb.

– Peut-être le croyait-il authentique.

— Le directeur de la division des livres rares à la Bibliothèque du Congrès abusé par un faussaire ? objecta Caleb. Permettez-moi d'en douter.

Pearl ne sembla pas le moins du monde ébranlé.

— Comme je viens de vous le dire, la Bibliothèque du Congrès a failli acheter un faux *Oath*. Les gens croient ce qu'ils veulent, et les collectionneurs de livres rares n'échappent pas à l'aveuglement. D'expérience, je sais que l'aveuglement peut être sans limites.

— Cela vaudrait peut-être la peine que vous veniez jusque chez Jonathan pour constater par vous-même qu'il s'agit d'un exemplaire authentique du *Bay*, s'obstina Caleb.

Sans quitter Caleb du regard, Pearl se mit à lisser sa longue barbe de ses doigts longs et délicats.

— Et bien sûr, j'accueillerai avec intérêt votre opinion d'expert sur le reste de la collection, ajouta Caleb.

— J'aurai peut-être un peu de temps demain soir, dit Pearl, visiblement peu intéressé.

— C'est parfait, dit Caleb en lui tendant une carte de visite. Voici mon numéro à la Bibliothèque, vous n'aurez qu'à m'appeler pour confirmer le rendez-vous. Vous avez l'adresse de Jonathan ?

— Oui, dans mes dossiers.

— Je crois qu'il serait bon de ne faire état devant personne de l'existence de ce *Bay*, monsieur Pearl, au moins pour le moment.

— Je révèle rarement mes informations, dit Pearl. Surtout si elles sont fausses.

Caleb rougit plus violemment encore, tandis que Pearl les raccompagnait vers la sortie.

Une fois dehors, Reuben coiffa son casque de moto.

— Je crois que je viens de rencontrer le professeur Dumbledore.

— Qui ça ? s'exclama Caleb.

— Dumbledore. Dans *Harry Potter*, tu sais bien.

– Non, je ne sais pas !

– Quel moldu ! grommela Reuben en ajustant ses lunettes de moto.

– Visiblement, Pearl ne croit pas à l'authenticité de ce *Bay*.

Caleb s'interrompit un instant, puis reprit avec moins d'assurance :

– Et peut-être a-t-il raison. C'est vrai que je l'ai examiné assez rapidement.

– En tout cas, vu la façon dont tu l'as rembarré, j'espère pour toi que tu as raison.

Caleb rougit.

– C'est vrai que j'y suis allé fort ! C'est quand même une sommité dans son genre, et moi je ne suis qu'un simple bibliothécaire.

– Un bibliothécaire hors pair, et dans l'une des meilleures bibliothèques du monde, corrigea Stone.

– Il est peut-être très compétent dans son domaine, mais il aurait vraiment besoin d'un ordinateur. Et d'une imprimante qui ne date pas de l'an Pépin, ajouta Milton.

La Chevrolet Nova s'éloigna. Au moment où Reuben lançait le démarreur de la moto d'un coup de pied, Stone, faisant mine de s'installer plus confortablement dans le side-car, jeta un coup d'œil en arrière.

Une camionnette les suivait.

Lorsque la Nova et la moto se séparèrent, la camionnette emprunta le même itinéraire que la moto.

Chapitre 15

En dépit de l'heure tardive, Stone demanda à Reuben de le laisser près de la Maison-Blanche et non devant le cimetière de Mount Zion, où se trouvait sa maison.

En descendant du side-car, il expliqua à Reuben qu'une camionnette les avait suivis et il lui en donna la description.

– Garde l'œil ouvert, ajouta Stone, et si la camionnette te suit, je t'appellerai sur ton portable.

– Tu ne voudrais pas appeler Alex Ford pour avoir du renfort ? Après tout, il est membre honoraire du Camel Club.

– Alex n'est plus en poste à la Maison-Blanche, et je ne veux pas l'appeler pour une chose qui est peut-être sans importance. Mais il y a là-bas d'autres membres du Service secret qui pourraient m'aider.

Lorsque Reuben fut parti, Stone passa devant sa tente flanquée de l'écriteau « Je veux la vérité ». Il n'y avait aucun protestataire ce soir-là, pas même son amie Adelphia. Il gagna ensuite la statue d'un général polonais qui avait aidé les Américains au cours de la guerre d'Indépendance. En hommage, on avait élevé ce monument qui accueillait quotidiennement les fientes de centaines d'oiseaux. Grimpé sur le piédestal de la statue, il aperçut la camionnette garée sur la quinzième Avenue, au coin de Pennsylvania, fermée à la circulation.

Stone s'approcha alors de l'un des gardes chargés de la protection du périmètre de la Maison-Blanche.

– Quoi de neuf, ce soir, Oliver ? demanda l'homme.

Cela faisait presque dix ans qu'il montait la garde devant la Maison-Blanche et il connaissait bien Stone. De son côté, ce dernier se montrait toujours courtois et respectait scrupuleusement les règles du permis de protestation qu'il gardait dans sa poche.

– Salut, Joe, je voulais te signaler quelque chose. C'est peut-être sans importance, mais je sais que le Service secret ne néglige jamais rien. (Rapidement, il lui signala la présence de la camionnette, mais en évitant de la montrer du doigt.) Au cas où vous auriez envie de faire des vérifications...

– Merci, Oliver. Je te revaudrai ça.

Au cours de toutes ces années devant la Maison-Blanche, Stone avait pu se rendre compte que le Service secret ne négligeait jamais le moindre détail lorsque la sécurité du Président était en jeu. Deux minutes plus tard, Joe, accompagné d'un autre garde armé, s'approcha de la camionnette de travaux publics de Washington DC. Stone regrettait de ne pas avoir emporté ses jumelles. Il se raidit en voyant se baisser la vitre côté conducteur.

Sidéré, Stone vit alors les deux gardes en uniforme pivoter sur leurs talons et s'éloigner d'un pas rapide, tandis que la vitre de la camionnette remontait.

– Putain, grommela-t-il entre ses dents.

À présent, il savait. Les occupants de la camionnette appartenaient à un service officiel, et ils avaient le bras assez long pour envoyer paître des agents du Service secret. Il fallait partir, et vite. Mais comment ? Demander à Reuben de venir le rechercher ? Il n'avait pas envie de mêler ses amis à cette histoire.

Son passé avait-il fini par le rattraper ?

Il prit sa décision, traversa le parc et tourna à gauche dans la Rue H. La station de métro Farragut West n'était qu'à quelques mètres de là. Il consulta sa montre : le métro était fermé.

Il changea de direction, regardant sans cesse par-dessus son épaule pour voir si la camionnette le suivait, et décida de descendre la rue dans l'espoir d'attraper un autobus.

Au carrefour suivant, la camionnette pila brutalement devant lui et la portière coulissante s'ouvrit.

– Oliver ! hurla une voix.

Il regarda sur sa droite et aperçut la moto de Reuben qui fonçait vers lui sur le trottoir. Reuben ralentit suffisamment pour lui permettre de sauter dans le side-car, puis redescendit sur la chaussée et accéléra brutalement, tandis que les longues jambes de Stone dépassaient encore à l'extérieur.

Reuben enfila successivement plusieurs rues avant de s'engager dans une allée sombre et de s'immobiliser derrière une poubelle. Stone leva les yeux vers son ami.

– Tu es arrivé au bon moment, Reuben, merci.

– Comme tu n'appelais pas, je suis revenu en arrière. Quand la camionnette a démarré, je l'ai suivie.

– Je suis étonné qu'ils ne t'aient pas remarqué. Cette moto n'est pas vraiment discrète.

– Qui sont ces types ?

Stone lui raconta l'épisode des agents du Service secret.

– Il n'y a pas beaucoup de services capables de renvoyer le Service secret sur son propre terrain.

– Il y en a peut-être deux, et aucun des deux ne m'inspire confiance.

– À ton avis, qu'est-ce qu'ils voulaient ?

– La première fois que j'ai vu la camionnette, c'était devant la boutique de livres, mais peut-être qu'ils nous suivaient déjà depuis un bout de temps.

– Depuis chez DeHaven ? (Reuben claqua des doigts.) Tu crois que ça a un rapport avec ce connard de Cornelius Behan ? Il doit être de mèche avec les services spéciaux.

– Vu le moment où c'est arrivé, c'est possible.

Après tout, se dit Stone, cela n'avait peut-être rien à voir avec son passé.

Reuben semblait inquiet.

– Tu crois qu'ils ont aussi filé Caleb et Milton ?

Aussitôt, Stone téléphona à Caleb sur son portable pour lui faire part de l'incident.

– Il vient de déposer Milton chez lui. Ils n'ont remarqué personne, mais ça ne veut rien dire.

– Mais qu'est-ce qu'on a fait pour se retrouver avec des agents secrets aux fesses ? On a dit à Behan ce qu'on fabriquait dans cette maison. En quoi est-ce que DeHaven peut l'intéresser ?

– Ça peut l'intéresser s'il sait comment il est mort. Ou plutôt comment il a été assassiné.

– Tu veux dire que Behan aurait pu faire assassiner son voisin ? Pourquoi ?

– Tu viens de dire « son voisin ». DeHaven a peut-être vu des choses qu'il n'aurait pas dû voir.

– Sur Good Fellow Street ? Au milieu de tous ces richards ? répondit Reuben, sceptique.

– Ce n'est qu'une hypothèse, mais le fait est que si tu ne t'étais pas pointé, je ne sais pas ce qui me serait arrivé.

– Qu'est-ce qu'on fait, maintenant ?

– Comme, apparemment, personne ne s'intéressait à nous avant qu'on aille chez DeHaven, le mieux est de partir de là. Il faut savoir si ce type a été assassiné ou non.

– Je me doutais bien que tu allais dire ça, et ça ne m'enchante pas.

Stone se cala dans le side-car, les jambes au bon endroit. Reuben démarra.

Comme autrefois, songea Stone. Mais cela n'avait rien de réjouissant.

Les hommes de la camionnette firent leur rapport à Seagraves, qui laissa éclater sa colère.

– On aurait pu embarquer le vieux, même avec la présence de son pote, mais on s'est dit que c'était trop risqué, dit l'un d'eux au téléphone.

Seagraves demeura un instant silencieux.

– Combien de temps ils sont restés chez DeHaven ?

– Quelques heures. Et ils y sont aussi allés hier soir.

– Ils sont ensuite allés dans une boutique de livres rares et puis vous les avez suivis jusqu'à la Maison-Blanche ?

– L'un d'eux a une tente dans le parc Lafayette. Et d'après les gars du Service secret, il s'appelle Oliver Stone. Quelle blague !

– Il s'est rendu compte que vous le suiviez, et je ne trouve pas que ça soit une blague. Et puis je n'aime pas que vous exhibiez partout vos cartes, surtout devant le Service secret.

– On était obligés. Et puis on fait partie de la maison.

– Mais ce soir, vous n'étiez pas en mission officielle, rétorqua Seagraves.

– Bon, qu'est-ce que vous voulez qu'on fasse, maintenant ?

– Rien. Je vais enquêter de façon plus approfondie sur ce M. Stone. Je vous recontacterai.

Seagraves raccrocha.

Un type qui se fait appeler Oliver Stone a dressé une tente face à la Maison-Blanche, songea Seagraves, il est capable de repérer une filature et il s'est rendu dans la maison d'un type que j'ai tué.

Un ouragan se préparait.

Chapitre 16

Lorsqu'ils atterrirent à Newark, il pleuvait et il faisait froid. Annabelle avait à présent les cheveux bruns, un rouge à lèvres cerise, des lunettes à fine monture, des vêtements extravagants et des chaussures à talons compensés. Ses trois compagnons, eux, étaient en complet veston, sans cravate. Ils ne quittèrent pas l'aéroport ensemble et se retrouvèrent dans un appartement de location à Atlantic City.

De retour dans cette ville après tant d'années, Annabelle se sentait extrêmement tendue. La dernière fois, elle avait failli y mourir, et cette tension représentait pour elle un risque mortel. Pour ce qui allait suivre, elle allait devoir compter sur son sang-froid. Depuis vingt ans, elle préparait ce coup, et il ne s'agissait pas de flancher.

La semaine précédente, elle avait viré sur des comptes de sociétés les fonds obtenus grâce aux chèques falsifiés. Aucune agence de régulation bancaire américaine ne viendrait jamais vérifier ces comptes ouverts dans des banques étrangères. Après ces trois millions de dollars, les hommes avaient hâte de connaître les projets d'Annabelle.

Pourtant, elle n'était pas encore décidée à leur révéler la nature du gros coup. Elle passa la première journée à arpenter la ville, visitant les casinos et s'entretenant avec des gens dont elle refusait de révéler le nom. Les hommes, de leur côté, jouaient aux cartes en bavardant. Leo et Freddy abreuvaient le jeune Tony de vieilles histoires d'arnaques quelque peu embellies.

À son retour, elle leur annonça tout à trac :

– J'ai l'intention de multiplier énormément ces trois millions de dollars.

– J'adore ton style, Annabelle, dit Leo.

– Plus précisément, avec nos trois millions, je compte faire au moins trente-trois millions. Je garde pour moi treize millions et demi, et vous vous partagez le reste équitablement, ce qui veut dire six millions et demi chacun. Des objections ?

Les trois hommes demeurèrent sans voix pendant un long moment, jusqu'à ce que Leo s'exprime au nom des autres.

– Non, c'est génial.

Elle leva cependant la main en signe d'avertissement.

– Si le coup ne marche pas, on pourrait perdre une petite partie de l'investissement initial, mais pas grand-chose. Tout le monde est d'accord ? (Ils acquiescèrent.) Vu la somme envisagée, il est clair qu'il faudra prendre certains risques.

– Traduction, dit alors Leo, tous ceux qu'on va plumer passeront le reste de leurs jours à nous chercher. (Il alluma une cigarette.) Et maintenant, je crois que le moment est venu de nous dire de quoi il s'agit.

Annabelle s'enfonça dans son siège, glissa les mains dans ses poches et ne quitta plus Leo du regard. Celui-ci soutint l'épreuve, mais finit par lui demander, mal à l'aise :

– C'est si grave que ça ?

– Nous allons nous attaquer à Jerry Bagger et au casino Pompeii.

– Putain de Dieu !

La cigarette lui tomba des lèvres et fit un petit trou dans son

pantalon. D'un geste furieux, il tapota la brûlure sur le vête-
ment, puis brandit vers elle un index tremblant.

– Je le savais ! Je savais que t'allais sortir cette connerie-là.

Tony les regarda tour à tour.

– Qui est Jerry Bagger ?

– Le plus grand salopard qui soit, mon garçon, voilà qui c'est.

– Allez, Leo, dit Annabelle d'un ton plaisant, c'est à moi de
le mettre au parfum. Continue comme ça, et il voudra s'en prendre tout seul à Jerry.

– Je ne m'en prendrai à Jerry Bagger ni pour trois millions, ni
pour trente-trois, ni pour trois cent trente-trois millions, tout
simplement parce que je ne vivrai pas assez vieux pour en profiter !

– Mais tu es venu jusqu'ici avec nous. Et comme tu viens de
le dire toi-même, tu te doutais bien que c'est ce que j'avais en
tête. Tu le savais, Leo. (Elle se leva et lui passa le bras autour
des épaules.) Et si on veut aller au fond des choses, avoue que
ça fait vingt ans que tu attends le moment de descendre ce salopard. Avoue.

Embarrassé, Leo ralluma une Winston et souffla la fumée
vers le plafond.

– Tous ceux qui ont fait des affaires avec ce salaud ont envie
de le buter. Et alors ?

– Je ne veux pas le buter, Leo. Je veux seulement lui piquer
un fric fou, le blesser là où ça lui fait mal. On pourrait descendre toute sa famille, ça ne le toucherait pas autant que si on lui
rafle l'argent qu'il pique quotidiennement aux pauvres pigeons
qui se font plumer dans son casino.

– Ça me paraît cool, dit Tony, alors que Freddy, lui, semblait
encore dubitatif.

Leo jeta un regard mauvais au jeune homme.

– Cool ? Tu trouves ça cool ? Laisse-moi te dire une chose,
espèce de blanc-bec. Si tu merdes avec Jerry Bagger comme
l'autre fois à la banque, il te découpera en petits morceaux,
et il n'en restera pas suffisamment pour l'envoyer à ta mère

dans une enveloppe. (Il se tourna vers Annabelle et pointa vers elle un doigt vengeur.) Je vais être très clair. Je ne m'attaquerai pas à Jerry Bagger. Et encore moins avec ce taré.

– Hé, j'ai commis une erreur. Ça ne t'arrive jamais, de commettre une erreur ? protesta Tony.

Le regard toujours rivé Annabelle, Leo ne répondit pas.

– Le rôle de Tony est limité, dit-elle. Il fera ce qu'il sait faire de mieux. Jamais il ne sera confronté à Jerry. Quant à Freddy, il restera tout le temps dans l'ombre. Il doit seulement nous fabriquer des papiers qui tiennent la route. Le succès de l'opération dépend de toi. Et de moi. Alors, à moins que tu ne penses qu'ensemble on n'est pas suffisamment parés, je ne vois pas d'objection valable.

– Ils nous connaissent, Annabelle. On est déjà venus ici.

Elle contourna la table et ouvrit un dossier en papier kraft dont elle tira deux photos, celles d'un homme et d'une femme.

– Qui c'est ? demanda Freddy, intrigué.

Leo jeta un coup d'œil aux clichés.

– Annabelle et moi, grommela-t-il, à Atlantic City y a longtemps.

– Où as-tu eu ces photos ? demanda Tony.

– Chaque casino conserve un fichier de photos, une liste noire de gens qui ont tenté de les escroquer, qu'ils communiquent à tous les autres. Tu n'as jamais cherché à dépouiller un casino, Tony, et Freddy non plus, voilà pourquoi je vous ai choisis tous les deux. Et ces photos, je les ai obtenues grâce aux quelques contacts que j'ai gardés dans cette ville. En réalité, ils ne nous ont jamais attrapés et n'ont aucune photo de nous. Celles-ci ont été composées à partir de simples descriptions. S'ils avaient vraiment nos portraits, je ne serais pas ici.

– Mais vous ne ressemblez plus à ça, fit remarquer Tony.

Annabelle tira deux autres photos du dossier, plus ressemblantes.

– Comme la police le fait pour les enfants disparus, les casinos demandent à des experts de retoucher leurs clichés à l'ordinateur pour tenir compte du vieillissement. Ils introduisent ces photos sur leurs listes noires, mais aussi dans leur système de surveillance électronique, qui fonctionne avec un logiciel de reconnaissance des visages. Voilà pourquoi, lorsque nous nous attaquerons à Jerry, nous ferons en sorte de ne plus ressembler du tout à ces portraits.

– Moi, je ne m'attaquerai pas à Jerry, gronda Leo.

– Allez, Leo, ça va être marrant, s'écria Tony.

– Ne me fais pas chier, minot. Comme si j'avais besoin de ça pour te détester !

– Leo, on va faire un tour, proposa Annabelle. (Tony et Freddy se levèrent pour les suivre, mais d'un geste elle les fit rasseoir.) Restez là. On n'en a pas pour longtemps.

Dehors, le soleil émergeait derrière une masse compacte de nuages noirs. Annabelle remonta une capuche sur sa tête et chaussa des lunettes noires. Leo baissa sur ses yeux la visière de sa casquette de base-ball et mit lui aussi des lunettes noires.

Ils déambulèrent sur la promenade, entre l'océan et la grande avenue où s'alignaient les casinos.

– Ils ont arrangé l'endroit depuis la dernière fois, fit remarquer Annabelle.

À la fin des années 1970, les casinos avaient poussé comme des champignons le long de ce front de mer qui menaçait de ruine. Pendant des années, les touristes n'avaient pas osé s'aventurer loin des casinos, tant le centre-ville était malfamé, et cela bien que les autorités se fussent engagées à nettoyer les lieux. Finalement, avec les sommes colossales générées par l'activité des jeux, la promesse avait été tenue. Ils s'arrêtèrent un instant pour contempler une grue hissant des poutrelles métalliques au sommet d'un bâtiment en construction. Devant le chantier, un panneau annonçait qu'à cet endroit s'élèverait bientôt un immeuble de luxe. La plupart des bâtiments anciens avaient disparu, et partout s'élevaient des constructions nouvelles.

Leo se dirigea vers la plage, et retira chaussures et chaussettes, tandis qu'Annabelle ôtait ses sandales et retroussait son pantalon. Ils marchèrent sur le sable, tout près de l'eau. Finalement, Leo ramassa un coquillage et le lança contre une vague.

— Tu veux bien qu'on en parle ? demanda Annabelle.

— Pourquoi tu fais ça ?

— Ça quoi ? Un coup ? Mais j'en ai fait toute ma vie. Tu es bien placé pour le savoir.

— Non, pourquoi es-tu venue nous chercher, Freddy, le gamin et moi ? Tu aurais pu choisir n'importe qui.

— Je ne voulais pas de n'importe qui. On a une longue histoire, tous les deux, Leo. Et j'ai pensé que tu aurais envie de prendre ta revanche sur Jerry. Je me trompe ?

Leo lança un nouveau coquillage dans l'eau et le regarda disparaître.

— Ma vie, elle ressemble à ça, marmonna Leo. Je jette des coquillages dans la mer et elle me les renvoie sans cesse.

— Épargne-moi ta philosophie, je t'en prie.

— C'est à cause de ton vieux ?

— J'ai pas besoin non plus que tu joues les psys.

Elle s'écarta un peu de lui, croisa les bras sur la poitrine et se prit à contempler un navire qui taillait sa route au large, sur la ligne d'horizon.

— Avec treize millions de dollars, je pourrais m'acheter un bateau capable de traverser l'océan, tu ne crois pas ?

Il haussa les épaules.

— J'en sais rien. Probablement. J'ai jamais réfléchi à leur prix. (Il baissa les yeux et fit crisser du sable entre ses orteils.) Tu as toujours su te débrouiller avec ton argent, bien mieux que moi. Après tous les coups que tu as montés, je sais que tu n'as pas besoin de ce fric.

— En a-t-on jamais assez ? répondit-elle sans cesser d'observer le navire.

Une fois encore, il ramassa un coquillage et le jeta dans les vagues.

— Si ça tourne mal, je préfère ne pas penser à ce qui nous arrivera.

— Dans ce cas, fais en sorte que ça ne tourne pas mal.

— Tu n'as pas honte, parfois ?

– Non, jamais. (À son tour, elle lança un coquillage contre une vague qui venait se fracasser sur le rivage, et laissa l'eau lui mouiller les chevilles.) Alors, c'est réglé ?

Il hocha lentement la tête.

– Oui, c'est réglé.

– Tu ne te mettras plus en pétard contre moi ?

– Ça, je ne peux le promettre à aucune femme, répliqua-t-il en souriant.

Tandis qu'ils s'en revenaient à l'hôtel, il lui demanda :

– Ça fait longtemps que je n'ai plus eu de nouvelles de ta mère. Comment va Tammy ?

– Pas très bien.

– Ton père est toujours vivant ?

– Aucune idée, répondit Annabelle. Et j'en serai la dernière informée.

Chapitre 17

Il leur fallut une semaine pour mener à bien les préparatifs. À Freddy, Annabelle donna une liste de tous les documents et de tous les papiers d'identité dont elle avait besoin. Lorsqu'il fut parvenu au bas de la page, il ne put s'empêcher de s'écrier :

– Quatre passeports américains ?

Tony leva les yeux de son ordinateur.

– Des passeports ? Pour quoi faire ?

Leo lui lança un regard méprisant.

– Quoi ? Tu crois pouvoir baiser Jerry Bagger et rester dans le pays ? Tu rêves. Moi, par exemple, je compte aller en Mongolie et me faire moine pendant quelques années. Je préfère encore porter une robe et me balader à dos de yak plutôt que de me faire découper en tranches par Bagger.

– Nous avons besoin de passeports pour pouvoir quitter le pays et rester un moment au vert, le temps que les choses se tassent.

– Quitter le pays ? s'écria Tony en bondissant de son siège.

– Jerry n'est pas infaillible, mais il n'est pas complètement idiot non plus. Tu pourras voir le monde, Tony. Tu apprendras l'italien.

– Et mes parents ?

– Tu leur enverras des cartes postales, grommela Leo par-dessus son épaule, tout en ajustant une perruque. Quelle bande d'amateurs !

– Les passeports américains sont difficiles à falsifier, Annabelle, objecta Freddy. Dans la rue, ils se vendent dix mille dollars pièce.

– Eh bien, tu es payé six millions et demi pour les faire, Freddy, rétorqua-t-elle sèchement.

Il déglutit avec difficulté.

– Je vois ce que tu veux dire. Tu les auras.

Il s'éloigna avec la liste.

– Je n'ai jamais voyagé en dehors des États-Unis, annonça Tony.

– C'est l'occasion ou jamais, dit Annabelle en s'asseyant à table en face de lui. Les voyages forment la jeunesse.

– Toi, tu es déjà allée à l'étranger ?

– Tu plaisantes ? lança Leo. Tu crois qu'il n'y a qu'aux USA qu'on peut faire des coups ?

– Oui, j'ai vu du pays, reconnut-elle.

Tony semblait nerveux.

– On pourrait peut-être partir ensemble. Tu me servirais de guide. Enfin, toi et Leo. Et je suis sûr que Freddy viendrait aussi.

Annabelle secoua la tête.

– On va se séparer, histoire de brouiller les pistes.

– Ouais, ça c'est sûr.

– T'auras plein d'argent, t'auras pas de souci à te faire.

Le visage de Tony s'éclaira.

– Une villa en Europe, avec des domestiques.

– Commence pas à jeter l'argent par les fenêtres ! C'est agiter le chiffon rouge, ça. Prends ton temps. Je te ferai sortir du pays, et ensuite, tu te débrouilleras tout seul. Et maintenant, voici exactement ce que j'attends de toi. (Elle lui expliqua en détail ce qu'il devait faire.) Tu t'en sens capable ?

– Pas de problème, répondit-il aussitôt. Écoute, j'ai quitté le MIT au bout de deux ans parce que je m'emmerdais !

– En effet. C'est aussi pour ça que je t'ai choisi.

Tony se mit à pianoter sur le clavier de son ordinateur portable.

– J'ai déjà fait ça, et j'ai déjoué un des meilleurs systèmes de sécurité au monde.

– Lequel ? demanda Leo. Celui du Pentagone ?

– Non. Wal-Mart.

– Wal-Mart ? Tu plaisantes, ou quoi ?

– Non, on ne plaisante pas avec Wal-Mart.

– Combien de temps te faut-il ? questionna Annabelle.

– Donne-moi deux jours.

– Pas plus. Je veux d'abord faire un test.

– Ça ne me dérange pas, dit-il d'un ton assuré.

Leo leva les yeux au ciel, se signa en récitant silencieusement une prière et revint à sa perruque.

Tandis que Freddy et Tony s'acquittaient des missions qui leur avaient été confiées, Leo et Annabelle, soigneusement grimés, se rendaient au casino Pompeii, le plus vaste établissement de jeu du front de mer, érigé sur les ruines d'une vieille maison de pari. Pour mériter son nom, le Pompeii s'était doté d'un faux volcan qui entrait en éruption deux fois par jour, à midi et à 18 heures, et crachait non de la lave mais des bons d'achat valables dans les différents bars et restaurants. Comme les casinos ont l'habitude de distribuer repas et boissons alcoolisées presque gratuitement pour pousser les clients au jeu, Bagger ne se montrait pas là particulièrement généreux. Pourtant, les éruptions voyaient se presser autour du cratère une foule de curieux qui allaient ensuite dépenser aux tables de jeu infiniment plus que ce qu'ils auraient consacré à se restaurer ou à se désaltérer.

– C'est un malin, ce Bagger, regarde-moi tous ces gogos faisant la queue pour ces conneries, s'empiffrer, se soûler, et ensuite claquer leur salaire chez lui.

– C'est vrai que c'est une trouvaille de marketing, reconnut Annabelle.

– Je me souviens de l'ouverture du premier casino de cette ville, en 1978.

Annabelle opina du chef.

– Il s'appelait le Resorts International, dit-elle, il était plus grand que tous les casinos de Las Vegas, à l'exception du MGM. Paddy avait une équipe ici, au début.

– Ton vieux n'aurait jamais dû y revenir avec toi et moi ! (Leo alluma une cigarette et montra du doigt la rangée de casinos.) J'ai commencé là. À l'époque, le personnel était surtout local. Il y avait des infirmières, des éboueurs et des pompistes devenus croupiers du jour au lendemain. Ils étaient tellement mauvais qu'on pouvait les berner les doigts dans le nez. Même pas besoin de tricher, il suffisait de profiter de leurs erreurs. Ça a duré environ quatre ans. Grâce à l'argent que j'ai gagné là, j'ai pu envoyer mes deux enfants à l'université.

– Jamais tu ne m'avais parlé de ta famille, dit Annabelle, surprise.

– Comme si toi tu t'épanchais sur le sujet.

– Tu as connu mes parents. Que voulais-tu que je te dise de plus ?

– J'ai eu des enfants jeune. Maintenant ils sont grands et ils ont quitté la maison, tout comme ma femme.

– Elle savait comment tu gagnais ta vie ?

– À la longue, c'était difficile à cacher. Elle appréciait l'argent, mais pas la façon dont je me le procurais. On ne l'a jamais dit aux enfants. Je ne voulais pas qu'ils s'approchent du business.

– Je comprends ça.

– Ouais, mais ils m'ont quand même laissé tomber.

– Ne reviens pas sur le passé, Leo, je sens poindre des regrets.

Il haussa les épaules puis un sourire éclaira son visage.

– On a fait fort à la roulette, hein ? N'importe quelle petite frappe peut se démerder au craps ou au black-jack, mais pour la roulette, faut être un pro. (Il lui lança un regard admiratif.) Je n'ai jamais vu personne comme toi, Annabelle. Tu savais jouer l'indifférence ou l'excitation, et faire fondre les croupiers comme pas une. Et quand ça commençait à chauffer vraiment, tu étais la première à t'en rendre compte.

— Et toi, Leo, tu étais la meilleure mécanique avec qui j'aie jamais travaillé, capable d'anticiper le moindre mouvement contraire et de faire échec et mat.

— C'est vrai, j'étais pas mauvais, mais tu étais aussi douée que moi. Je me dis parfois que ton vieux ne me gardait que parce que c'était toi qui le lui demandais.

— Tu me prêtes une influence que je n'avais pas. Paddy Conroy n'en faisait qu'à sa tête. Et en fin de compte, il nous a baisés tous les deux.

— Oui, en nous laissant seuls face à Bagger. Et si tu n'avais pas été suffisamment rapide, il ne nous aurait pas loupés à quelques centimètres. (Il se prit à contempler l'océan.) On serait peut-être au fond, là-bas, quelque part.

Elle lui retira la cigarette des lèvres.

— Et maintenant qu'on a évoqué le bon vieux temps, au travail !

Ils progressèrent vers le casino et firent halte devant l'entrée.

— Laissons d'abord passer le troupeau, dit Leo.

Devant chaque casino se trouvait un parking où, tous les matins à 11 heures, venaient se ranger des autocars qui dégorgeaient des hordes de joueurs généralement âgés, venus dilapider leur pension et s'empiffrer de nourriture infecte. Ils remontaient ensuite dans les cars et vivaient chichement jusqu'à la fin du mois en attendant leur prochain chèque.

Leo et Annabelle observèrent la charge de la brigade de retraités fonçant à l'intérieur du Pompeii pour la première éruption du jour, puis ils y pénétrèrent à leur tour. Ils passèrent plusieurs heures à errer dans les locaux, jouant un peu de temps à autre. Leo se défendit plutôt bien au craps tandis qu'Annabelle s'en tenait au blackjack, où elle finit par remporter plus que ce qu'elle avait misé.

Un peu plus tard, ils prirent un verre dans l'un des nombreux bars de l'établissement. Tandis que Leo observait une serveuse aux courbes voluptueuses portant un corsage à lanières, Annabelle se pencha vers lui et dit à voix basse :

– Alors ?

Il avala quelques noix de pécan et une gorgée de son whisky-Coca.

– Table de black-jack numéro 5. Apparemment, ça tripatouille du côté du sabot.

– Le croupier est de mèche ?

– Certainement. Et toi ?

Annabelle avala une gorgée de vin avant de répondre.

– La table de roulette, là-bas, une équipe de quatre qui mise après le « rien ne va plus » et ils se débrouillent très bien.

– Je croyais qu'ils avaient appris aux croupiers à gérer les mises. Et tous les yeux électroniques et autres micro-caméras dont ils disposent aujourd'hui ?

– Tu sais la folie que c'est, une table de roulette, et on se débrouille toujours pour jouer après le lancer de la bille. Et pour les bons, tout est possible, malgré les machins techniques ultra sophistiqués.

Il choqua doucement son verre contre le sien.

– On est bien placés pour le savoir, non ?

– La sécurité, à ton avis ?

– Rien que du courant. J'imagine que le coffre est protégé par mille tonnes de béton et un millier de vigiles armés de mitraillettes.

– Tant mieux, c'est pas le moyen qu'on a choisi, répondit-elle sèchement.

– Ouais, t'as pas envie d'abîmer ta manucure. (Il reposa son verre.) Quel âge il peut avoir, maintenant, Jerry ?

– Soixante-six ans, répondit-elle sans hésiter.

– Je parie qu'il ne s'est pas adouci avec les années.

– Non, il ne s'est pas adouci.

Elle semblait si sûre d'elle qu'il lui lança un regard soupçonneux.

– Tu as toi-même fait ton enquête sur le bonhomme, Leo. Rappelle-toi. L'arnaqueur de première.

– Merde, voilà le trou du cul en personne, lança Leo en détournant aussitôt la tête.

Six hommes jeunes, grands et solidement bâtis s'avançaient dans leur direction, encadrant un autre homme, plus petit mais visiblement en excellente forme physique, les épaules larges et une épaisse chevelure blanche, vêtu d'un coûteux complet bleu avec une cravate jaune. Jerry Bagger avait le teint très hâlé, une cicatrice courait sur l'une de ses joues et il semblait avoir eu le nez cassé au moins deux fois. Sous ses épais sourcils blancs, on devinait des yeux scrutateurs. Il parcourut du regard son casino, comme s'il s'imprégnait des moindres détails de son empire de cartes, machines et espoirs brisés.

Dès que le patron et son aréopage furent passés, Leo reprit son souffle. Annabelle le considéra d'un air agacé.

– Je ne m'attendais pas à ce que la vue de Bagger te coupe à ce point la respiration, Leo.

– Ne t'inquiète pas, c'est terminé.

Il inspira pourtant profondément une dernière fois.

– On ne s'est jamais retrouvés en face de lui. À l'époque, ce sont ses hommes de main qui ont tenté de nous tuer. Il ne risque pas de te reconnaître.

– Je sais, je sais. (Il termina son verre.) Et maintenant ?

– On partira le moment venu. En attendant, on peaufine le scénario, on vérifie les détails et on engrange tout ce qui est possible, parce que Jerry est tellement imprévisible que, même si on est parfaits, ça ne suffira peut-être pas.

– J'avais oublié à quel point tu savais insuffler l'enthousiasme.

– Y a pas de mal à rappeler les évidences. Avec lui, il faut s'attendre à tout.

– Oui, et ce tout, on sait ce que ça veut dire.

Leo et Annabelle observèrent Jerry Bagger et sa petite troupe quittant le casino et montant dans plusieurs voitures. Peut-être allaient-ils briser les genoux d'un tricheur qui avait tenté d'escroquer trente dollars sur les trente millions de la recette.

Chapitre 18

À la fin de la semaine, ils étaient prêts. Annabelle était vêtue d'une jupe noire, chaussée de talons hauts, et ne portait qu'un minimum de bijoux. Elle avait adopté la teinture blonde et une coiffure en épis, en sorte qu'elle ne ressemblait plus en rien au portrait que possédait le casino. Leo, lui, avait revu son apparence de façon plus radicale encore : perruque grise avec implantation en V sur le front, barbichette, lunettes fines, costume trois pièces avec un corset pour gommer son embonpoint.

– Je n'arrive pas à comprendre comment les femmes ont pu porter des machins comme ça, maugréa-t-il.

– Tu serais surpris de savoir combien en portent encore.

– La seule chose qui me gêne dans cette histoire, c'est de dénoncer d'autres arnaqueurs.

– Tu crois qu'eux-mêmes ils hésiteraient, si ça pouvait leur rapporter des millions de dollars ? En outre, ceux qu'on a repérés ne sont pas si brillants que ça, et tôt ou tard ils se seraient fait pincer. Et puis les temps ont changé. Fini les corps enterrés dans le désert ou jetés dans l'Atlantique. Ils payeront une amende ou feront un peu de prison, et ensuite ils iront arnaquer les casinos flottants dans le Midwest ou bien les casinos indiens en Nouvelle-Angleterre ; quand l'eau aura coulé sous les ponts, après avoir modifié leur apparence, ils reviendront ici et remettront le couvert.

– Ouais, mais c'est quand même balancer.

– Si ça peut calmer tes scrupules, je relèverai leurs noms et je leur enverrai vingt mille dollars à chacun pour la peine.

Le visage de Leo s'éclaira.

– D'accord, du moment que tu prélèves pas ça sur ma part.

Laissant Freddy et Tony à l'appartement, ils avaient pris des chambres dans l'un des meilleurs hôtels du front de mer et ne devaient plus avoir de contacts directs avec eux. Avant leur départ, elle les avait dûment chapitrés, surtout Tony, en leur rappelant que cette ville grouillait d'espions.

– Ne dépensez pas de manière ostentatoire, ne faites pas de plaisanteries, ne dites rien qui puisse laisser croire qu'une arnaque est en train de se préparer. Une parole de trop, et ça serait terminé pour nous tous.

Puis, en regardant Tony droit dans les yeux, elle avait ajouté :

– C'est une affaire sérieuse, Tony. Pas question de commettre la moindre connerie.

– Je ferai gaffe. Promis, juré.

Leo et Annabelle se rendirent en taxi jusqu'au Pompeii et entamèrent leur surveillance. Annabelle observa l'équipe qui se livrait aux paris tardifs à la roulette dans les différents casinos du front de mer. Il y avait diverses façons de procéder, mais cette arnaque tirait son nom des champs de course où elle avait été pour la première fois mise en pratique. À la roulette, il s'agissait de placer des plaques d'un montant important sur le numéro gagnant après l'arrêt de la bille. Le parieur dissimulait les plaques sous des jetons d'un montant inférieur avant le départ de la bille, puis les retirait si le numéro ne sortait pas ou bien se contentait de pousser des cris de joie en cas de succès, tout cela au nez et à la barbe du croupier. L'avantage de cette technique, c'était de contourner les caméras placées au-dessus de la table, puisqu'on ne faisait appel à elles qu'en cas de gain et que le parieur ne retirait les plaques que s'il perdait. Mais il fallait, pour réussir le coup, une longue expérience, une dextérité sans pareille et un sang-froid à toute épreuve.

En leur temps, Leo et Annabelle étaient passés maîtres dans cette technique, mais la surveillance électronique utilisée depuis lors dans les casinos réduisait drastiquement les chances de réussite et seuls les plus fins pouvaient encore espérer s'en tirer. En outre, la nature même de l'arnaque imposait de la pratiquer avec modération, et les paris devaient être élevés pour justifier le risque.

Leo s'attacha à une table de black-jack où un homme bien mis gagnait régulièrement. Les sommes n'étaient pas suffisamment mirobolantes pour éveiller les soupçons, mais la succession des gains permettait de penser qu'il n'était pas seulement venu là pour siroter des boissons gratuites. Il appela Annabelle sur son portable.

— Tu es prête ?

— Apparemment, mes parieurs tardifs sont prêts à toucher le gros lot, alors allons-y.

Annabelle s'approcha d'un gaillard solidement bâti qu'elle avait repéré comme le chef de table et lui glissa quelques mots à l'oreille en penchant la tête en direction de la table de roulette où se déroulait l'opération.

— Il y a une arnaque en association, à la table numéro 6. Les deux femmes assises à droite mettent les mises. Le pousseur de plaques est assis au bout de la table, et celui qui va réclamer les gains, c'est le type maigre avec des lunettes, debout derrière le croupier, sur sa gauche. Appelez les surveillants là-haut et dites-leur de braquer la caméra d'ensemble sur leurs gestes.

Les tables de roulette étaient si vastes qu'il fallait deux caméras pour les couvrir : l'une braquée sur le cylindre, l'autre sur la table. Le problème, c'était que le surveillant ne pouvait suivre qu'une seule caméra à la fois. Le chef de table lui jeta un bref regard, mais il ne pouvait ignorer la description précise d'Annabelle, et il transmit la consigne par son micro dissimulé.

Au même moment, Leo alla trouver le chef de table du black-jack.

— À la table 5, il y a un croupier marron qui triche à la donne. Le joueur du siège numéro 3 a un compteur électronique fixé sur la cuisse droite. En s'approchant suffisamment, on voit la forme à travers le pantalon. Il aussi une oreillette dans l'oreille droite pour recevoir les informations de l'ordinateur. La caméra ne peut pas voir la coupe du paquet parce que les mouvements du croupier sont trop rapides, mais en mettant une caméra portable à niveau, vous le repérerez facilement.

Comme pour Annabelle, il ne fallut au chef de table que quelques secondes pour faire descendre un surveillant armé d'une caméra miniature.

Au bout de cinq minutes, les arnaqueurs effarés furent conduits à l'écart et la direction appela la police.

Dix minutes plus tard, Annabelle et Leo se retrouvèrent dans une partie du casino que ne fréquentaient jamais les grands-mères venues gaspiller leur maigre retraite.

Jerry Bagger se leva derrière son vaste bureau, les mains dans les poches, les poignets et le cou garnis de coûteuses bimbeloteries.

— Excusez-moi si je ne vous remercie pas de m'avoir fait gagner quelques malheureux billets de mille, aboya-t-il avec un fort accent de Brooklyn. C'est que je n'ai pas l'habitude qu'on me rende service. Ça me fait dresser les cheveux sur la nuque. J'aime pas que mes cheveux se dressent comme ça sur ma nuque. La seule chose que j'aime voir se dresser, c'est ce que j'ai dans le froc.

Les six costauds présents dans la pièce, tous vêtus de coûteux complets, les mains croisés devant eux, éclatèrent de rire en même temps.

Annabelle s'avança d'un pas.

– Nous ne l'avons pas fait pour vous rendre service, mais pour pouvoir vous rencontrer.

– Eh bien, me voici. Vous m'avez rencontré. Et maintenant ?

– Nous avons une proposition à vous faire.

Bagger leva les yeux au ciel.

– Nous y voilà. (Il s'assit sur un canapé, prit une noix dans un bol et la fit craquer dans sa main droite.) Vous allez me proposer un moyen de gagner des quantités d'argent alors que j'en possède déjà des tonnes ?

Il avala le cerneau de noix.

– Oui. Et en même temps, vous pourrez servir votre pays.

– Mon pays ? lança Bagger avec un regard mauvais. Ce pays qui cherche à me foutre en taule parce que j'exerce une activité parfaitement légale ?

– Ça, on peut s'en occuper.

– Ah bon, vous êtes des fédéraux ? (Il se tourna vers ses hommes.) Hé, les gars, on a des fédéraux dans le casino. Appelez la dératisation.

Les gros bras éclatèrent de rire. Annabelle prit place sur le canapé à côté de Bagger et lui tendit une carte. Il la lut.

– Pamela Young, International Management, Inc. Ça me dit rien du tout. (Il la lui rendit.) Mes hommes m'ont appris que vous vous y connaissiez très bien, dans les arnaques au jeu. On vous apprend ça à l'école de police fédérale, maintenant ? De toute façon, je ne crois pas que vous soyez des fédéraux.

– Qu'est-ce que vous ramassez quotidiennement ? lança Leo d'un ton bourru. Trente millions ? Quarante millions ? Pour respecter la réglementation, vous êtes obligé d'avoir en votre possession un certain montant en réserve, mais ça fait beaucoup de liquidités. Qu'est-ce que vous faites du surplus ? Allez, dites-le-nous.

Le patron du casino le regarda, sidéré.

– J'en tapisse les murs de ma maison, connard. (Il lança un coup d'œil à ses hommes.) Virez-moi cet empaffé.

Les gros bras s'avancèrent et deux d'entre eux soulevèrent Leo du sol.

– Que diriez-vous d'un retour de dix pour cent sur ces sommes ? lança aussitôt Annabelle.

– Je dirais que j'en ai rien à foutre.

Bagger se leva et se dirigea vers son bureau.

– Je voulais dire dix pour cent tous les deux jours. Alors, qu'est-ce que vous en pensez ?

– Trop beau pour être vrai. (Il prit une plaque grise d'un montant de cinq mille dollars et la lui jeta.) Allez vous amuser avec et ne me remerciez pas. Considérez ça comme un cadeau tombé du ciel. Et puis vous avez un joli cul, ne le cognez pas contre la porte en sortant.

Il fit signe à ses hommes de libérer Leo.

– Réfléchissez, monsieur Bagger, dit alors Annabelle. Nous reviendrons demain vous faire la même proposition. J'ai l'ordre de vous la faire deux fois. Si vous refusez, l'oncle Sam se tournera vers un de vos concurrents.

– Bonne chance.

– Ça a marché à Las Vegas, ça marchera ici, dit-elle d'un ton très assuré.

– Très bien. Mais vous devriez arrêter de fumer de la moquette.

– Les revenus du jeu stagnent depuis cinq ans, monsieur Bagger. Alors comment expliquez-vous que les patrons de casinos de Las Vegas continuent à brasser des milliards de dollars ? À croire qu'ils impriment des billets… Et c'est bien le cas. Et en même temps, ils aident leur pays.

Il s'assit derrière son bureau, et pour la première fois, une lueur d'intérêt sembla passer dans son regard. Pour l'heure, Annabelle n'en attendait pas plus.

– Vous ne vous êtes pas demandé, reprit-elle, pourquoi au cours des dix dernières années les patrons de Vegas n'ont été l'objet d'aucune enquête fédérale ? Je ne parle pas des poursuites engagées contre les activités maffieuses, ça c'est de l'histoire ancienne. Vous et moi savons très bien ce qui se passe là-bas. Pourtant, comme vous l'avez dit vous-même, le ministère de la Justice vous colle au train. Un homme aussi intelligent que vous, monsieur Bagger, ne peut pas croire qu'il aura de la chance toute sa vie. (Elle déposa sa carte sur le bureau.) Vous pouvez m'appeler à n'importe quelle heure du jour ou de la nuit. Dans mon métier, on ne connaît pas les horaires de bureau. Inutile de nous raccompagner, on connaît le chemin.

Leo et elle quittèrent seuls la pièce.

Lorsque la porte se fut refermée derrière eux, Bagger lança à ses hommes :

– Suivez-les.

Chapitre 19

Dans le taxi, Annabelle gardait les yeux rivés sur la rue, par la vitre arrière.

– Ils sont là ? chuchota Leo.

– Bien sûr.

– Pendant un moment, j'ai cru que ces tueurs allaient me balancer par la fenêtre. Pourquoi c'est toujours moi qui dois jouer le méchant flic et toi le gentil ?

– Parce que tu joues très, très bien les méchants.

Arrivés devant leur hôtel, ils descendirent du taxi. Annabelle traversa la rue et alla frapper à la vitre d'un Hummer garé le long du trottoir. La vitre s'abaissa, révélant le visage d'un des gardes du corps de Bagger.

– Vous pouvez dire à M. Bagger que j'ai pris la chambre 1412. Oh, voici une autre carte, au cas où il aurait jeté la première.

Elle rejoignit Leo et tous deux pénétrèrent dans l'hôtel. La sonnerie du téléphone d'Annabelle retentit : Tony confirmait qu'il était bien en place. Elle lui avait acheté une paire de jumelles hors de prix et lui avait loué une chambre dans un hôtel en face du Pompeii, d'où il avait une vue imprenable sur le bureau de Bagger.

L'appel qu'elle attendait lui parvint dix minutes plus tard. Elle fit signe à Leo qui se tenait près de la fenêtre, et celui-ci envoya un SMS à Tony.

– Viens vite, viens vite ! lança Annabelle, une main plaquée sur le micro du téléphone.

La sonnerie retentit sept fois de suite. À la neuvième, Leo reçut une réponse et lui adressa un signe de tête. Annabelle appuya sur la touche réponse de son téléphone.

– Allô ?

– Comment avez-vous repéré mes gars aussi vite ? glapit Bagger.

– Dans le domaine de la surveillance, personne n'arrive à la cheville de… mes employeurs, monsieur Bagger. Vous savez, nous avons tous les moyens qu'il faut et un crédit illimité.

En réalité, elle s'était contentée de regarder par la vitre arrière du taxi, et, au cours de ses inspections préalables, avait remarqué que le service de sécurité de Bagger utilisait des Hummer jaunes. Ils n'étaient guère difficiles à repérer.

– Ce qui veut dire que je suis placé sous surveillance ?

– Tout le monde est sous surveillance, monsieur Bagger. Vous n'êtes pas le seul.

– Laissez tomber, avec votre « monsieur » Bagger. Comment se fait-il que vous connaissiez si bien les arnaques des casinos et que vous ayez pu en repérer deux ? J'ai plutôt l'impression que vous appartenez vous-même au milieu de l'arnaque.

– Ce n'est pas moi qui les ai repérés. Aujourd'hui, nous avions trois équipes dans votre casino, chargées de repérer quelque chose qui nous permettrait de vous approcher. Les membres de ces équipes, eux, sont des experts en matière d'escroquerie. Ils nous ont transmis l'information et nous avons prévenu vos chefs de table, c'est aussi simple que ça.

– Bon, laissons ça pour l'instant. Qu'est-ce que vous voulez, exactement ?

– Il me semble avoir été claire, dans votre bureau…

— Ouais, ouais, je sais très bien ce que vous avez dit. Mais je veux savoir exactement en quoi ça consiste.

— Il n'est pas question d'en parler au téléphone, la NS… euh, les lignes fixes ne sont pas vraiment sécurisées, vous savez.

— Vous alliez dire la NSA, hein ? Je connais bien les espions, moi.

— Sauf votre respect, personne ne sait tout de la NSA, pas même POTUS, dit-elle en glissant ainsi l'acronyme crypté de « President Of The United States ».

Silence à l'autre bout de la ligne.

— Vous êtes toujours là ? demanda-t-elle.

— Oui !

— Voulez-vous que l'on se retrouve à votre bureau ?

— Impossible. Je suis… euh, je ne suis pas en ville, en ce moment.

— Faux. Vous êtes assis à votre bureau.

L'information avait été communiquée à Leo par courriel. Bagger coupa aussitôt la communication. Elle posa son téléphone et lança un clin d'œil rassurant à Leo. Ce dernier laissa échapper un long soupir.

— On navigue en eaux troubles, Annie.

— Tu ne m'appelles Annie que lorsque tu es nerveux, dit-elle avec amusement.

Il essuya une goutte de sueur qui perlait à son front et alluma une cigarette.

— Ouais. y a des choses qui changent pas, hein ?

La sonnerie du téléphone retentit à nouveau. Elle décrocha.

— À Atlantic City, je suis chez moi, dit d'emblée Bagger d'un ton menaçant. Et personne ne m'espionne chez moi.

— Monsieur Bagger, répondit-elle avec le plus grand calme, puisque tout ceci semble vous ennuyer, je vais vous faciliter les choses. Je vais faire savoir à mes supérieurs que vous avez décliné notre deuxième et dernière proposition. Comme cela, vous n'aurez plus à vous en inquiéter. Et comme je vous l'ai dit, je m'adresserai ailleurs.

— Il n'y a pas un seul propriétaire de casino par ici qui va croire à vos histoires à la con.

— Aucun patron de casino sain d'esprit ne se fierait à nous sur notre seule bonne mine. Voilà pourquoi nous effectuons un galop d'essai. Nous leur faisons gagner beaucoup d'argent très rapidement, et ensuite ils prennent leur décision. Soit ils acceptent, soit ils refusent. Et même en cas de refus, les sommes leur restent acquises.

Elle l'entendait respirer bruyamment.

— De combien d'argent s'agit-il ?

— Combien voulez-vous ?

— Pourquoi l'État me proposerait-il un tel marché ?

— Il y a plusieurs secteurs dans l'appareil d'État. Ce n'est pas parce que vous n'êtes pas en odeur de sainteté auprès de l'un de ces secteurs que d'autres n'y trouvent pas leur avantage. Ce qui nous intéresse, c'est justement que le ministère de la Justice en ait après vous.

— En quoi est-ce un avantage ?

— Parce que qui croirait que le gouvernement des États-Unis fait justement affaire avec vous ?

— Vous êtes de la NSA ?

— Non.

— De la CIA ?

— À toutes ces questions, je répondrai invariablement non. Et au cours de telles missions, je n'ai sur moi ni carte ni plaque.

— J'ai des hommes politiques dans ma poche, à Washington. Un coup de fil et je saurai.

— Un coup de fil et vous ne saurez rien du tout, parce que les hommes politiques ignorent tout du domaine dans lequel je travaille. Appelez la CIA. Elle se trouve à Langley, en Virginie, au cas où vous l'ignoreriez. Beaucoup de gens croient que ses bureaux sont à Washington. Croyez-le ou pas, mais leur numéro est dans l'annuaire. Demandez la direction des opérations. Mais pour vous épargner un coup de fil, sachez déjà qu'ils vous répondront n'avoir jamais entendu parler ni de Pamela Young ni d'International Management, Inc.

– Comment m'assurer alors que ce n'est pas une opération d'intox menée par les fédéraux ?

– Je ne suis pas avocate, mais à mon avis du point de vue juridique ce serait un cas flagrant d'incitation policière à commettre un délit.

– Qu'est-ce que c'est, votre galop d'essai ?

– Quelques clics de souris.

– Expliquez-moi ça.

– Pas au téléphone. De vive voix.

Il poussa un soupir.

– Vous avez déjà dîné ? demanda-t-il.

– Non.

– Soyez au Pompeii dans dix minutes. Je vous accueillerai à l'entrée principale.

Il raccrocha. Elle se tourna vers Leo.

– Ça marche.

– C'est là qu'on allonge la monnaie.

– Oui, c'est là qu'on allonge la monnaie, approuva Annabelle.

Chapitre 20

Une heure plus tard, ils terminaient un excellent dîner préparé par le chef personnel de Bagger. Ce dernier prit alors son verre de bourbon, Annabelle et Leo leur verre de vin et ils s'installèrent dans de confortables fauteuils en cuir devant un faux feu de bois.

– Bon, maintenant que nous avons bien mangé et bien bu, déclara Bagger, le moment est venu de tout m'expliquer. D'abord, qu'est-ce que vous cherchez ? Et ensuite, parlez-moi d'argent.

Annabelle se mit à bercer doucement son verre et coula un regard en direction de Leo.

– Vous vous souvenez de l'affaire Iran-Contra ?

– Vaguement.

– Parfois, les États-Unis ont intérêt à soutenir des pays ou des organisations qui ne sont pas aimés du public américain.

– Par exemple donner des armes à Ben Laden pour combattre les Russes ? dit-il en ricanant.

– Entre deux maux, il faut parfois choisir le moindre. Ça arrive tout le temps.

– Et qu'est-ce que j'ai à voir là-dedans, moi ?

– Nous obtenons de l'argent de différentes sources, certaines privées, mais il faut qu'il soit légalisé avant d'être redistribué, dit-elle en avalant une gorgée de vin.

– Vous voulez dire blanchi.

Elle eut un petit sourire.

– Non, je veux bien dire légalisé.

– Je ne vois toujours pas le rapport.

– Vous connaissez El Primero Banco de Caribe ?

– Je devrais ?

Leo intervint.

– N'est-ce pas là que vous déposez une partie des liquidités provenant de votre casino ? Leur spécialité, c'est de faire disparaître l'argent, moyennant commission, bien sûr. Net d'impôt.

Bagger bondit à moitié de son siège.

– Notre travail consiste aussi à savoir ce genre de chose, dit Annabelle. Ne prenez pas ça pour une attaque personnelle. Vous n'êtes pas le seul à détenir ce genre de dossier.

Bagger se rassit et regarda sa coiffure en épis.

– Vous n'avez pas l'allure d'une espionne.

– C'est plutôt voulu, vous ne croyez pas ? dit-elle aimablement avant de se servir un nouveau verre de vin.

– Écoutez, comment savoir que vous ne racontez pas de bobards ? Si je prends des renseignements, personne n'a entendu parler de vous. Qu'est-ce que je peux faire, moi ?

– Les paroles volent, l'argent reste, dit-elle en se rasseyant.

– Ce qui veut dire quoi, exactement ?

– Faites donc venir votre directeur financier.

Bagger la considéra un instant d'un air soupçonneux, puis décrocha son téléphone.

Une minute plus tard, l'homme fit son apparition.

– Oui, monsieur ?

Annabelle tira de sa poche une feuille de papier qu'elle lui tendit.

– Tapez le numéro de ce compte sur votre ordinateur. C'est un compte du Primero Banco de Caribe. Avec le numéro de compte il y a un mot de passe valable une seule fois. Ensuite, revenez dire à M. Bagger le montant du solde.

L'homme se tourna vers Bagger qui acquiesça. L'homme s'en alla et revint quelques minutes plus tard.

— Alors ? demanda Bagger impatiemment.

— Trois millions, douze mille dollars et soixante cents, monsieur.

Le patron du casino considéra Annabelle avec un respect visible puis fit signe à son directeur financier de s'en aller.

— D'accord, je vous écoute, dit-il lorsque la porte fut refermée.

— Pour dissiper toute inquiétude, nous faisons d'ordinaire un galop d'essai, ou plusieurs, selon les cas.

— Vous me l'avez déjà dit. Comment ça fonctionne ?

— Vous déposez de l'argent sur un de vos comptes ouverts à El Banco ; vous récoltez les intérêts et l'argent est remis sur votre compte habituel, dans votre banque.

— Quelle somme, environ ?

— D'ordinaire, un million de dollars. L'argent que vous virez est mêlé à d'autres fonds. Deux jours plus tard, vous récoltez cent mille dollars d'intérêts. Vous pouvez recommencer l'opération tous les deux jours, si vous voulez.

— Mêlé ? Vous ne voulez pas dire « légalisé » ?

Elle leva son verre.

— Vous apprenez vite.

Une moue méprisante apparut sur les lèvres de Bagger.

— Vous voulez que je mette un million de mon argent sur un compte que vous me désignerez et que j'attende deux jours pour revoir cet argent et toucher des intérêts ? Vous me prenez vraiment pour un con, ou quoi ?

Annabelle s'assit tout à côté de lui et posa la main sur son bras.

— Je vais vous dire, Jerry… Je peux vous appeler Jerry ?

— Pour l'instant, oui.

— Pendant les deux jours où votre argent demeurera bloqué sur ce compte, mon collègue et moi resterons ici, à votre hôtel, sous la surveillance de vos hommes, jour et nuit. Si votre argent ne vous revient pas avec les intérêts, exactement comme je vous l'ai dit, nous serons à votre merci. Fonctionnaire ou pas, j'aime trop la vie pour l'échanger contre de l'argent dont je ne verrai jamais la couleur.

Il la dévisagea longuement, se leva et alla regarder dehors, par la fenêtre à l'épreuve des balles.

– C'est la combine la plus dingue que j'aie jamais entendue.

– Pour protéger notre pays, il y a des actions à entreprendre, des actions qui ne sont pas toujours ni légales ni populaires. Et si l'opinion américaine apprenait ce qu'il en est ? Mais ce n'est pas mon domaine. Mon travail, c'est de m'assurer que l'argent arrive à bon port. En échange de votre aide, vous touchez une prime substantielle. C'est aussi simple que ça.

– Mais cet argent est purement électronique. Pourquoi faut-il le blanchir ?

– Même les dollars électroniques peuvent être suivis à la trace, Jerry. C'est même plus facile que pour l'argent liquide. Les fonds doivent être amalgamés à d'autres qui ne viennent pas de l'État. Tout est blanchi électroniquement, c'est comme d'effacer les empreintes digitales sur une arme. Ensuite, ces fonds peuvent être versés là où ils doivent l'être.

– Et vous dites qu'à Las Vegas on le fait déjà ? Alors si je les appelle et que je leur demande…

Elle l'interrompit.

– Ils ne vous diront rien, parce que c'est l'ordre qu'ils ont reçu. (Elle se leva mais demeura près de lui.) Il y a d'énormes profits pour vous, Jerry, mais aussi des risques. Et il est juste que je vous prévienne.

Elle le conduisit à nouveau vers le canapé.

– Si jamais certaines personnes apprennent que vous avez parlé de cette affaire…

Bagger se mit à rire.

– Ne me menacez pas, ma petite demoiselle. L'intimidation, c'est mon rayon.

— Il ne s'agit pas d'intimidation, Jerry, dit-elle en le regardant droit dans les yeux. Si vous parlez à quiconque de cette affaire, ils vous retrouveront, où que vous soyez. Et ces hommes n'auront peur de rien, d'aucun de vos gardes du corps. Ils n'obéissent à aucune loi et tueront tout ce qui est proche de vous, homme, femme ou enfant. Je suis dans le milieu depuis longtemps, et j'ai fait des choses qui pourraient vous surprendre, même vous, mais ces gens-là, je préférerais ne pas avoir affaire à eux, même protégée par un commando des forces spéciales. Ce sont les pires ordures que la terre ait jamais portées. Et avant de mourir, vous aurez souffert mille morts.

— Et ces tueurs sont appointés par l'État ! explosa Bagger. Pas étonnant qu'on se fasse baiser comme ça ! (Il avala une gorgée de bourbon, mais Annabelle et Leo remarquèrent que sa main tremblait un peu.) Mais alors pourquoi est-ce que je… ?

Devinant ce qu'il allait dire, elle l'interrompit.

— J'ai déjà dit à mes supérieurs que Jerry Bagger ne parlerait pas. Il récolterait ses intérêts exorbitants et ne piperait pas mot. Je ne choisis pas nos alliés au hasard, Jerry. Des types comme vous ont le profil idéal pour nos affaires. Vous êtes malin, courageux, et vous n'avez pas peur de vous mouiller un peu. Je préférerais ne pas proposer cet arrangement à un autre casino, Jerry, mais mes instructions sont claires.

Quelques instants plus tard, il lui tapota la jambe en souriant.

— J'suis aussi patriote que tous les connards de ce pays. Alors, on y va.

Chapitre 21

Le lendemain de leur visite chez DeHaven, les membres du Camel Club tinrent une réunion improvisée dans le cottage de Stone au cimetière. Et, avec force détails, Stone expliqua à Milton et à Caleb les événements de la nuit.

– Ils sont peut-être en train de nous surveiller, là, maintenant, intevint Caleb, effrayé, en jetant un regard par la fenêtre.

– Le contraire m'étonnerait, répondit calmement Stone.

Son cottage était petit et meublé de façon spartiate : un vieux lit, un grand bureau recouvert de papiers et de journaux, des étagères chargées de livres dans diverses langues, une petite cuisine avec une table bancale, une minuscule salle de bains, quelques chaises dépareillées disposées autour de la vaste cheminée, unique source de chauffage.

– Et ça ne t'inquiète pas plus que ça ? demanda Milton.

– J'aurais été plus inquiet s'ils avaient tenté de me tuer, ce qu'ils auraient pu faire très facilement en dépit de l'héroïsme de Reuben.

– Et maintenant ? demanda Reuben, qui se tenait devant la cheminée pour tenter de se réchauffer. Il faut que j'aille travailler.

– Moi aussi, fit Caleb.

– J'ai besoin d'entrer dans la chambre forte de la bibliothèque, dit Stone. C'est possible ?

– Eh bien… en temps normal, oui. J'ai l'autorisation, mais on me demandera une justification. La direction n'aime pas beaucoup qu'on fasse venir comme ça les amis ou la famille sans les prévenir. Et avec la mort de Jonathan, les règles sont devenues encore plus drastiques.

– Et si le visiteur est un chercheur étranger ?

– Là, évidemment, c'est différent. (Il jeta un coup d'œil à Stone.) Quel chercheur étranger connais-tu ?

– Je crois que c'est à lui qu'il pense, intervint Reuben.

– Mais enfin, Oliver ! s'exclama Caleb. Je ne vais quand même pas être mêlé à une usurpation d'identité ! Et à la Bibliothèque du Congrès, en plus !

– Aux grands maux, les grands remèdes ! Nous avons des gens très dangereux sur le dos depuis que nous sommes allés enquêter sur la mort de Jonathan DeHaven. Il faut absolument déterminer si sa mort est naturelle ou pas. Et pour ça, on doit examiner les lieux de plus près.

– En tout cas, nous savons comment il est mort, rétorqua Caleb. (Les autres le regardèrent, surpris.) Un ami de la bibliothèque m'a téléphoné chez moi. Jonathan est mort d'un arrêt cardio-respiratoire, ce sont les conclusions de l'autopsie.

– Tout le monde meurt comme ça, fit valoir Milton. Ça veut simplement dire que le cœur a cessé de fonctionner.

– Milton a raison, murmura Stone d'un air songeur. Et ça veut dire aussi que les médecins ne savent pas vraiment de quoi il est mort. (Il se leva et se tourna vers Caleb.) Je veux aller voir la chambre forte ce matin.

– Oliver, tu ne peux venir comme ça, sans être annoncé, comme n'importe quel universitaire.

– Pourquoi pas ?

– Parce que ça ne se fait pas. Il y a des usages, des règles à respecter.

– Je dirai que je suis venu rendre visite à de la famille à Washington et que j'aimerais voir la plus belle collection de livres du monde. Ça vaut le détour, quand même.

– Mouais, ça pourrait passer, grommela Caleb. Mais s'ils te posent des questions auxquelles tu ne peux pas répondre ?

– Il n'y a rien de plus facile à jouer qu'un universitaire, assura Stone. (Caleb sembla très offensé par cette remarque, mais Stone n'en tint pas compte.) Je serai à la bibliothèque à 11 heures. (Il griffonna quelques mots sur un bout de papier et le tendit à Caleb.) Voilà comment je m'appellerai.

Caleb lut le papier et leva les yeux, surpris.

La réunion du Camel Club prit fin sur ces entrefaites, mais Stone entraîna tout de même Milton à part pour lui parler.

Quelques heures plus tard, Caleb tendait un livre à Norman Janklow, un vieux monsieur habitué de la salle de lecture.

– Tenez, Norman, dit-il en lui donnant un exemplaire de *L'Adieu aux armes*.

Janklow était un fanatique d'Hemingway, et ce volume de la première édition était dédicacé par l'auteur.

– Je donnerais n'importe quoi pour posséder ce livre, dit Janklow.

– Je sais, Norman, moi aussi.

Une première édition dédicacée par Hemingway valait au bas mot trente cinq mille dollars, soit une somme bien supérieure à ce que Caleb ou Janklow pouvaient consacrer à un livre.

– J'ai commencé ma biographie d'Hemingway.

– C'est bien.

En fait, Janklow avait « commencé » sa biographie d'Hemingway depuis au moins deux ans, mais cette idée même semblait le rendre heureux, et Caleb se prêtait volontiers au jeu.

Janklow promena les doigts sur le livre.

– La couverture a été réparée, grommela-t-il.

– C'est vrai. Avant que la division des livres rares ne soit vraiment opérationnelle, la plupart de nos premières éditions américaines étaient entreposées dans de mauvaises conditions. Cela fait des années que nous avons entrepris de rattraper notre retard. Cet exemplaire aurait dû être restauré depuis longtemps, mais j'imagine qu'il y a dû y avoir un retard administratif. Ça arrive quand on a près d'un million de volumes.

– Ils auraient dû le conserver dans son état originel.

– Notre tâche principale est la conservation. Si vous pouvez consulter ce livre, c'est que nous en avons pris soin.

– J'ai rencontré Hemingway une fois.

– Je me rappelle, vous me l'avez dit.

Plus de cent fois.

– C'était un personnage. On s'est soûlés ensemble dans un bistro, à Paris.

– Bon, je vous laisse à votre recherche.

Janklow chaussa ses lunettes de lecture, prit un crayon et des feuilles de papier et se plongea dans le monde aventureux d'Hemingway, son imagination prodigieuse et sa prose ascétique.

À 11 heures tapantes, Oliver Stone fit son apparition dans la salle de lecture des livres rares, vêtu d'un complet trois pièces râpé, s'appuyant sur une canne. Avec ses cheveux blancs bien coiffés, sa courte barbe, ses grosses lunettes noires et sa démarche claudicante, il semblait avoir vingt ans de plus et Caleb faillit ne pas le reconnaître.

Une des employées s'avança vers lui, mais Caleb se précipita pour la devancer.

– Je vais m'occuper de monsieur, Dorothy... je... je le connais.

Avec solennité, Stone tira de sa poche une carte de visite.

– Comme promis, Herr Shaw, je suis venu voir les livrrres.

Son fort accent allemand était parfaitement imité et Dorothy, qui était allée se rasseoir à son bureau, le considérait avec curiosité.

— Je vous présente le docteur Aust, dit Caleb. Nous nous sommes rencontrés il y a quelques années à l'occasion d'un colloque de bibliophilie à... Francfort, c'est bien ça ?

— Non, à Mayence, corrigea Stone. Je m'en souviens très bien, parce que c'était la saison des asperges, et que chaque fois que j'assiste au colloque de Mayence, je m'en régale.

Il s'inclina en direction de Dorothy, qui lui sourit et retourna à son travail. Un autre homme pénétra alors dans la salle de lecture.

— Caleb, je voudrais vous parler un instant.

Caleb se retourna et pâlit.

— Oh, bonjour, Kevin. Je vous présente le docteur Aust, qui nous vient d'Allemagne. Docteur Aust, je vous présente Kevin Philips, qui fait fonction de directeur de la division des livres rares depuis la disparition de Jonathan...

— Ah, oui, quelle tragédie pour ce pauvre M. DeHaven !

— Vous connaissiez Jonathan ? s'étonna Philips.

— Seulement de réputation. Je trouve que son article sur la traduction métrique des *Distiques moraux* de Caton par James Logan est tout à fait remarquable.

— Je dois avouer que je ne l'ai pas lu, répondit Philips, l'air contrit.

— Il s'agit de la première traduction des classiques à avoir été publiée aux États-Unis... Passionnant.

— Je vais ajouter cet article à la liste de mes prochaines lectures, mais vous savez, paradoxalement, et comme beaucoup de bibliothécaires, je n'ai guère le temps de lire.

— Dans ce cas, je ne vous encombrerai pas en vous envoyant mes livres, répliqua Stone en souriant. De toute façon, ajouta-t-il en pouffant, ils sont en allemand.

— J'ai invité le docteur Aust à profiter de son séjour à Washington pour faire un tour des chambres fortes, expliqua Caleb.

— Mais bien sûr, s'exclama Philips. Nous sommes très honorés de votre visite. (Il baissa la voix.) Dites-moi, Caleb, vous avez appris la nouvelle, pour Jonathan ?

— Oui.

— Cela veut donc dire qu'il a bien eu une crise cardiaque ?

Caleb jeta un coup d'œil à Stone, qui profita de ce que Philips lui donnait le dos pour acquiescer discrètement.

— En effet, je crois que c'est bien ça.

Philips hocha la tête.

— Bon Dieu ! Il était plus jeune que moi. Ça fait réfléchir, pas vrai ? (Il se tourna vers Stone.) Docteur Aust, voulez-vous que je vous fasse faire le tour du propriétaire ?

En souriant, Stone s'appuya lourdement sur sa canne.

— Non, Herr Philips, je préférerais que vous consacriez ce temps à lire l'article de votre ami sur les *Distiques moraux*.

— Il est agréable de voir que de distingués universitaires ont su garder le sens de l'humour, dit Philips en riant.

— J'essaye, monsieur, j'essaye, dit Stone en s'inclinant.

Après le départ de Philips, Caleb conduisit Stone dans la chambre forte.

— Comment savais-tu, pour les travaux de Jonathan ? questionna Caleb lorsqu'ils furent seuls.

— J'ai demandé à Milton de creuser. Il a regardé sur Internet et m'a tiré l'article, que j'ai lu avec intérêt, au cas où je rencontrerais quelqu'un comme Philips. Qu'est-ce qu'il y a ? ajouta-t-il en voyant l'air mécontent de Caleb.

— Eh bien, c'est un peu humiliant de voir comment il est facile de jouer les universitaires.

— Je crois surtout que ton patron m'a pris au sérieux parce que tu as appuyé ma candidature.

Le visage de Caleb s'éclaira.

— Ça a dû effectivement y contribuer.

— Bon, et maintenant montre-moi exactement ce que tu as fait ce jour-là.

Caleb s'exécuta, en terminant par le dernier étage. Il lui désigna l'endroit.

— C'est là que se trouvait le corps, dit-il en frissonnant. C'était affreux.

Stone examina les lieux.

— Qu'est-ce que c'est ? demanda-t-il en montrant un endroit sur le mur.

— Un bec du système anti-incendie.

— On projette de l'eau, avec tous ces bouquins ?

— Non, non. C'est un système qui utilise le halon 1301.

— Le halon 1301 ?

— C'est un gaz. Enfin, il est liquide, mais en passant à travers ce bec, il est projeté sous forme de gaz. Ça étouffe le feu sans endommager les livres.

— Ça l'étouffe ! s'écria Stone. Mais enfin, Caleb, tu ne vois pas ?

Celui-ci sembla soudain comprendre les raisons de l'excitation de Stone.

— Étouffé ? Mais non, ça n'est sûrement pas comme ça que Jonathan est mort.

— Pourquoi pas ?

— Parce qu'on a plusieurs minutes pour s'échapper avant de ressentir les effets du gaz. C'est pour cela qu'on utilise le halon dans des lieux fréquentés. D'ailleurs, on est en train de changer le système, mais pas parce qu'il est dangereux.

— Pourquoi, alors ?

— Le halon est mauvais pour la couche d'ozone. On peut encore l'utiliser aux États-Unis et le recycler pour d'autres applications, mais, depuis le milieu des années 1990, sa fabrication est interdite sur le territoire américain. Cela dit, c'est encore le gouvernement fédéral qui en est le plus gros utilisateur.

— Tu as l'air d'en savoir long sur ce halon.

— Tous les employés ont reçu une formation complète sur ce système quand il a été installé. Et j'ai fait quelques recherches supplémentaires.

— Pourquoi ?

— Parce que je viens très souvent dans cette chambre forte, s'écria Caleb, et que je ne veux pas mourir ! Tu sais bien que je manque de courage !

Stone examina l'embout.

— Où est stocké le gaz ?

— Quelque part dans les sous-sols du bâtiment. Il remonte jusqu'ici par des tuyaux.

— Tu dis qu'il se présente sous forme liquide mais qu'il est projeté sous forme gazeuse ?

— Oui. En raison de la vitesse à laquelle il passe à travers l'embout.

— Il doit être très froid.

— Si on reste devant le bec, on pourrait être congelé.

— Rien d'autre ?

— Eh bien… si on restait assez longtemps dans la pièce, on pourrait effectivement être asphyxié.

— Ce gaz pourrait-il entraîner une crise cardiaque ?

— Je n'en sais rien. Mais ça ne veut rien dire. Le système n'a jamais fonctionné. La sirène s'entend dans tout le bâtiment. Si Jonathan ne l'avait pas entendue, c'est qu'il était déjà mort.

— Et si la sirène avait été débranchée ?

— Qui aurait pu faire ça ? demanda Caleb, sceptique.

— Je l'ignore.

Tout en parlant, Stone observait une grosse grille accrochée à l'une des colonnes soutenant les étagères.

— Est-ce que c'est une aération pour le système anti-incendie ? (Caleb acquiesça.) Quelque chose a dû tomber dessus, ajouta-t-il en désignant une zone où deux des grilles étaient tordues.

— Ça arrive quand on manipule des chariots de livres.

— Je vais suggérer à Milton de s'intéresser à ce système de halon, on verra s'il en sort quelque chose. Et puis Reuben a gardé des amis à la brigade criminelle de Washington et au FBI, du temps où il était dans les renseignements militaires. Je lui ai demandé de voir avec eux où en était l'enquête.

— Ce soir, nous avons rendez-vous avec Vincent Pearl dans la maison de Jonathan. Vu les derniers événements, tu ne crois pas qu'il faudrait annuler ?

– Non. De toute façon, ces gens sont capables de nous retrouver, où que nous soyons. Et si nous sommes menacés, je préfère essayer de découvrir la vérité moi-même plutôt que d'attendre tranquillement le prochain coup.

Tandis qu'ils quittaient la chambre forte, Caleb grommela :

– Pourquoi est-ce que je n'ai pas adhéré à un club de bibliophiles, tout simplement ennuyeux ?

Chapitre 22

Ce soir-là, ils se rendirent tous chez DeHaven, à bord de la Chevrolet Nova de Caleb. Entre-temps, Milton était passé expert dans les systèmes de lutte contre l'incendie.

– Le halon 1301 est incolore et inodore, il éteint le feu en arrêtant le processus de combustion, notamment grâce à l'abaissement du niveau d'oxygène. Il s'évapore vite sans laisser aucune trace. Une fois le système activé, le gaz se répand en dix secondes environ.

– Est-il mortel ? demanda Stone.

– Si on reste sur place assez longtemps et si la concentration en gaz est suffisante, on peut mourir d'asphyxie ou de crise cardiaque.

Stone lança un regard triomphant à Caleb.

— D'après l'autopsie, lui rappela Milton, Jonathan est mort d'un arrêt cardio-respiratoire. S'il avait eu une crise cardiaque, on aurait parlé d'un infarctus du myocarde. Une crise cardiaque ou une congestion cérébrale laissent des traces physiologiques évidentes. Le médecin légiste s'en serait aperçu.

Stone opina du chef.

— D'accord. Mais tu as dit que le gaz pouvait entraîner une asphyxie.

— Je ne crois pas que ce soit le cas. C'est ma conversation avec Caleb qui m'a convaincu du contraire.

— J'ai poursuivi mes recherches sur le système halon de la bibliothèque, expliqua Caleb. Il bénéficie du label SEN, autrement dit « Sans effets nocifs ». Ça renseigne sur les effets possibles du gaz sur le système cardiaque lorsqu'il est utilisé en telle ou telle quantité dans un local donné. En résumé, un système SEN permet de prendre son temps pour quitter les lieux avant de ressentir les éventuels effets nocifs. Et même si la sirène avait été débranchée, Jonathan aurait entendu le sifflement du gaz dans l'appareil de propulsion. Impossible que le halon l'ait incommodé au point de l'empêcher de s'enfuir.

— Donc, apparemment, ma théorie sur la mort de Jonathan DeHaven ne tient pas la route, reconnut Stone. (Ils venaient de s'engager dans Good Fellow Street.) C'est Vincent Pearl ?

— Oui, il est en avance, dit Caleb avec agacement. Visiblement, il a hâte de me prouver que je me trompais à propos du *Bay*.

— Je vois qu'il a laissé sa robe de chambre chez lui, fit Reuben avec une grimace.

— Garde les yeux ouverts, dit Stone en descendant de voiture. On est sans doute surveillés.

Stone ne croyait pas si bien dire, car, à une fenêtre de l'autre côté de la rue, une paire de jumelles était braquée sur eux, alors qu'ils rencontraient Pearl et pénétraient ensemble dans la maison. Celui ou celle qui maniait les jumelles prit également quelques photos.

À l'intérieur, Stone proposa que seul Caleb accompagne le marchand dans la chambre forte.

— L'endroit n'est pas très vaste, expliqua-t-il, et vous êtes tous deux experts dans ce domaine. On vous attendra en haut.

Caleb lança un regard irrité à Stone, qu'il soupçonnait de le punir en le tenant ainsi à l'écart. De son côté, Pearl semblait considérer Stone d'un air soupçonneux, puis il finit par hausser les épaules.

– Je crois qu'il ne me faudra pas longtemps pour démontrer qu'il ne s'agit pas d'une première édition du *Bay*.

– Prenez votre temps, lâcha Stone alors que les deux hommes montaient dans l'ascenseur. Allez, on fouille la maison, lança-t-il dès que la porte se fut refermée.

– Pourquoi ne pas attendre le départ de Pearl ? dit Milton. On prendrait tout notre temps et Caleb nous aiderait.

– Ce n'est pas Pearl qui m'inquiète, mais Caleb ne serait sûrement pas d'accord.

Ils se séparèrent, et pendant la demi-heure qui suivit ils explorèrent la maison de leur mieux.

– Rien, déclara Stone. Pas de journal, pas de lettres.

– J'ai trouvé ça dans un placard de la chambre à coucher, dit Reuben en montrant la photo encadrée d'un couple. Lui, c'est DeHaven, Je l'ai reconnu grâce à son portrait dans le journal.

– Ni nom ni date, remarqua Stone en examinant le dos de la photo. Mais vu l'apparence de DeHaven, elle a été prise il y a longtemps.

– L'avocat aurait dit à Caleb que DeHaven avait été marié, autrefois. C'est peut-être sa femme, là, à côté de lui.

– Si c'est le cas, il avait de la chance, fit remarquer Reuben. Et ils ont l'air heureux, ce qui veut dire que c'était au début de leur mariage. Avec le temps, ça change, croyez-moi.

Stone glissa le cliché dans sa poche.

– On en reste là pour l'instant. (Il leva les yeux vers le plafond.) Le toit est très en pente, dans cette maison.

– Et alors ? fit Reuben.

– D'habitude, ces maisons-là ont un grenier.

– Je n'ai rien vu de tel là-haut, objecta Milton.

Reuben consulta sa montre.

– Pourquoi se font-ils si longs, nos amateurs de livres ? Vous croyez qu'ils sont en train de se battre ?

– Je ne les imagine pas en train de se disputer une édition originale, plaisanta Milton.

138

— En tout cas, espérons qu'ils en ont encore pour un moment, dit Stone. Milton, tu restes ici pour veiller au grain. Si tu entends l'ascenseur, tu nous préviens.

Cela lui prit quelques minutes, mais Stone finit par découvrir l'accès au grenier derrière des vêtements accrochés dans une penderie. La porte était verrouillée, mais Stone avait apporté un pied-de-biche et la serrure ne résista pas longtemps.

— On a dû ajouter ce placard par la suite, dit Reuben.

— En effet, acquiesça Stone : au XIXᵉ siècle, on ne trouvait pas souvent ce genre de placard de plain-pied.

Ils gravirent l'escalier. Quelques marches plus haut, Stone actionna un interrupteur, mais l'ampoule n'éclairait que faiblement. Ils découvrirent alors un vaste grenier qui semblait tel qu'aux premiers jours de la construction. On apercevait quelques caisses et de vieilles valises, mais un rapide examen les convainquit qu'elles ne contenaient que des vieilleries sans intérêt.

Soudain, Reuben indiqua un vasistas.

— Pourquoi y a-t-il un télescope à cet endroit ?

— Plus pratique qu'à la cave, tu ne trouves pas ?

Reuben regarda dans l'appareil.

— Putain !

— Quoi ? s'écria Stone.

— Il est pointé sur la maison voisine.

— À qui appartient-elle ?

— Comment veux-tu que… ?

Reuben s'interrompit et ajusta l'objectif.

— Dis donc !

— Qu'est-ce qu'il y a ? Laisse-moi regarder.

— Attends un instant, Oliver. J'ai besoin d'un examen plus approfondi.

Stone attendit un moment, puis poussa son ami de côté. Après avoir essuyé la lentille, il se prit à lorgner à travers l'une des fenêtres de la demeure visée. Les rideaux pourtant tirés ne couvraient pas une zone arrondie située en haut de la fenêtre, et Stone comprit aussitôt ce qui avait retenu Reuben si longtemps. Dans sa chambre à coucher, Cornelius Behan était assis, nu, sur un grand lit à baldaquin, tandis qu'une grande et jolie brune exécutait un effeuillage à son attention. La robe avait déjà atterri sur le parquet ciré et elle ne portait plus qu'une culotte noire et un soutien-gorge assorti qu'elle ôtait savamment. À présent, elle n'était plus vêtue que d'un string et chaussée de talons aiguilles.

– Allez, Oliver, c'est mon tour ! s'impatienta Reuben en posant la main sur l'épaule de Stone. Hé, c'est pas juste, c'est moi qui ai vu le télescope en premier !

Ayant fait glisser le string le long de ses jambes fuselées, la jeune femme s'avança d'un pas et le jeta à Behan, l'attrapa prestement et le plaça en cache-sexe. Elle rit, saisit l'une des colonnes du lit à baldaquin et exécuta une chorégraphie digne d'une professionnelle. Lorsqu'elle se débarrassa de ses talons et s'avança vers Behan, visiblement ravi, Stone abandonna le télescope à son ami.

– Je ne pense pas qu'il s'agisse de Mme Behan.

Reuben régla le télescope.

– Et merde, c'est tout flou, maintenant.

– C'est toi qui avais embué la lentille.

Reuben s'installa confortablement pour se délecter du spectacle.

– Un petit bonhomme, tout vilain, et cette femme magnifique… Ah, la vie est injuste.

– Ainsi, notre ami DeHaven était un voyeur.

– Comment lui en vouloir ? s'écria Reuben. Ouah, la fille est vraiment souple. Les jambes par-dessus la tête…

– Comment ça ?

Reuben était trop absorbé par la scène pour répondre.

– Maintenant, ils sont sur le sol…

— Oh, Milton nous appelle. Caleb et Pearl doivent être en train de revenir.

Reuben ne bougea pas.

– Tu te rends compte ? Ce genre de position, y a que des singes pour y arriver. Ce lustre doit être solidement accroché au plafond !

— Alors, Reuben ! Tu viens ?

Stone saisit son ami par les épaules et le poussa vers la porte.

– Allez !

En dépit de ses protestations, il l'entraîna dans l'escalier, et ils débouchèrent sur le palier au moment même où Caleb et Pearl sortaient de l'ascenseur. Milton lança un regard assassin à Stone et à Reuben, tandis que le marchand de livres semblait tétanisé et Caleb triomphant.

– Je sais que le choc a dû être rude, dit Caleb en administrant une claque sur l'épaule de Pearl. Mais je vous avais bien dit que c'était un original.

– C'est donc bien une édition de 1640 ? demanda Stone.

Hébété, Pearl opina.

– Et je l'ai tenu entre mes mains, je l'ai tenu... (Il s'effondra sur une chaise.) J'ai failli m'évanouir, en bas. Shaw est même allé me chercher un verre d'eau.

– Tout le monde peut se tromper, dit Caleb d'un ton compatissant que venait démentir son large sourire.

– Ce matin, dit Pearl, j'ai appelé toutes les institutions possédant un *Bay,* Yale, la Bibliothèque du Congrès, l'Old South Church de Boston... Toutes m'ont confirmé que leur exemplaire n'avait pas disparu.

Il s'essuya le visage avec son mouchoir.

– Nous avons examiné tous les éléments permettant de l'authentifier, expliqua Caleb. C'est ce qui nous a pris si longtemps.

– En venant ici, j'étais convaincu qu'il s'agissait d'un faux, reconnut Pearl. Mais, même si je me suis obligé à le regarder sous toutes les coutures, j'ai compris au premier abord qu'il était vrai. Cela se voyait d'emblée aux variations de l'impression. Parfois, l'imprimeur diluait son encre, ou alors certains caractères présentaient des taches d'encre. Or, dans les premières éditions, on voit toujours des taches entre les lettres, ce qui rend la lecture très difficile. À l'époque, on n'avait pas encore pris l'habitude de nettoyer les caractères. Quant aux autres éléments permettant de vérifier l'authenticité du volume, ils étaient effectivement tous présents. Tous présents, répéta-t-il.

– Bien sûr, pour que l'authenticité soit établie, ajouta Caleb, il faudra qu'une équipe d'experts se livre à des analyses stylistique, historique et scientifique.

– Tout à fait, reconnut Pearl. Pourtant, je ne doute pas de leurs conclusions.

– C'est-à-dire qu'ils admettront l'existence d'un douzième exemplaire du *Bay* ? dit Stone.

– Oui, celui de Jonathan DeHaven. Je trouve incroyable qu'il ne m'en ait jamais parlé. Posséder un des livres les plus rares du monde, de ceux qu'on ne trouve que chez les plus grands collectionneurs, et garder pour soi un tel secret ! Pourquoi ? (Il se tourna vers Caleb, quêtant une réponse.) Pourquoi, Shaw ?

– Je n'en sais rien.

– Qu'est-ce que ça peut valoir, un bouquin comme ça ? demanda Reuben.

– Valoir ? s'écria Pearl. C'est inestimable !

– Enfin, si on veut le vendre, il faut bien lui attribuer un prix.

Pearl se mit à faire les cent pas.

– Le prix sera celui de l'enchère la plus élevée. Et il atteindra plusieurs millions de dollars. Certaines institutions et même certains collectionneurs disposent de fonds considérables, et ils donneraient n'importe quoi pour faire une telle acquisition. Cela fait plus de soixante ans qu'un *Bay* n'est pas apparu sur le marché. Ce serait pour eux la dernière chance. Et je serais très honoré d'organiser les enchères, en partenariat avec Sotheby's ou Christie's.

– Permettez-moi, monsieur Pearl, de ne pas me prononcer sur-le-champ. Je vais prendre le temps de la réflexion, disons un jour ou deux.

Déçu, Pearl parvint néanmoins à sourire.

– J'attendrai votre appel avec impatience, dit-il en prenant congé.

Après le départ de Pearl, Stone se tourna vers Caleb.

– Tu sais, pendant que tu étais dans la chambre forte, nous avons fouillé la maison.

– Vous avez fouillé la maison ! Oliver, c'est scandaleux. Je n'ai l'autorisation de pénétrer dans cette maison que parce que je suis l'exécuteur littéraire de Jonathan. Je n'ai pas le droit de fouiller ses effets personnels, et vous non plus !

– Parle-lui du télescope, fit Reuben d'un air amusé.

Stone s'exécuta et la colère de Caleb se mua en stupéfaction.

– Jonathan regardait des gens faire l'amour ? C'est répugnant.

– Non, pas du tout, rétorqua Reuben avec un accent de sincérité dans la voix. D'une certaine façon, c'est même très réjouissant. Tu veux venir voir avec moi ?

– Non, Reuben ! coupa Stone.

Il montra alors à Caleb la photo de Jonathan en compagnie d'une jeune femme.

– S'il s'agit de son épouse, c'est qu'ils étaient mariés avant que je le connaisse.

– Mais le fait qu'il ait conservé cette photographie laisse entendre qu'il avait gardé des relations avec elle, suggéra Milton.

– Dans ce cas, déclara Stone, il va falloir la retrouver. (Il remarqua le livre que tenait Caleb.) Et ça, qu'est-ce que c'est ?

– C'est un livre de la collection de Jonathan qui a besoin d'être restauré. Il y a des taches d'eau que je n'avais pas remarquées. Je vais l'apporter à l'atelier de restauration de la Bibliothèque. Nos restaurateurs sont les meilleurs du monde, et l'un d'eux travaille pour son compte, en plus. Je suis sûr qu'il lui redonnera tout son lustre…

– Récapitulons, dit alors Stone. Jonathan DeHaven possédait l'un des livres les plus rares du monde. Il espionnait un marchand d'armes qui trompait sa femme, et il a peut-être vu autre chose que des parties de jambes en l'air. Enfin, personne ne sait de quoi il est mort au juste. Mes amis, nous avons du pain sur la planche.

– Ah bon ? fit Reuben.

– Jonathan DeHaven a peut-être été assassiné, reprit Stone. Nous avons été suivis. Caleb travaille à la Bibliothèque du Congrès et DeHaven en a fait son exécuteur littéraire. Si Cornelius Behan est impliqué dans la mort de DeHaven, il doit soupçonner Caleb de savoir quelque chose. Caleb est peut-être en danger. Alors, plus tôt on découvrira la vérité, mieux ce sera.

– Magnifique, dit Caleb d'un ton sarcastique. J'espère que je vivrai suffisamment longtemps pour connaître la fin de l'histoire.

Chapitre 23

— Mon service vous enverra un e-mail, dit Annabelle, qui se tenait au milieu d'un groupe d'employés de Bagger, dans la salle des opérations du casino Pompeii. Vous y trouverez des instructions détaillées.

— Nous n'aimons pas ouvrir des courriels sans connaître leur provenance, riposta l'un des employés d'un ton vif.

— Passez-le par tous les antivirus que vous voudrez, répondit Annabelle. J'imagine que vous êtes des experts.

— Effectivement, opina l'un d'eux, la mine satisfaite.

— Dans ce cas, faites ce que vous a dit madame, et passez-le au peigne fin, intervint Bagger non sans impatience.

Assis dans un coin de la pièce, Leo scrutait toutes les personnes présentes, afin de relever toutes les marques de soupçon qui auraient pu naître chez les hommes de Bagger pendant la péroraison d'Annabelle. Pour faciliter les choses, elle avait revêtu une jupe courte, très moulante, qui dévoilait ses jambes nues, et déboutonné les deux premiers boutons de son corsage. Chaque type dans la salle s'employait à reluquer tout à la fois la naissance de ses seins et le mouvement de ses cuisses. Et ce spectacle ravissant les privait d'un minimum de jugeote. Preuve supplémentaire, s'il en était, qu'Annabelle savait utiliser toutes les armes de son arsenal.

– La seule forme de communication acceptée se fera par l'intermédiaire du portail sécurisé présent dans le courriel. Sous aucun prétexte vous n'utiliserez de fax ou de téléphone, qui sont susceptibles d'être surveillés. Non, je rectifie… (Elle lança un coup d'œil à Bagger.) Qui sont d'ores et déjà surveillés.

Bagger sembla surpris par cette remarque, mais il n'en lança pas moins à l'intention de son personnel :

– Vous avez entendu ce qu'a dit madame ? Rien que le Net.

Bagger se sentait sûr de lui parce qu'il avait un atout en poche, ou plutôt deux. Annabelle et Leo demeureraient à sa disposition jusqu'à ce que l'argent lui soit rendu.

– Le courrier électronique vous expliquera où et comment envoyer les fonds. Deux jours plus tard, cet argent sera automatiquement viré de nouveau sur votre compte, avec les intérêts.

– Et un million de dollars se transformeront en un million cent mille en deux jours, c'est bien ça ? demanda Bagger.

Annabelle acquiesça.

– Exactement comme nous vous l'avons dit, Jerry. Ça fait une journée rentable.

– J'espère pour vous, dit-il d'un ton menaçant. Quand pouvons-nous commencer ?

Annabelle consulta sa montre.

– À l'heure qu'il est, vous devriez recevoir le courriel.

Bagger claqua des doigts, et l'un de ses employés alla vérifier sur l'ordinateur.

– Le voilà, annonça l'homme en pianotant sur le clavier. Je fais quelques vérifications de sécurité.

Deux minutes s'écoulèrent, puis l'informaticien leva les yeux.

– Ça va, il est bon.

– Ouvrez-le, ordonna Bagger.

– Vous avez votre propre système de virement, n'est-ce pas ? questionna Annabelle, qui ne doutait pas de la réponse.

– Notre système informatique est directement relié à celui de la banque. Je n'aime pas que des personnes extérieures puissent gérer mon argent ou savoir où il va. Les fonds nous arrivent directement de la banque et nous envoyons nous-mêmes les ordres de virement. Je préfère ça.

Moi aussi, songea Annabelle.

Dix minutes plus tard, un million de dollars appartenant à Jerry Bagger était transféré sur un compte très spécial.

En quittant le bureau, Bagger déclara à Annabelle :

— Bon, vous êtes mon invitée pour les prochaines quarante-huit heures. Profitons-en pour faire un peu mieux connaissance, susurra-t-il, son regard s'attardant sur sa longue et élégante silhouette.

— Cette idée me paraît tout à fait judicieuse, répondit Annabelle.

— Oui, tout à fait d'accord, ajouta Leo.

Bagger toisa Leo comme s'il l'avait oublié.

— Euh… oui.

Deux jours durant, Leo et Annabelle prirent tous leurs repas avec leur hôte, passant le reste du temps sous la surveillance de ses hommes, qui se tenaient devant la porte de leurs chambres d'hôtel, au Pompeii, et les accompagnaient partout où ils désiraient se rendre dans l'établissement. Annabelle prolongea les soirées avec le roi du casino, mais déjoua habilement ses avances tout en lui laissant quelque espoir. Elle évitait de s'attarder sur son passé, mais laissait planer un halo de mystère propre à piquer son intérêt, tandis que lui se montrait intarissable sur son parcours personnel.

— Je crois que vous auriez fait un bon espion, Jerry, lança Annabelle d'un ton admiratif, alors qu'ils étaient confortablement installés dans un canapé devant deux cocktails.

— Parole d'experte, dit-il en se rapprochant d'elle.

Il lui administra une petite tape sur la cuisse puis tenta de lui dérober un baiser, mais elle se détourna.

— Ne m'en veuillez pas, Jerry, mais je pourrais avoir de sérieux ennuis si je me laissais aller…

— Mais nul n'en saurait rien ! Nous sommes seuls, ici. Certes, je ne suis plus de la toute première jeunesse, mais je fais de la gymnastique tous les jours, et je crois que je pourrais vous surprendre au lit.

— Accordez-moi un peu de temps. Je l'avoue, vous m'attirez beaucoup, mais j'ai l'esprit occupé à bien d'autres choses en ce moment.

Elle lui déposa un baiser sur la joue et s'écarta de lui.

À l'issue des deux jours, Bagger était plus riche de cent mille dollars.

— Vous voulez essayer pour cinq millions, Jerry ? Ça vous fera gagner un demi-million d'intérêts en quarante-huit heures.

Annabelle était perchée sur le bureau de Bagger, les jambes négligemment croisées, tandis que Leo avait pris place sur le canapé.

— À condition que vous restiez là jusqu'au retour de l'argent.

— Ça fait partie de l'accord, répondit Annabelle. Je suis entiè-rement à votre disposition.

— C'est ce que vous n'arrêtez pas de me dire. Au fait, où va-t-il aller, mon argent ?

— Je vous l'ai déjà dit, à la banque Caribe.

— Non, je veux dire : à quelles opérations va-t-il servir ?

— Elle pourrait vous le dire, intervint Leo, mais dans ce cas, je devrais vous tuer tous les deux.

Un silence gêné suivit ses paroles, avant qu'Annabelle n'éclate de rire, bientôt rejointe par Leo puis par Bagger, bien que sur un mode un peu forcé, quant à ce dernier.

Deux jours plus tard, les cinq millions de dollars en avaient produit cinq cent mille de plus.

— Putain ! éructa Bagger dans son bureau devant Annabelle et Leo. C'est encore mieux que d'imprimer des billets ! Je sais que l'oncle Sam a des tonnes de pépètes, mais comment peut-il s'of-frir ça ?

Annabelle haussa les épaules.

— L'État vit au-dessus de ses moyens. C'est pour ça qu'on a des milliards de dollars de déficit. Si on a besoin d'argent, on vend des bons du Trésor aux Saoudiens et aux Chinois. Ça ne marchera pas éternellement, mais pour l'instant ça fonctionne. Mais si vous vous inquiétez pour l'oncle Sam, Jerry, ajouta-t-elle en posant la main sur son bras, vous pouvez nous laisser utiliser votre argent gratuitement.

L'intéressé éclata de rire.

— Depuis quarante ans, ma devise n'a pas changé : chacun pour soi.

Tu ne crois pas si bien dire, songea Annabelle tout en lui adressant un sourire faussement admiratif.

Bagger coula un regard en biais vers Leo, se pencha vers Annabelle et lui dit à voix basse :

— Vous ne vous débarrassez jamais de votre ange gardien ?

— Ça dépend.

— De quoi ?

— De notre amitié, à vous et à moi.

— Je sais comment nous pouvons renforcer nos liens.

— Je vous écoute.

— On fait un coup de dix millions de dollars, et j'empoche un million pour ma peine. L'oncle Sam serait partant ?

— Il vous suffit de virer l'argent, Jerry.

— Et vous resterez ici jusqu'à son retour ?

— Nous resterons là tous les deux, dit Leo.

Bagger fit la grimace et parla plus bas encore, de façon que Leo ne puisse l'entendre.

— J'imagine que je serais dans la merde si je le descendais, celui-là, non ?

— À votre place, j'éviterais.

— Merde, alors.

— Bah, ça n'est pas si grave que ça, Jerry, en deux jours, vous allez gagner un million de dollars sans rien faire, sauf boire et manger avec moi.

— J'aimerais faire encore autre chose, vous le savez bien, non ?

— Ah, Jerry, je l'ai deviné la première fois que vous avez essayé de soulever ma robe.

Bagger s'esclaffa.

– J'aime bien votre style ! Une femme aussi brillante ne devrait pas travailler pour l'État. Vous devriez venir travailler pour moi. Je vous assure qu'on ferait des étincelles, dans cette ville.

– Je suis toujours ouverte à des propositions pour l'avenir, mais pour l'instant, pourquoi ne pas s'occuper de ce prochain million de dollars pour vous ? Il faut que vous ayez les moyens de me traiter sur un grand pied, j'ai commencé à m'y habituer.

Elle lui tapota la main en lui enfonçant doucement un ongle dans la paume. Elle sentit un frisson parcourir le corps de l'homme.

– Mmm, vous me faites mourir, dit-il d'un air extatique.

Non, songea-t-elle, *ça c'est pour plus tard.*

Chapitre 24

Deux jours plus tard, Bagger se retrouvait à la tête d'un million six cent mille dollars, sans se douter le moins du monde que cet argent provenait des trois millions qu'Annabelle et Leo avaient accumulés lors de leurs deux précédentes opérations et que Tony avait autorisé le paiement de ces « intérêts » sur le compte de Bagger.

Ce dernier semblait d'autant plus ravi que c'était sa bête noire de toujours, l'État, qui réglait la note. Après le dernier versement, Bagger avait installé Annabelle dans la suite présidentielle, et, au milieu des innombrables bouquets de fleurs envoyés par le roi du casino en personne, Annabelle feuilletait les journaux à la recherche de l'histoire dont elle avait besoin. Leo et elle ne pouvaient parler ouvertement dans le casino, craignant toujours d'être surveillés soit électroniquement, soit par les espions de Bagger. Ils en étaient réduits à une forme subtile de communication par signes de la main ou battements de cils, qu'ils avaient développée au cours des années et qu'eux seuls comprenaient.

En croisant Leo dans le couloir, Annabelle lui souhaita le bonjour, puis tourna une bague à son index droit. Il lui rendit son salut, rajusta son nœud de cravate et s'essuya le nez, signifiant ainsi qu'il avait reçu son message et compris l'action qu'il devait entreprendre.

Avant de monter dans l'ascenseur qui devait l'emmener jusqu'au bureau de Bagger, Annabelle prit une profonde inspiration. L'enjeu était de taille. Si elle ne s'en tirait pas à la perfection, tout le travail accompli ces dernières semaines serait anéanti, et non seulement elle perdrait l'argent versé à Bagger, mais elle ne vivrait pas assez longtemps pour jouir de sa part.

Habitué à sa présence, le vigile la fit entrer dans le bureau. Bagger serra la jeune femme dans ses bras, et elle ne protesta pas quand ses mains s'attardèrent sur la chute de ses reins.

– Alors, demanda-t-il en souriant, que puis-je aujourd'hui pour mon génie de la finance ?

Elle fronça les sourcils.

– Mauvaise nouvelle. On me rappelle au quartier général.

– Quoi ? Qu'est-ce que ça veut dire, ça ?

– Ça veut dire qu'on va me donner une nouvelle affectation.

– Où ça ? Je sais, vous ne pouvez pas me le dire.

Elle lui apporta l'article de journal qu'elle avait trouvé quelques instants auparavant.

– Ceci vous aiguillera dans la bonne direction.

Il prit le temps de lire l'article, où il était question d'une affaire de corruption mettant en cause de hauts fonctionnaires américains et un fournisseur en Russie, puis releva les yeux vers Annabelle, stupéfait.

– Vous passez des casinos aux pots-de-vin de Moscou ?

Elle reprit le journal.

– Il ne s'agit pas de n'importe quel fournisseur.

– Vous les connaissez ?

– Tout ce que je peux vous dire, c'est que l'intérêt des États-Unis exige que cette affaire ne soit jamais portée devant les tribunaux. C'est là que j'interviens.

– Combien de temps serez-vous partie ?

– Difficile à dire. Et après la Russie, on m'enverra ailleurs. (Elle se massa les tempes.) Vous auriez une Aspirine ?

Il sortit un tube de cachets d'un tiroir de son bureau. Elle avala trois comprimés avec le verre d'eau qu'il lui tendit.

— Vous n'avez pas l'air bien.

L'air soucieux, elle se percha sur le rebord de son bureau.

— Vous savez, Jerry, je me suis rendue dans tellement de pays depuis un an que j'ai cessé d'en faire le compte. Si j'avais utilisé un vrai passeport, il aurait fallu le changer vingt fois. Ça finit par peser. Mais ne vous inquiétez pas, je me débrouillerai.

— Pourquoi ne démissionnez-vous pas, alors ?

— Démissionner ? répéta-t-elle avec un rire amer. Et bousiller ma retraite ? Même les fonctionnaires doivent manger.

— Dans ce cas, venez travailler pour moi. Vous gagnerez plus en un an qu'en vingt ans avec ces bouffons.

— Ça, je vous crois.

— Je ne plaisante pas. Vous me plaisez. Vous êtes bien.

— Vous appréciez surtout le fait que je vous aie permis de gagner un million et demi de dollars.

— D'accord, je ne vais pas dire le contraire. Mais j'ai fini par vous connaître, et je vous aime bien, Pam.

— Je ne m'appelle même pas Pam. Vous voyez comme vous me connaissez bien…

— Ça ajoute du piquant à la situation. Mais réfléchissez quand même à ma proposition.

— C'est vrai que ces derniers temps, je réfléchis à mon avenir, prononça-t-elle après une hésitation. Je suis célibataire ; mon travail, c'est toute ma vie. Et puis, moi non plus je ne suis plus de la première jeunesse.

Il se leva et lui passa un bras autour des épaules.

— Vous plaisantez, ou quoi ? Vous êtes somptueuse. N'importe quel homme apprécierait la chance de vous avoir à son côté.

Elle lui tapota le bras.

— Vous ne m'avez pas vue le matin avant que j'aie pris mon café et que je me sois maquillée.

— Oh, ma belle, un mot de vous et nous vivrions ça ensemble !

Il passa une main caressante sur les fesses d'Annabelle. Puis il se pencha en avant et appuya sur un bouton du tableau de commande de son bureau. Aussitôt, les volets électriques se fermèrent.

– Pourquoi ? demanda-t-elle, surprise.

– J'aime bien mon intimité.

La sonnerie du téléphone d'Annabelle rompit le charme.

– Oh, merde.

Elle se leva et s'écarta de lui, les yeux rivés sur l'écran de l'appareil.

– Qui est-ce ? demanda Bagger.

– Mon chef de section. Son numéro s'affiche comme une série de zéros. (Elle se raidit.) Allô, oui ?

Elle demeura à l'écoute pendant un long moment, silencieuse, puis coupa la communication.

– Fils de pute ! Enfoiré ! hurla-t-elle.

– Que se passe-t-il, ma belle ?

Elle se mit à arpenter la pièce puis s'immobilisa.

– Mon délicieux chef de section a décidé de me changer d'affectation. Au lieu de la Russie, il m'envoie à… Portland, dans l'Oregon.

– Dans l'Oregon ? Ils ont besoin d'espions, là-bas ?

– C'est le placard, Jerry. C'est là qu'on envoie les gens quand ils ont cessé de plaire en haut lieu.

– Comment se fait-il qu'en quelques heures on vous envoie d'abord en Russie, puis en Oregon ?

– La mission en Russie venait de mon chef de bureau. L'Oregon, c'est mon chef de section qui l'a décidé, et lui, c'est le niveau au-dessus.

– Qu'est-ce qu'il a contre vous, votre chef de section ?

– Je n'en sais rien. Peut-être que je fais trop bien mon boulot et…

Elle se tut, comme si elle s'était ravisée.

– Allez, ma belle, crachez le morceau. Je pourrais peut-être vous aider.

Elle soupira.

– Eh bien, croyez-le ou pas, mais ce type veut coucher avec moi. Sauf qu'il est marié et que j'ai repoussé ses avances.

– Le salaud ! C'est toujours la même histoire. Si la femme ne veut pas coucher, elle dégage.

Annabelle baissa les yeux.

– Ma carrière est foutue, Jerry. Portland, putain ! (Elle jeta le téléphone portable contre un mur, où il explosa en deux morceaux. Après quoi elle s'effondra sur une chaise.) J'aurais peut-être dû me laisser faire.

Bagger se mit à lui masser les épaules.

– Certainement pas. Des types comme ça, si vous couchez une fois avec eux, ils en attendent plus. Et puis un jour, ils se lassent, ou bien ils trouvent une nouvelle proie. Et de toute façon, vous terminez à Portland.

– J'aimerais bien lui régler son sort, à ce connard.

Bagger prit l'air songeur.

– On peut peut-être arranger ça.

Elle leva les yeux vers lui, inquiète.

– Pas question de descendre ce gars, Jerry, hein ?

– Je ne pensais pas à ça, ma belle. Vous avez dit qu'il était peut-être furieux parce que vous faisiez trop bien votre travail. Ça veut dire quoi, ça ?

– Comme j'arrive à récolter beaucoup d'argent, je grimpe gentiment dans la hiérarchie. Mais brusquement, certains m'ont considérée comme une menace pour leur avancement. Vous savez, Jerry, les femmes sont rares dans ma partie, et il serait politiquement correct d'en promouvoir une chef de section. Si je continue à alimenter les caisses des opérations extérieures grâce à des gens comme vous, ça lui fait de l'ombre.

– Il n'y a que chez les fonctionnaires qu'on est sanctionné parce qu'on est trop productif ! Bon, je vois comment on pourrait sérieusement emmerder ce coco-là.

– À quoi pensez-vous ?

– À notre prochaine opération à El Banco.

– Mais enfin, Jerry, j'ai une nouvelle affectation. Ce soir, mon collègue et moi prenons l'avion.

– D'accord, d'accord. Mais je vous propose quelque chose. Avant votre départ, vous pouvez chapeauter une dernière transaction, non ?

– Euh, oui, j'ai les autorisations nécessaires. Mais même un million d'intérêts ne permettraient pas de coincer ce type.

– Je ne parle pas d'un malheureux million. (Il plongea son regard dans celui d'Annabelle.) Quelle est la plus grosse somme que vous ayez « légalisée » ?

– La plupart des virements vont de un à cinq millions de dollars. Mais j'en ai fait un de quinze, à Las Vegas. Et un autre de vingt millions à New York, mais c'était il y a deux ans.

– C'est peau de balle !

– Si on veut.

– Dites-moi, qu'est-ce qui démolirait vraiment ce type ?

– Je n'en sais rien. Disons trente millions.

– Va pour quarante millions. Et laissons-les quatre jours au lieu de deux. Ce qui fait… vingt pour cent d'intérêts au lieu de dix. Et donc huit millions de dollars pour votre cher et tendre. Pas mal, comme « légalisation ».

– Vous avez quarante millions en liquide ?

– Hé, à qui croyez-vous parler ? On a eu deux championnats de boxe, ici, la semaine dernière. J'ai des biftons plein les poches.

– Mais pourquoi feriez-vous une chose pareille ?

– Huit millions de dollars en quatre jours, même un type comme moi, ça crache pas dessus. (Il lui caressa la nuque.) En plus, comme je vous l'ai dit, vous commencez vraiment à me plaire.

– Mais je dois quand même aller dans l'Oregon. Je ne peux pas désobéir aux ordres.

– D'accord, vous partez pour l'Oregon. Mais ensuite, vous démissionnez et vous revenez ici. Je vous donnerai même dix pour cent des huit millions, et je vous installerai comme une princesse.

– Je refuse que vous m'entreteniez, Jerry. Je ne suis pas complètement idiote.

– Je ne l'ai jamais pensé, et justement parce que vous êtes maligne, je saurai mettre vos talents à profit. Et pas seulement votre intelligence. Je vais appeler mes gars.

– Mais je vous l'ai dit, ce soir, je pars pour l'Oregon en avion privé.

— J'ai bien entendu.

— Ce que je veux dire, Jerry, c'est que vous ne récupérerez pas votre argent avant mon départ.

Il rit.

— Ah, vous voulez parler de cette histoire d'otage. Je crois qu'on est bien au-delà de ça, ma belle. Vous m'avez fait gagner un million et demi de dollars, alors je crois que vous avez fait vos preuves.

— Il faut quand même que vous soyez sûr de vous. Quarante millions, c'est une somme.

— Hé, c'était mon idée, pas la vôtre. Je m'arrangerai.

Elle se leva.

— J'ai réalisé beaucoup d'opérations semblables, Jerry, et pour moi ce n'est qu'un travail. Tous, ils voulaient savoir combien ils allaient gagner, combien... Quelle bande de rapaces ! (Elle s'interrompit, comme si elle cherchait ses mots.) Vous êtes le premier à faire quelque chose pour moi. Et ça me touche énormément. Plus que vous ne pouvez l'imaginer.

Ils se dévisagèrent un long moment, puis Annabelle serra lentement les bras autour d'elle. Bagger s'avança, l'étreignit avec force. Les mains de Bagger s'insinuèrent rapidement sous sa jupe et elle supporta en silence ses caresses brutales.

Du calme, Annabelle, songea-t-elle, *maîtrise-toi.*

— Oh, ma jolie, lui susurra-t-il à l'oreille. Allez, viens, faisons-le ici, maintenant, avant que tu t'en ailles. Le canapé nous tend les bras. J'en meurs d'envie.

— Mmm, je sens ça contre ma jambe, Jerry, dit-elle en parvenant finalement à se libérer. (Elle rajusta sa culotte et rabaissa sa jupe.) Bon, je crois que je ne vais pas pouvoir résister plus longtemps. Dis-moi, tu es déjà allé à Rome ?

— Non, pourquoi ? demanda-t-il, étonné.

— Tous les ans, pour mes courtes vacances, j'y loue une villa. Je te donnerai tous les détails par téléphone. On se retrouve là-bas dans quinze jours.

— Pourquoi dans quinze jours ? Pourquoi pas tout de suite ?

— Ça me donnera le temps de me rendre à ma nouvelle affectation, et peut-être d'utiliser les quarante millions pour négocier avec ma hiérarchie.

— Mais ma proposition tient toujours. Et je peux être sacrément persuasif.

Elle lui passa lentement le doigt sur les lèvres.

— Tu me montreras ça à Rome.

Deux heures plus tard, le virement de quarante millions de dollars quittait le casino Pompeii. Le premier courriel envoyé par Tony à la salle des opérations contenait un logiciel espion ultra sophistiqué qui lui permettait de maîtriser tout le système informatique du casino. Grâce à cette porte dérobée, il avait pu introduire un nouveau code dans leur programme de virements.

Les trois premiers virements avaient atteint El Banco, mais les quarante millions de dollars, eux, furent automatiquement déroutés vers une autre banque, à l'étranger. Pourtant, un reçu électronique falsifié d'El Banco était parvenu aux services financiers de Bagger.

Annabelle s'était donc arrangée pour que son pigeon propose la meilleure façon d'être plumé, mais dans quatre jours, minute pour minute, Bagger allait s'agacer de ne pas récupérer son bien dans les délais impartis. Une heure plus tard, il aurait des crampes d'estomac, et une heure encore plus tard il serait d'humeur meurtrière. Pendant ce temps, Annabelle et son équipe auraient plus de quarante et un millions de dollars nets d'impôts pour leur tenir compagnie.

Annabelle Conroy serait une femme très riche. Elle pourrait s'acheter un bateau et ne plus jamais penser aux arnaques qui l'avaient si longtemps fait vivre. Pourtant, en quittant le bureau de Bagger pour préparer sa valise, elle se surprit à penser que le châtiment qu'elle lui infligeait était encore trop doux. Arrivée dans sa chambre, elle se rua dans la salle de bains pour ôter sur elle toute trace du bonhomme. Sous l'eau ruisselante, Annabelle se répéta que la perte de sa fortune n'était pas suffisante pour l'homme qui avait tué sa mère simplement parce que Paddy Conroy l'avait soulagé de dix mille dollars. Mais, Annabelle devait en convenir, quarante millions de dollars, c'était un bon début.

Chapitre 25

Roger Seagraves avait découvert le cottage où vivait Stone et y avait envoyé des hommes de main qui avaient fouillé les lieux de fond en comble pendant son absence, et avaient relevé les empreintes du locataire sur un verre et un deuxième échantillon sur le comptoir de la cuisine.

Seagraves avait passé les empreintes dans la base de données de la CIA, en vain. Utilisant alors un mot de passe dérobé à l'un de ses collègues, il avait utilisé une autre base, confidentielle. Une minute plus tard, il parvint à la sous-section 666, qui lui renvoya le message : « Accès refusé ». Seagraves connaissait d'autant mieux la sous-section 666 que c'était là que ses propres identifiants étaient répertoriés. Du moins ceux du personnage qu'il avait été autrefois. Bien que tenant ce répertoire en piètre estime, il n'en reconnaissait pas moins l'exactitude des données qui y étaient conservées.

Vu son âge, les états de service de Stone dans la CIA n'étaient sans doute pas récents. Il devait probablement être un « éliminateur », car on n'attribuait pas le code 666 aux gratte-papier. Mais que faire d'une telle découverte ? Il savait déjà que l'ami de Stone, le bibliothécaire, était chargé de vendre la collection de livres de DeHaven. Malheureusement, Stone avait commencé à se méfier en s'apercevant qu'il était suivi. Et un « triple six » était forcément un paranoïaque né...

Fallait-il le tuer tout de suite ? Ou bien creuser un peu plus profond ? Seagraves résolut de ne pas recourir immédiatement au meurtre, se réservant de l'utiliser plus tard. *Je le descendrai moi-même. Un triple six contre un autre. Les jeunes contre les vieux, et ce sont toujours les jeunes qui gagnent. Allez, Oliver Stone, tu vas vivre. En tout cas pour l'instant.*

Mais il fallait quand même agir. Et sans perdre de temps.

Deux jours après leur visite chez DeHaven, Stone s'était rendu chez un bouquiniste, dans Old Town Alexandria, en compagnie de Ruben. Caleb possédait des parts dans cette drôle de librairie, autrefois nommée Doug's Books, avant que Caleb ait la brillante idée de donner du lustre à l'enseigne en l'affublant d'un nom plus chic, Le Livre des quatre phrases, eu égard à la clientèle du quartier. Stone n'avait nullement l'intention d'y acheter de vieux livres, mais d'y consulter quelques documents qu'il y dissimulait. Le propriétaire des lieux, le susmentionné Doug, qui se faisait désormais appeler « Douglas », laissait libre accès à Stone, essentiellement en raison de la terreur qu'il lui inspirait. Caleb (à l'instigation de Stone lui-même) lui avait en effet décrit le personnage comme un psychopathe que d'obscures dispositions judiciaires autorisaient à se déplacer librement.

La chambre secrète de Stone se trouvait au sous-sol, cachée derrière une cloison manœuvrée à partir de la cheminée. Dans cette alcôve, baptisée « trou de curé », il conservait des souvenirs de sa vie passée, dont des carnets de route, des magazines et des coupures de presse.

Avec l'aide de Reuben il avait rapporté chez lui, dans son cottage du cimetière, un certain nombre de documents.

– Sois vigilant, Oliver, lui enjoignit Reuben. Si cette petite crapule de Behan est mêlée à l'affaire, il dispose d'hommes de main et d'appuis en haut lieu.

Stone lui assura qu'il ferait attention, lui dit au revoir et entra dans sa petite maison. Il se prépara un café très fort, s'installa à son bureau et entreprit de consulter ses carnets. Les articles sélectionnés traitaient de l'assassinat du président de la Chambre des représentants, Robert Bradley, et de la destruction presque simultanée de sa maison, que seuls des naïfs avaient pu mettre sur le compte d'une coïncidence. Pourtant, il ne semblait y avoir aucun rapport entre la mort de Bradley, assassiné par un groupuscule terroriste autobaptisé « Les Américains contre 1984 », et celle de Jonathan DeHaven, apparemment accidentelle. Le FBI avait reçu une revendication d'une organisation d'allumés selon laquelle l'assassinat de Bradley inaugurait une guerre contre l'État, censé être aux mains d'une coalition de nantis, de juifs et de catholiques, aidés en sous-main par des Noirs (le terme utilisé était infiniment plus insultant). Ces terroristes promettant d'autres attentats, Washington avait pris des mesures de sécurité supplémentaires.

Quelque chose taraudait Stone, sans qu'il puisse définir quoi. Bradley n'avait été président de la Chambre que pendant une courte période, après un tsunami politique qui avait vu les précédents président et chef de la majorité convaincus de trafic d'influence et de blanchiment d'argent destiné aux campagnes électorales. Normalement, le président de la Chambre aurait dû suivre les consignes de la direction de son parti, mais, avec deux de ses plus importants dirigeants en prison, des mesures radicales s'imposaient. Bob Bradley, l'incorruptible président d'une commission parlementaire, jouissant d'une réputation sans tache, avait hérité du rôle de Moïse conduisant son peuple hors de la tourmente du scandale. D'emblée, il s'était engagé à procéder à un assainissement éthique de la Chambre des représentants et des pratiques politiciennes. D'autres avaient fait des promesses semblables, sans résultat, mais Bob Bradley bénéficiait de la faveur de l'opinion publique.

Stone passa à un autre article, décrivant comment Cornelius Behan, arrivé aux États-Unis sans un sou en poche, avait fini par bâtir à la force du poignet un conglomérat international.

L'auteur du portrait notait que les industriels de l'armement ont la réputation souvent méritée de ne guère s'embarrasser de scrupules, quitte à graisser la patte à des parlementaires pour remporter des marchés.

Étaient également évoqués les deux derniers succès du marchand d'armes : un système de missiles conventionnels destiné au Pentagone et la construction d'un bunker en dehors de Washington, destiné à protéger les membres du Congrès en cas d'attaque nucléaire. Certains cyniques auraient évidemment pu soutenir qu'en pareil cas la meilleure chose qui pût arriver au pays eût été la disparition de cette auguste institution, mais Stone devait bien admettre qu'une certaine continuité de l'appareil d'État était tout de même nécessaire.

Chacun de ces contrats se montait à des milliards de dollars et, comme l'expliquait le journaliste, à chaque étape critique du processus d'appel d'offres, il avait réussi à coiffer au poteau ses concurrents, « comme s'il lisait dans leurs pensées ». Or Stone ne croyait pas à la télépathie…

Il s'enfonça dans son siège en sirotant son café. Si le prédécesseur de Bradley mangeait dans la main de Behan et si Bradley se posait en champion de la lutte contre la corruption, il représentait un obstacle. Rien ne garantissait que le successeur de Bradley se montrerait plus coopératif avec les gens comme Behan, mais il y avait toujours le facteur intimidation. Le nouveau président de la Chambre serait-il enclin à reprendre le combat de Bradley si cette croisade lui avait valu le cercueil ? Ce groupuscule terroriste pouvait fort bien n'être qu'un écran de fumée.

Stone avait commencé à s'intéresser à la mort de Bradley en raison du rapport évident qu'elle entretenait avec celle de DeHaven ; le lien entre les deux n'était autre que Cornelius Behan, un homme qui accumulait les milliards en faisant commerce d'engins de mort, et cela au nom de la paix, bien entendu.

Étaient-ce les hommes de Behan, à bord de cette camionnette de travaux publics ? Et si c'était oui, comment avaient-ils pu faire battre en retraite les agents du Service secret ? À moins qu'ils n'appartiennent à un autre service, travaillant en étroite collaboration avec Behan ? Cela faisait des lustres que l'on discourait sur l'existence d'un complexe militaro-industriel, mais Stone, lui, n'en avait jamais douté, ayant travaillé pour lui pendant trente ans. Il ne fallait donc pas négliger sa puissance. Ces gens-là n'hésitaient pas à abattre tous ceux qui se mettaient en travers de leur chemin. Cela aussi, il le savait d'expérience, puisqu'il avait été l'un de leurs « éliminateurs ».

Il demanderait à Milton d'en apprendre le plus possible sur Bradley et Behan. Milton pouvait entrer par effraction dans des bases de données auxquelles théoriquement il n'avait pas le droit d'accéder, et ces bases-là étaient toujours les plus intéressantes. Stone irait voir du côté de la maison de Bradley, au cas où il y aurait encore des informations à glaner dans les décombres. Et il faudrait retourner chez DeHaven et regarder à nouveau dans le télescope, non pour se repaître d'un nouvel épisode des aventures sexuelles de Behan, mais parce qu'il avait laissé échapper quelque chose d'extrêmement important.

Un frisson le parcourut et il se leva pour allumer du feu, puis s'immobilisa et se frotta les mains l'une contre l'autre. Il avait froid, très froid. Mais qu'avait dit cette femme, encore ? Il fit un effort pour se remémorer ses mots exacts. « Votre température remonte », dit-il à haute voix. Oui, voilà ce qu'avait dit l'infirmière au chevet de Caleb. Cela lui avait paru bizarre, parce que d'ordinaire on estime qu'un patient va mieux quand sa température baisse. Mais elle avait bien dit « remonte », il en était sûr.

Un sentiment d'excitation l'envahit. Les pièces du puzzle s'emboîtaient enfin. Il s'empara de son téléphone portable pour prévenir les autres, mais, alors qu'il jetait un coup d'œil par la fenêtre, il aperçut une camionnette blanche de travaux publics du district de Columbia garée dans la rue bordant le cimetière.

Il s'écarta de la fenêtre et composa le numéro de Reuben. En vain. Sur l'écran de son portable, aucune barre de charge. Pourtant, dans cette zone, la réception était excellente. Des brouilleurs, se dit-il. Il essaya son téléphone fixe. Pas de tonalité.

Il attrapa son manteau et se rua vers la porte de derrière. Il escaladerait la barrière du cimetière et gagnerait une maison abandonnée, dans le labyrinthe des rues de Georgetown, qui lui servait de temps à autre de refuge. Il ouvrit la porte et avança d'un pas.

Le coup dans la poitrine l'immobilisa et il tomba à genoux. Avant de sombrer dans l'inconscience, il aperçut au-dessus de lui un homme, le visage recouvert d'une cagoule noire, tenant un pistolet à deux mains. Stone eut même l'impression de le voir sourire.

Chapitre 26

Dès son réveil, Stone comprit qu'il se trouvait dans une salle d'interrogatoire plongée dans le noir. Il était nu, dressé douloureusement sur la pointe des orteils, les mains attachées au-dessus de la tête. Il faisait très froid. Dans ce genre d'endroit, il fait toujours froid, parce que le froid a raison des résistances plus vite que la chaleur. Une voix s'éleva dans l'obscurité.

– Réveillé ?

Stone opina.

– Répondez ! ordonna sèchement la voix.

– Oui.

Il ne leur donnerait que le minimum. Il avait déjà vécu une situation semblable, quelque trente ans auparavant, au cours d'une mission qui avait mal tourné, prisonnier dans un pays où il ne faisait pas bon être américain.

– Nom ?

Voilà exactement ce qu'il redoutait.

– Oliver Stone.

Un coup violent sur l'arrière de la tête lui fit perdre momentanément connaissance.

– Nom ?

– Oliver Stone, répéta-t-il en se demandant si le coup ne lui avait pas fracturé le crâne.

– Admettons pour l'instant, Oliver. Et DeHaven ?

– Qui ça ?

Quelque chose alors lui saisit la jambe droite. Il voulut s'en débarrasser d'un coup de pied, mais ses jambes étaient entravées. La chose rampait comme un serpent. Il respira profondément, tentant de maîtriser sa panique. Ce ne pouvait être un serpent, ils devaient faire semblant. Puis la chose appuya contre sa chair : ce n'était pas une morsure, mais la pression augmentait. Un boa ? Dans l'obscurité totale, Stone sentit ses nerfs lâcher.

– DeHaven ? redit la voix.

– Que voulez-vous savoir ?

La pression se relâcha un tout petit peu, mais la menace demeurait.

– Comment est-il mort ?

– Je n'en sais rien.

Aussitôt, la pression s'intensifia. La chose lui enserrait le ventre, l'empêchant de respirer à fond. Il avait mal aux bras et aux jambes, et, dressé depuis si longtemps sur la pointe des pieds, il avait l'impression que ses tendons d'Achille allaient claquer.

– Je pense qu'il a été assassiné, lança Stone.

La pression diminua un peu et il en profita pour prendre une profonde inspiration.

– Comment ?

Stone chercha quoi répondre. Il ignorait l'identité de ces gens et il avait l'intention de leur en dire le moins possible. Il ne disait toujours rien, et la pression disparut complètement. Sidéré, il se détendit. Il avait tort.

On le détacha et il tomba brutalement sur le sol. Des mains gantées le saisirent, et, d'instinct, il balança un coup de poing, mais il rencontra quelque chose de dur, du verre et du métal à la place du visage de son tortionnaire. *Un équipement de vision nocturne*, songea-t-il.

On le remit sur ses jambes et on l'entraîna ailleurs. Quelques instants plus tard, il fut plaqué et attaché sur une planche.

Puis on le bascula en arrière et on lui recouvrit le visage de Cellophane. L'eau lui colla la Cellophane sur les yeux, la bouche et le nez. Il suffoqua.

Soudain, le jet disparut et on lui arracha son masque, mais à peine eut-il le temps d'inspirer une goulée d'air qu'on lui plongeait la tête dans l'eau froide. Il se débattit en vain. Son cœur cognait si fort qu'il songea qu'il mourrait sans doute d'un arrêt cardiaque avant d'être noyé.

Puis on lui retira la tête de l'eau. Il vomit, se souillant entièrement le visage.

– Comment ? demanda calmement la voix.

Oui, le type qui pose des questions est toujours calme, songea Stone en essayant de se débarrasser des vomissures collées à ses paupières.

– Étouffé, lança-t-il. Exactement comme ce que vous me faites, espèce de connard !

Ce qui lui valut un nouveau et bref plongeon. Mais il avait irrité son tortionnaire à dessein, pour débarrasser son visage des vomissures. Il avait eu le temps d'inspirer avant qu'on lui enfonce la tête dans l'eau, et il en ressortit moins mal en point.

– Comment ? répéta la voix.

– Pas avec le halon 1301, avec quelque chose d'autre.

– Quoi ?

– Je ne le sais pas encore.

Stone sentit qu'on le basculait à nouveau en arrière, prélude à un nouveau plongeon.

– Mais je peux le trouver ! s'écria-t-il.

La voix ne répondit pas tout de suite, ce que Stone prit pour un signe favorable.

– Nous avons consulté vos carnets, dit la voix. Vous avez enquêté sur Bradley. Pourquoi ?

– Le fait que DeHaven et lui soient morts presque en même temps ne paraît pas relever du hasard.

– Ils n'ont rien en commun.

– Ah bon, vous croyez ?

Cette fois, ils le maintinrent si longtemps sous l'eau qu'il faillit se noyer. Lorsque enfin on le ressortit, il crut que sa tête allait exploser.

— À votre avis, qu'ont-ils en commun ? demanda la voix.

— Vous avez failli me tuer, alors si c'est ce que vous voulez, finissez-en tout de suite, prononça-t-il d'une voix faible.

— À votre avis, qu'ont-ils en commun ? répéta la voix.

Stone n'eut pas la force de prendre plus qu'une courte inspiration. Il allait parler, mais, s'il ne fournissait pas la réponse attendue, ils l'élimineraient. *Je n'ai plus rien à perdre.*

Il rassembla toute son énergie.

— Cornelius Behan.

Il s'attendit à être plongé dans l'eau, mais la voix se fit à nouveau entendre.

— Pourquoi Behan ?

— Bradley s'était lancé dans la chasse à la corruption, et Behan avait remporté deux gros contrats sous la législature précédente. Bradley avait peut-être découvert quelque chose que Behan tenait à garder secret. Alors il l'a fait assassiner, a fait sauter sa maison et mis tout ça sur le dos d'un groupe terroriste imaginaire.

Un silence prolongé accueillit ses paroles. Stone n'entendait plus que les battements affolés de son cœur. Le bruit était terrifiant, mais au moins était-il encore en vie.

— Et DeHaven ?

— C'était le voisin de Behan.

— C'est tout ? dit la voix, d'un ton visiblement déçu.

Stone sentit qu'on le basculait en arrière.

— Non, ce n'est pas tout ! Dans le grenier de chez DeHaven, on a retrouvé un télescope braqué sur la maison de Behan. Il a peut-être vu des choses qu'il n'aurait pas dû voir. Alors il a été tué, mais pas comme Bradley.

— Pourquoi ?

— Que Bradley ait été descendu d'un coup de fusil, ce n'était pas étonnant. Mais DeHaven n'était qu'un simple bibliothécaire, et en plus voisin de Behan. Il fallait que ça ait l'air d'un accident, et loin de leur quartier pour éloigner les soupçons.

Stone attendit en silence, se demandant si sa réponse avait satisfait son tortionnaire.

Il sursauta en sentant une douleur dans le bras. Une seconde plus tard, ses yeux se fermèrent et il exhala un long soupir.

On emporta Oliver hors de la salle, sous le regard de Roger Seagraves. Sacrément coriace pour un vieux, se dit-il. Trente ans auparavant, il avait dû être redoutable. À présent, il savait au moins que Stone soupçonnait Behan de se trouver derrière tout cela, et pour cette seule raison il lui laissa la vie sauve.

Chapitre 27

La chambre d'hôtel d'Annabelle donnait sur Central Park ; mue par une soudaine impulsion, elle décida d'aller faire un tour dans le poumon vert de New York. Une fois encore, elle avait changé de coiffure et d'allure. Elle était à présent brune, les cheveux courts, avec une raie sur le côté, et ressemblait à la photo que Freddy avait prise pour son passeport. Vêtue comme une élégante New-Yorkaise, c'est-à-dire en noir de pied en cap, elle déambula dans les allées du parc, dissimulée sous un chapeau et une paire de lunettes de soleil. Certains la regardaient avec insistance, pensant peut-être croiser une célébrité. L'ironie de la situation lui arracha un sourire, car jamais elle n'avait aspiré à la gloire, briguant plutôt l'anonymat propice à sa profession d'arnaqueuse.

Elle acheta un bretzel à un vendeur des rues et le rapporta dans sa chambre d'hôtel, où, assise sur son lit, elle se prit à consulter ses papiers de voyage. Leo et elle s'étaient séparés à l'aéroport de Newark. Freddy était déjà parti pour l'étranger. Les deux hommes ne lui avaient pas communiqué leurs destinations respectives.

Après son arrivée à New York, elle avait pris contact avec Tony. Comme promis, Annabelle lui avait organisé un départ pour Paris. Après cela, il allait devoir se débrouiller seul, muni de papiers fort bien imités, de plusieurs millions de dollars et des ultimes conseils d'Annabelle :

– Bien qu'il ne t'ait jamais vu, Bagger devinera que j'ai eu besoin d'un expert en informatique, et tes talents dans ce domaine ne sont pas inconnus dans le milieu. Alors, fais-toi oublier à l'étranger pendant environ un an. Et ne claque pas ton fric de manière ostentatoire. Trouve-toi un endroit discret, apprends la langue du pays et garde profil bas.

Tony promit de se tenir à cette ligne de conduite, avant d'ajouter :

– J'appellerai pour te dire où je suis.

– Non, tu n'appelleras pas.

Il lui restait encore trois jours avant que Bagger découvre qu'il s'était fait berner, et elle lui aurait volontiers rendu la moitié de son argent pour le plaisir d'assister au spectacle. D'abord, il allait probablement tuer ses informaticiens et ses financiers. Ensuite, il parcourrait comme un fou son casino, un pistolet à la main, descendant des clients au hasard. Une brigade d'élite de la police du New Jersey interviendrait et, confrontation ou balle perdue, effacerait Bagger de la surface de la Terre. Tout cela était hautement improbable, mais on pouvait toujours rêver.

Elle-même comptait voyager pendant environ un an en Europe de l'Est et en Asie. Après cela, elle gagnerait une petite île du Pacifique sud, découverte quelques années auparavant, et où elle n'était jamais retournée par crainte de la trouver moins parfaite qu'à son premier voyage. Désormais, elle se contenterait même d'une perfection légèrement altérée.

Sa part du butin était répartie sur différents comptes à l'étranger. Elle comptait vivre sur les intérêts et sur ses investissements jusqu'à la fin de ses jours, en ponctionnant à l'occasion le magot principal. Peut-être même achèterait-elle un bateau, non pour un tour du monde, mais pour de courtes excursions autour d'un port d'attache tropical.

Un moment, elle avait caressé l'idée d'expédier une lettre triomphale à Bagger, puis s'était dit que cela était peu digne d'elle et de l'arnaque magistrale qu'elle avait menée à bien. Qu'il passe donc le reste de sa vie à s'interroger. Il ne songerait sans doute pas à la fille de Paddy Conroy, ne fût-ce que parce qu'il ignorait probablement que celui-ci avait un enfant. Son père ne l'avait d'ailleurs jamais présentée comme sa fille devant ses partenaires en affaire. Seuls Leo et quelques autres avaient fini par découvrir la vérité.

Cette fois-ci, pourtant, les caméras du Pompeii avaient conservé des images d'elle, et Bagger la diffuserait afin de l'identifier. Tous les escrocs qu'elle connaissait se réjouiraient des malheurs de Bagger, mais par la menace il pourrait délier quelques langues. *Eh bien, qu'il vienne !* songea-t-elle. *Il lui sera peut-être plus dur de me tuer qu'il ne le croit.* Dans un combat, la ruse du chat l'emporte sur la force du chien, avait coutume de dire sa mère.

Femme de bien, en dépit de ses activités délictueuses, Tammy Conroy avait longtemps souffert au côté de son mari Paddy. Elle était hôtesse de cabaret avant de lier son sort à celui de ce hâbleur d'Irlandais. Partout où il passait, Paddy Conroy se retrouvait au centre de l'attention générale, et peut-être était-ce pour cette raison qu'il n'avait pas pu donner toute sa mesure en tant qu'escroc. Car les meilleurs larrons ne doivent pas se faire remarquer. Paddy, lui, semblait se moquer d'un tel précepte, croyant que sa veine, son courage et son sourire ravageur le tireraient de tous les mauvais pas. Ils n'avaient pas suffi à sauver Tammy Conroy, achevée d'une balle dans la tête par Jerry Bagger en personne pour n'avoir pas dénoncé son mari. Paddy, lui, ne s'était pas montré aussi fidèle que sa femme. Sentant Bagger sur ses talons, il avait filé. Annabelle n'avait même pas pu assister aux obsèques de sa mère, parce que Bagger et ses hommes les attendaient au cimetière. Bagger devait toujours rechercher son père. Tout cela pour dix mille malheureux dollars, alors qu'il en dépensait plus pour ses complets. Mais au fond, Annabelle savait qu'il s'agissait moins d'une question d'argent que de respect. Et pour Bagger, inspirer le respect, c'était rendre au centuple le mal qu'on lui faisait. Qu'on lui vole dix mille dollars ou un million, Bagger se vengeait du coupable s'il parvenait à lui mettre la main dessus. Voilà pourquoi, quand elle avait dénoncé les tricheurs du Pompeii, elle avait en même temps prévenu la police. Avec des policiers dans ses locaux, Bagger ne pouvait pas se permettre de briser des rotules. Si les malheureux avaient un peu de jugeote, ils quitteraient aussitôt la ville une fois purgée leur peine de prison.

Dans le cas de Tammy Conroy, une arnaque à dix mille dollars n'aurait pas dû entraîner une mise à mort. Mais l'affaire n'était pas simple, parce que son père et Bagger se faisaient la guerre depuis longtemps. Paddy s'était prudemment tenu à l'écart des casinos de Bagger, mais il y avait envoyé plusieurs équipes à sa place, dont finalement sa fille toute jeune, et Leo, plus vert encore. Lors de leur dernière visite à Atlantic City, ils avaient manqué terminer au fond de l'océan à nourrir les poissons, et au bout d'un certain temps, Bagger avait fini par comprendre que ses ennuis lui venaient de Paddy. Une nuit, très loin de Jersey, il s'était pointé chez Paddy. Mais celui-ci, prévenu, s'était déjà éclipsé sans aviser son épouse d'un danger imminent.

Bien entendu, Bagger disposait d'une foule d'alibis pour ce soir-là et il ne fut donc pas inquiété par la justice. Pourtant, certains vieux arnaqueurs avec lesquels Annabelle s'était entretenue ne faisaient pas mystère de leur certitude, mais même s'ils avaient assisté en personne à l'assassinat, jamais ils n'auraient témoigné contre Bagger.

Au cours de la semaine précédente, l'envie de lui coller une balle dans la tête avait démangé Annabelle. Elle aurait ainsi réglé une vieille dette, mais elle l'aurait payée de sa vie. Non, la solution retenue était la meilleure. Son père n'avait jamais aimé les gros coups, en estimant la préparation trop longue et les risques trop importants, mais Tammy, elle, aurait apprécié la finesse d'exécution de cette arnaque. Et si sa mère avait réussi à gagner le paradis, elle souhaitait qu'elle puisse se délecter de la mine de Jerry Bagger, depuis là-haut, le jour où il découvrirait qu'il s'était fait refaire de quarante millions de dollars.

Tout en grignotant son bretzel, elle zappa sur les différentes chaînes de télévision. Soldats tués, populations mourant de faim, terroristes se faisant exploser – et d'autres avec eux, au nom de Dieu. Fatiguée de la télé, elle prit le journal. Les vieilles habitudes ne disparaissant pas du jour au lendemain, elle se retrouva à éplucher des articles en se demandant comment utiliser telle ou telle information pour une arnaque brillante et lucrative. *Fini, tout ça*, se dit-elle sans pourtant abandonner sa lecture. Le coup contre Bagger représentait le point culminant de sa carrière ; elle ne pourrait que descendre d'un cran.

Mais en lisant le dernier article, elle sursauta si violemment qu'elle répandit sur le lit moutarde et bretzel. Hébétée, elle fixait la petite photo à gros grain sur la dernière page du journal. L'article évoquait brièvement la vie d'un intellectuel, mais ne donnait aucun détail sur les circonstances de la disparition de Jonathan DeHaven, sinon qu'il était mort brutalement sur son lieu de travail, à la Bibliothèque du Congrès. Il avait succombé quelques jours plus tôt, mais les obsèques devaient se dérouler le lendemain à Washington. Annabelle ignorait que ce délai était dû à l'impossibilité pour le médecin légiste de déterminer les causes de la mort, mais, comme les circonstances du décès ne semblaient nullement suspectes, on l'avait attribué à des causes naturelles, et autorisé le transfert du corps au funérarium.

Modifiant aussitôt son projet de voyage, Annabelle entreprit de fourrer des vêtements dans son sac. Elle gagnerait Washington pour rendre un dernier hommage à son ex-mari, Jonathan DeHaven, le seul homme qui ait su trouver le chemin de son cœur.

Chapitre 28

– Oliver ! Oliver !

Stone revint lentement à lui et se redressa avec difficulté. Il était étendu tout habillé sur le sol de son cottage, les cheveux encore mouillés.

– Oliver !

On frappait à sa porte à coups redoublés. Il se leva et alla ouvrir, la démarche mal assurée. Reuben le contempla longuement, le regard un peu ironique.

– Qu'est-ce qui t'arrive ? T'as encore forcé sur la tequila ?

Mais, remarquant l'air égaré de Stone, il redevint aussitôt sérieux.

– Ça va, Oliver ?

– Je ne suis pas mort. C'est déjà un bon point.

Il lui fit signe d'entrer, et prit ensuite dix minutes pour lui narrer par le menu ce qui s'était passé.

– Putain ! Et tu n'as pas la moindre idée de qui ça peut être ?

– Non, mais une chose est sûre, ils maîtrisent parfaitement les techniques de torture, répondit sèchement Stone en se frottant une bosse. Je crois que je ne pourrai plus jamais boire un verre d'eau de toute ma vie.

– Donc ils sont au courant pour Behan.

Stone acquiesça.

– Mais je ne crois pas que ça les ait vraiment surpris. En revanche, ce que je leur ai dit sur Bradley et DeHaven, pour eux c'était nouveau.

– À propos de DeHaven, ses obsèques ont lieu aujourd'hui. C'est pour ça qu'on est venus. Caleb y va, ainsi que la plupart des employés de la Bibliothèque du Congrès. Milton y va aussi, et j'ai changé d'horaire sur les quais pour pouvoir y assister. On s'est dit que ça pouvait être important.

Stone se leva, mais aussitôt se mit à tituber. Reuben le saisit par le bras.

– Tu devrais peut-être rester assis.

– Encore une séance comme celle-là, et c'est à mes obsèques que vous assisterez. Mais la cérémonie d'aujourd'hui sera peut-être importante. Ne serait-ce qu'en raison des personnes présentes.

De nombreux hauts fonctionnaires et employés de la bibliothèque affluèrent au service funèbre, qui se déroula à l'église Saint John, près de Lafayette Park. Cornelius Behan s'était également déplacé, en compagnie de son épouse, une belle femme d'une cinquantaine d'années, mince, les cheveux teints en blond, arborant un air hautain qui contrastait avec des manières plutôt gauches et empruntées. Personnalité en vue à Washington, Cornelius Behan ne cessait de recevoir des hommages qu'il accueillait de bonne grâce, mais Stone remarqua qu'il conservait tout le temps la main sur le bras de sa femme, comme s'il craignait de tomber sans cet appui.

À la demande de Stone, les membres du Camel Club s'étaient dispersés dans l'église de façon à mieux observer les participants. Ses ravisseurs ne devaient rien ignorer de ses relations avec les autres, mais Stone préférait ne pas trop leur rappeler qu'il avait trois amis qui auraient fait des cibles faciles.

Installé à la dernière rangée de bancs, Stone surveillait la foule d'un œil expert, jusqu'à ce qu'il remarque une femme assise un peu à l'écart. Lorsqu'elle se tourna, dégageant la mèche de cheveux qui dissimulait son visage, le regard de Stone s'aiguisa. Il était persuadé de l'avoir déjà vue quelque part.

Au moment de partir, Behan murmura quelques mots à sa femme avant de se retourner pour parler à Caleb, qui se tenait derrière lui.

— Triste journée, dit-il.

— Oui, répondit Caleb avec raideur, le regard fixé sur Mme Behan.

— Oh… je vous présente mon épouse, Marilyn. Et voici monsieur… euh…

— Caleb Shaw. Je travaillais à la bibliothèque avec Jonathan.

Il présenta les autres membres du Camel Club à la femme de Behan. Celui-ci jeta un coup d'œil aux employés des pompes funèbres qui sortaient le cercueil de l'église.

— Qui lui aurait prédit une telle fin ? Il avait l'air en si bonne santé !

— C'est le cas de beaucoup de gens, juste avant qu'ils meurent, répondit Stone d'un air absent.

Il ne pouvait détacher son regard de l'inconnue aperçue plus tôt. Vêtue d'une longue jupe noire et chaussée de bottes, elle avait coiffé un chapeau noir et portait des lunettes de soleil. Grande et mince, sa silhouette tranchait au milieu des gens éplorés.

Behan voulut suivre le regard de Stone, mais celui-ci détourna la tête en toute hâte.

— J'imagine qu'ils sont maintenant sûrs de ce qui a causé sa mort, dit Behan. Je veux dire que… parfois on se trompe dans des affaires comme ça.

— S'ils se sont trompés, on ne tardera pas à le savoir, dit Stone. D'ordinaire, les médias savent découvrir ce genre de choses.

– Oui, pour ça les journalistes sont plutôt bons, acquiesça Behan avec un certain dédain.

– Mon mari connaît bien tout ce qui touche à la mort subite, lança soudain Marilyn Behan, avant d'ajouter, penaude : Bien sûr, c'est à cause de ce que fabrique sa société.

– Veuillez nous excuser, dit Behan avec un sourire à l'adresse de Caleb et des autres.

Il prit sa femme par le bras et l'entraîna fermement au loin. Dans les yeux de l'épouse, Stone avait cru discerner une lueur de moquerie.

– C'est gentil de sa part d'être venu aujourd'hui, dit-il. Surtout que d'après lui, il ne le rencontrait qu'à l'occasion.

– Sa femme, elle, n'a pas l'air d'une grande fille toute simple, fit remarquer Caleb.

– Moi, elle me paraît suffisamment fine pour ne rien ignorer des bagatelles de son mari, dit Stone. Je n'ai pas l'impression qu'il y ait encore beaucoup d'amour entre eux.

– Et pourtant, ils restent ensemble, dit Milton.

– Pour l'argent, le pouvoir, le statut social, fit Caleb avec dégoût.

– Moi, ça m'aurait pas dérangé dans tous mes mariages, rétorqua Reuben. L'amour, j'en ai bien eu, au moins pendant un bout de temps, mais pas le reste.

Stone, lui, contemplait toujours la silhouette en noir.

– Cette femme, là-bas, elle ne vous dit rien ?

– Comment veux-tu ? risposta Caleb. Elle porte un chapeau et des lunettes.

Stone tira une photo de la poche de sa veste.

– Je crois que c'est elle.

Ils se regroupèrent tous autour de la photo, puis Caleb et Milton dévisagèrent la femme.

– Vous pourriez pas être encore moins discrets ? dit Stone d'un ton grinçant.

Les participants se dirigèrent ensuite vers le cimetière, puis, une fois la cérémonie terminée, regagnèrent leurs voitures. La dame en noir, elle, s'attarda près du cercueil, tandis que deux fossoyeurs attendaient à quelques pas de là. Embrassant l'assistance du regard, Stone tenta de deviner quels auraient pu être les joyeux drilles qui s'étaient amusés à lui remplir l'estomac d'eau. Il avait l'œil assez exercé pour distinguer ce genre de personnages, mais il ne repéra personne, remarquant seulement au passage que Behan et sa femme avaient déjà atteint leur limousine.

Il s'approcha alors de la femme en noir et fit signe aux autres de le suivre. Une main sur le cercueil en palissandre, elle murmurait quelques mots, peut-être une prière.

Ils attendirent qu'elle eût terminé, et lorsqu'elle se tourna vers eux, ce fut Stone qui lui adressa la parole.

— Jonathan était en pleine force de l'âge. C'est vraiment trop triste.

— Ah, vous le connaissiez ? demanda-t-elle sans ôter ses lunettes noires.

— Je travaillais avec lui à la bibliothèque, répondit Caleb. C'était mon chef. Il va beaucoup nous manquer.

— Oui, murmura la femme.

— Et vous, vous l'avez connu comment ? s'enquit Stone d'un ton dégagé.

— C'était il y a longtemps, répondit-elle, évasive.

— Les amitiés durables sont rares, de nos jours.

— C'est vrai. Maintenant, si vous voulez bien m'excuser...

Elle passa devant eux et s'éloigna.

— C'est quand même curieux que le médecin légiste n'ait pas pu déterminer la cause de la mort, lança Stone d'une voix suffisamment forte pour qu'elle l'entende.

Le commentaire produisit l'effet désiré : elle s'immobilisa et se retourna.

— D'après le journal, il est mort d'une crise cardiaque.

Caleb hocha la tête.

— Il est mort parce que son cœur a cessé de battre, c'est sûr, mais il n'a pas eu de crise cardiaque. J'imagine que les journaux ont extrapolé.

Elle s'avança de quelques pas vers eux.

– Je n'ai pas bien saisi vos noms.

– Caleb Shaw. Je travaille à la salle de lecture des livres rares, à la Bibliothèque du Congrès. Et voici mon ami…

Stone tendit la main à la femme.

– Sam Billings, enchanté. (D'un geste, il présenta les deux autres membres du Camel Club.) Ce grand gaillard, c'est Reuben, et lui, Milton. Et vous, madame ?

Ignorant Stone, elle s'adressa directement à Caleb.

– Si vous travaillez à la Bibliothèque, vous devez aimer les livres autant que Jonathan.

Le visage de Caleb s'éclaira.

– Oh, oui. D'ailleurs, par testament, Jonathan a fait de moi son exécuteur littéraire. En ce moment, je procède à l'inventaire de sa collection ; je vais la faire expertiser et je ferai ensuite procéder à la vente dont le produit ira à des œuvres charitables.

Sur un geste de Stone, il s'interrompit.

– Cela ressemble bien à Jonathan, dit-elle. J'imagine que son père et sa mère sont morts.

– Oh, oui. Son père est mort il y a longtemps, et sa mère il y a deux ans. Jonathan a hérité de leur maison.

Stone eut l'impression que la femme réprimait avec peine un sourire en apprenant cette dernière nouvelle. Qu'avait donc dit l'avocat à Caleb ? Que le mariage avait été annulé ? Peut-être pas par l'épouse, mais par le mari sur l'insistance de sa mère ?

– J'aimerais bien voir cette maison, dit-elle à Caleb. Et sa collection de livres. J'imagine qu'elle doit être très importante, maintenant.

– Vous connaissiez l'existence de sa collection ?

– Jonathan et moi avons partagé beaucoup de choses. Je ne serai pas de retour avant longtemps, alors, si c'est possible, j'aimerais bien voir la maison ce soir.

– Justement, répondit Stone, nous devons y aller ce soir. Si vous êtes descendue dans un hôtel, nous pourrions passer vous prendre.

– Je vous retrouverai là-bas directement.

Elle s'éloigna d'un pas rapide en direction d'un taxi.

– Tu crois que c'est prudent de proposer à cette femme de visiter la maison de Jonathan ? demanda Milton. On ne la connaît même pas.

Une nouvelle fois, Stone tira la photo de sa poche.

– Je crois que si. Ou du moins, on ne tardera pas à la connaître... dans la maison de Good Fellow Street.

Chapitre 29

Après la comparution à huis clos devant la commission du renseignement de la Chambre des représentants, suivie d'un expresso à la cafétéria, Trent et Seagraves allèrent faire quelques pas aux alentours du Capitole. Cette petite promenade ne pouvait éveiller de soupçons, puisque leurs fonctions officielles les amenaient à passer de longs moments ensemble.

Seagraves s'immobilisa pour ouvrir l'emballage d'un chewing-gum, tandis que Trent se baissait pour relacer sa chaussure.

– Vous croyez vraiment que ce type appartenait à la CIA ? demanda Trent.

Seagraves opina.

– Un ancien triple six. Vous connaissez ce genre de type, non ?

– Vaguement. Mes autorisations ne vont pas jusque-là. L'Agence m'a recruté pour mes talents d'analyste, pas pour mes qualités de terrain. Et après dix ans de ces conneries, j'en ai eu marre.

– Passer du côté politique, c'est mieux ? questionna Seagraves en souriant.

182

— Pour nous, en tout cas, c'était mieux.

Il observa son interlocuteur avec attention, puis entreprit de coiffer ses quelques mèches de cheveux, ce qu'il parvint à faire à la perfection, sans l'aide d'un miroir.

— Pourquoi ne vous offrez-vous pas une bonne coupe à la tondeuse ? demanda Seagraves. Y a plein de femmes qui apprécient le genre macho. Et tant que vous y êtes, vous pourriez aussi faire du sport, vous maintenir en forme.

— Quand on en aura fini avec tout ça, je serai tellement riche que j'irai m'installer à l'étranger, et là-bas je ferai toutes les conquêtes que je voudrais.

— Si vous le dites.

— Ce triple six peut être une source d'ennuis. Il faudrait envisager une solution cyclone.

— Si on fait ça, ça risque de devenir chaud. Pour autant que je sache, il a encore des contacts. Et si je le bute, il faudra que je bute ses amis. Des erreurs éveilleraient inutilement des soupçons. Pour l'instant, il croit que Behan tire les ficelles. S'il change d'avis, on reverra le bulletin météo.

— Vous croyez vraiment que c'est une bonne stratégie ?

Le visage de Seagraves s'assombrit.

— Je vais mettre les points sur les i, Trent. Pendant que vous aviez le cul tranquillement rivé sur une chaise à Washington, je baroudais dans des coins pourris de la planète. Alors, continuez à faire ce que vous faites, et laissez-moi m'occuper de la stratégie. Sauf si vous vous croyez capable de réussir mieux que moi.

Trent s'efforça de sourire, sans grand succès.

— Je ne vous mettais pas en cause, bredouilla-t-il.

— Ça m'en avait bien l'air, pourtant. Allons, ajouta-t-il en passant un bras autour des épaules de son interlocuteur, ce n'est pas le moment de se disputer, Albert. Ça se passe à merveille, pas vrai ? dit-il en resserrant son étreinte, au point d'arracher une grimace à Trent. J'ai dit : Pas vrai ?

— Tout à fait, haleta Trent.

– Quatre agents du ministère des Affaires étrangères ont été tués, reprit Seagraves comme si de rien n'était. Joli bordel, pour commencer.

En fait, il connaissait l'un de ces agents, et il avait même travaillé avec lui. Un brave gars, mais, face à quelques millions de dollars, l'amitié ne compte plus.

– Vous pensez que le gouvernement va réagir intelligemment ? Qui est le prochain sur la liste ?

Seagraves jeta sa cigarette et toisa son interlocuteur.

– Surprise, surprise, Albert.

Il commençait à se lasser de son associé. Cette petite conversation avait d'ailleurs essentiellement pour but de montrer à Trent qu'il n'occupait qu'une place de subordonné. Si les choses devaient se gâter, il éliminerait Trent en premier, par précaution. Les minables craquent toujours sous la pression.

Il quitta le haut fonctionnaire, gagna sa voiture, dans une zone réservée, et adressa un signe au garde qui le connaissait de vue.

– Ma voiture est bien gardée ? lui lança Seagraves en souriant.

– Comme toutes les autres, rétorqua l'homme en mâchouillant un cure-dent. Alors, toujours sur la brèche pour défendre le pays ?

– On fait ce qu'on peut.

En réalité, Seagraves devait prochainement transmettre à Trent des éléments essentiels du plan de surveillance du terrorisme de la NSA. Les médias laissaient toujours entendre que la NSA agissait en dehors de toute légalité, mais ils n'en savaient pas le dixième, pas plus d'ailleurs que les guignols du Capitole. Mais des gens vivant à dix mille kilomètres de là, et huit siècles en arrière, étaient prêts à payer des millions de dollars pour tout savoir. Et l'argent a toujours le dernier mot. Patriote ? Foutaises ! La seule chose que les patriotes reçoivent pour leur peine, c'est un drapeau plié en trois sur leur cercueil.

Seagraves retourna à son bureau pour y terminer un travail en cours, puis rentra chez lui. Il possédait une maison à un étage, de style pittoresque, construite trente ans auparavant sur un bout de terrain drainé, et qui lui coûtait la moitié de son salaire en amortissement de crédit et taxes foncières. Après une courte quoique intense séance de gymnastique, il se rendit au sous-sol et ouvrit un placard protégé par un système d'alarme où il conservait des souvenirs de sa carrière passée : un gant marron bordé de fourrure dans une boîte en verre, un bouton de veste dans un petit écrin à bijoux, une paire de lunettes sur un présentoir en plastique, une chaussure accrochée à un cintre, une montre, deux bracelets, un petit carnet vierge portant les initiales AFW, un turban posé sur une étagère et un exemplaire défraîchi du Coran, sous verre, une casquette en fourrure et un biberon. Il éprouvait un peu de remords pour ce biberon. Cela dit, quand on tue les parents, on sacrifie souvent l'enfant en même temps. Après tout, une bombe placée dans une voiture ne fait pas dans le détail. Chaque objet, numéroté de 1 à 50, témoignait d'une histoire connue de lui seul et de quelques membres de la CIA.

Seagraves avait couru beaucoup de risques pour constituer cette collection personnelle. De toute façon, qu'ils s'en rendent compte ou non, tous les gens sont des collectionneurs. La plupart, prosaïquement, collectionnent timbres, livres ou pièces de monnaie. D'autres accumulent cœurs brisés ou conquêtes sexuelles. Et il y a enfin ceux qui trouvent leur bonheur dans la collecte des âmes perdues. À l'autre extrémité du spectre, Roger Seagraves, lui, collectionnait les objets personnels des individus qu'il exécutait au service de son pays

Ce soir-là, il venait disposer deux nouveaux objets dans le placard : un stylo et un marque-page en cuir ayant appartenu respectivement à Robert Bradley et à Jonathan DeHaven. Il leur attribua une place d'honneur sur l'étagère et dans un présentoir, non sans les avoir dûment numérotés. Il approchait des soixante. Autrefois il avait caressé l'idée de moissonner une centaine de trophées, à l'époque où cette perspective lui semblait réaliste, tant son pays comptait d'ennemis à éliminer. Puis le rythme s'était ralenti, les dirigeants américains s'étant

affaiblis et la CIA bureaucratisée au point de devenir carré-
ment invertébrée. Contraint de renoncer à son objectif initial
par la force des choses, il faisait contre mauvaise fortune bon
cœur en remplaçant la quantité par la qualité. Et puis, se répé-
tait-il, il s'agissait d'une sorte d'hommage à l'égard des êtres
qu'il avait expédiés dans l'autre monde. S'il venait un jour à
périr de mort violente, il espérait que celui qui aurait raison de
lui saurait lui témoigner la même considération.

Il verrouilla le placard et remonta à l'étage pour préparer sa
prochaine action. DeHaven mort et enterré, le moment était
venu de récupérer l'objet qu'il visait depuis un certain temps.

Garée au coin de Good Fellow Street, Annabelle Conroy
n'avait pas quitté sa voiture de location. Cela faisait des années
qu'elle n'était pas revenue dans ce quartier, et pourtant celui-ci
n'avait guère changé. On reniflait encore la puanteur de l'argent
amassé depuis des générations, bien que cette odeur se mêlât
désormais à celle non moins nauséabonde de fortunes plus
récentes. Annabelle, à l'époque, ne possédait ni l'un ni l'autre,
ce que Elizabeth DeHaven, la mère de Jonathan, avait prompte-
ment fait valoir. Ni argent ni famille respectable, telle était l'an-
tienne qu'elle avait dû seriner à son fils, jusqu'à ce que le jeune
homme, faible et influençable, finisse par réclamer l'annulation
du mariage. Annabelle ne s'y était pas opposée. À quoi bon ?

Pourtant, elle ne nourrissait aucune rancune à l'égard de son
ex-mari. Il y avait chez lui un côté encore enfant, mais c'était un
lettré, un homme bon, tendre et généreux. Cela dit, il était
dépourvu de toute force de caractère et fuyait à toutes jambes
dès que l'ombre d'un conflit se profilait à l'horizon. Pas de
taille à lutter contre une mère toute-puissante à la langue de
vipère. Mais quels fils osent résister à leur mère ? Après l'annulation de leur mariage, il avait écrit à Annabelle des lettres ten-
dres et aimantes, l'avait couverte de cadeaux, lui répétant qu'il
ne cessait de penser à elle, ce dont elle n'avait jamais douté.

Pourtant, jamais il ne lui avait demandé de revenir. Mais alors que tous les hommes qu'elle avait connus dans sa vie l'avaient aimée pour son côté sombre, il avait incarné à ses yeux la lumière de la pure innocence. Il la tenait par la main et lui ouvrait les portes, lui parlait des affaires du monde, de celles qui préoccupent les gens normaux, un univers aussi éloigné d'elle que la plus lointaine des étoiles. Dans le bref laps de temps qu'avait duré leur relation, il avait réussi à lui rendre cet univers moins distant, moins étranger.

Annabelle devait bien reconnaître qu'à son contact elle avait changé. De son côté, Jonathan, bien que fermement enraciné dans une normalité conservatrice, s'était rapproché d'elle, envisageant peut-être la vie d'une façon qu'il n'avait pas imaginée auparavant. C'était un homme bienveillant, et sa mort lui faisait mal.

Avec colère, elle essuya la larme qui roulait sur sa joue. Elle était rarement la proie d'émotions et les rejetait toujours de façon véhémente. Elle ne pleurait plus. Pas même la mort de sa mère. Il est vrai qu'elle avait vengé Tammy Conroy, mais elle s'était également enrichie au passage. Se serait-elle attelée à châtier Bagger sans la perspective d'empocher un joli pactole ? Elle n'aurait su le dire avec certitude. Mais au fond, quelle importance ?

Une Chevrolet Nova grise et bringuebalante stationna devant la maison de DeHaven. Quatre hommes en descendirent ; les excentriques du cimetière qui disaient qu'on ne connaissait pas la cause exacte de la mort de Jonathan. Eh bien, elle irait rendre un dernier hommage à Jonathan et déambulerait dans cette maison, cette fois sans le regard réprobateur de belle-maman. Après quoi, direction l'aéroport et adieu l'Amérique. Mieux valait ne pas se trouver sur le même continent le jour où Jerry découvrirait qu'on l'avait soulagé de quarante millions de dollars.

Elle se glissa hors de la voiture et gagna cette maison où elle aurait pu passer sa vie si les choses avaient tourné différemment.

Chapitre 30

Après qu'Annabelle eut visité le rez-de-chaussée de la maison, elle retrouva Oliver et ses comparses dans la chambre forte. Caleb se garda d'ouvrir le petit coffre derrière le tableau, personne n'avait besoin de voir le *Bay*. Lorsque Annabelle eut admiré la collection de livres, ils gagnèrent les étages, et la jeune femme parcourut les pièces élégantes avec probablement plus d'intérêt qu'elle n'en laissait paraître.

— Ainsi, vous êtes déjà venue ici ? demanda Stone.

Elle le dévisagea sans ciller.

— Je ne me rappelle pas avoir évoqué le sujet.

— Eh bien, vous saviez que Jonathan vivait dans Good Fellow Street, alors j'en ai déduit que c'était le cas.

— La maison n'a pas beaucoup changé, dit-elle. Mais du moins s'est-il débarrassé des meubles les plus hideux. Probablement après la mort de sa mère. Il n'aurait pas osé avant que cette chère Elizabeth rende son dernier soupir.

— Où vous êtes vous rencontrés, avec Jonathan ? demanda Caleb. Il a peut-être mentionné votre nom, mais je ne le connais pas, ajouta-t-il, s'attirant un regard réprobateur de Stone.

— Susan Farmer. Nous nous sommes rencontrés sur la côte ouest.

— Vous vous êtes mariés là-bas aussi ? lança Stone.

Annabelle ne cilla pas, ce qui ne manqua pas d'impressionner Stone, mais elle ne répondit pas. Décidant dès lors d'abattre ses cartes, Stone tira la photo de sa poche.

— Nous avons appris que le mariage de Jonathan avait été annulé. Je suppose, vu le ton que vous avez employé pour évoquer Elizabeth DeHaven, que c'est elle qui fut à l'origine de cette annulation. La femme sur cette photo vous ressemble beaucoup, et d'après mon expérience, les hommes ne conservent pas de photos de femme sans raisons. J'imagine que vous occupiez pour lui une place particulière.

Il lui tendit la photo, et cette fois obtint une réaction. La main d'Annabelle trembla et ses yeux agrandis semblèrent un peu humides.

— Jonathan était très bel homme. Grand, les cheveux châtain foncé et un regard à faire fondre.

— Et permettez-moi de vous dire que vous êtes tout aussi ravissante aujourd'hui que dans le temps, commenta Reuben galamment.

— Cette photo a été prise le jour de notre mariage. Je n'étais pas vêtue de blanc, alors que j'aurais pu. C'était mon premier et unique mariage.

— Où vous êtes-vous mariés ? demanda Caleb.

— À Las Vegas, bien sûr ! répondit-elle sans quitter des yeux la photo. Jonathan s'y trouvait pour un colloque de bibliophilie. Nous nous sommes plu, nous nous sommes rendu compte que nous nous entendions à merveille et nous nous sommes mariés. Tout cela en une semaine. C'est complètement fou, je sais. En tout cas, c'était l'avis de sa mère. (Elle fit glisser un doigt sur le sourire figé de Jonathan.) Mais nous étions heureux. En tout cas, pendant un certain temps. Nous avons même vécu un peu ici avec ses parents, après notre mariage, jusqu'à ce que nous ayons trouvé un logement.

– C'est vrai que la maison est grande, dit Caleb.

– C'est drôle, mais à l'époque ça nous semblait beaucoup trop petit, rétorqua-t-elle sèchement.

– Vous aussi vous étiez à Vegas pour le colloque de bibliophilie ? demanda Stone.

Elle lui rendit la photo, qu'il mit dans la poche de sa veste.

– Vous avez besoin que je réponde à cette question ?

– Pas vraiment. Vous êtes restée en contact avec Jonathan, par la suite ?

– Pourquoi devrais-je vous répondre ?

– Rien ne vous y oblige, intervint Reuben en lançant un regard furieux à Stone. Tout cela devient un peu trop personnel.

Visiblement déstabilisé par la trahison de son ami, Stone n'en poursuivit pas moins :

– Nous faisons de notre mieux pour découvrir ce qui est arrivé à Jonathan, et toute aide est la bienvenue.

– Son cœur a cessé de battre et il est mort. Est-ce donc si inhabituel ?

– Apparemment, répondit Milton, le médecin légiste n'a pas pu déterminer de cause de la mort. Et Jonathan venait de subir un bilan cardiaque complet à l'hôpital Johns Hopkins.

– Vous pensez donc qu'il a été tué ? Mais qui aurait pu avoir des démêlés avec Jonathan ? Enfin, il était bibliothécaire !

– Vous savez, les bibliothécaires eux aussi ont des ennemis, expliqua Caleb. J'ai un certain nombre de collègues que quelques verres de vin rendent fort agressifs.

– Oui, j'imagine. Mais on ne descend pas un bibliothécaire à cause d'une pénalité pour un livre rendu en retard, ironisa-t-elle.

– Laissez-moi vous montrer quelque chose, dit Stone. Suivez-moi dans le grenier.

Une fois qu'ils furent tous en haut, Stone désigna le télescope.

– Il est braqué sur la maison voisine, dit-il.

– Oui, ajouta Reuben, sur la chambre à…

Stone lui coupa la parole.

— Je vais lui expliquer, Reuben, si ça ne te dérange pas.

— Bon, d'accord. Vas-y, Oliv... euh, c'était Frank, c'est ça ? Ou Steve ?

— Merci, Reuben ! lança Stone, agacé. Comme je l'ai dit, le télescope est braqué sur la maison voisine, qui appartient au président de Paradigm Technologies, l'un des plus grands fabricants d'armes du pays. Il s'appelle Cornelius Behan.

— Bon, dit Annabelle.

À travers le télescope, Stone observa la maison de Behan, séparée de celle de DeHaven par une simple pelouse.

— C'est bien ce que je pensais.

Il proposa à Annabelle de prendre sa place, ce qu'elle fit.

— C'est un bureau, dit-elle.

— Oui.

— Vous pensez que Jonathan espionnait ce type ?

— Peut-être. Ou alors il a vu par hasard des choses qu'il n'aurait pas dû voir.

— C'est donc ce Cornelius Behan qui aurait tué Jonathan ?

Stone hocha la tête.

— On n'a aucune preuve, mais il s'est passé des choses bizarres.

— Quoi, par exemple ?

Stone hésita. Il n'avait pas envie de lui parler de son enlèvement.

— Disons qu'il y a suffisamment de questions en suspens pour qu'on ait envie de creuser. Je crois que Jonathan DeHaven mérite bien ça.

Annabelle le dévisagea pendant un long moment, puis alla reprendre sa place derrière le télescope.

— Parlez-moi de ce Cornelius Behan.

Stone lui exposa brièvement ce qu'il savait de Behan et de sa société, puis évoqua la mort de Bob Bradley, le président de la Chambre des représentants.

— Vous croyez que c'est lié à la mort de Jonathan ? coupa Annabelle, sceptique. Je croyais qu'un groupe terroriste avait revendiqué l'assassinat ?

Stone lui parla alors des contrats militaires que Behan avait emportés sous la précédente législature.

— Le prédécesseur de Bradley à la présidence de la Chambre ayant été condamné pour pratiques frauduleuses, il n'est pas interdit de penser que Behan l'avait dans la poche. Et puis arrive Bradley, qui se présente comme M. Propre, et Behan n'avait peut-être pas envie qu'on enquête de trop près sur ses affaires. Il fallait que Bradley disparaisse.

— Et vous croyez que Jonathan a eu vent de ce projet et qu'ils l'ont tué avant qu'il le dénonce ?

Elle paraissait sinon convaincue, du moins interloquée.

— Ce que nous avons, c'est la mort suspecte du président de la Chambre et d'un chef bibliothécaire, avec comme dénominateur commun Cornelius Behan, qui se trouve être le voisin d'un de ces deux morts.

— Behan est venu aux obsèques, ce matin, dit Caleb.

— Qui était-ce ? demanda aussitôt Annabelle.

— Un petit bonhomme roux…

Annabelle termina sa phrase à sa place :

— Qui a une trop haute opinion de lui-même et se trimballe une grande bringue blonde qui le méprise.

Stone se montra impressionné.

— Vous repérez les gens rapidement.

— J'y ai toujours trouvé avantage. Bon, qu'est-ce qu'on fait, maintenant ?

Stone sembla surpris.

— On ?

— Oui, une fois que vous m'aurez communiqué les informations que vous gardez encore pour vous, on pourra peut-être prendre des mesures efficaces.

— Mademoiselle Farmer… commença Stone.

— Appelez-moi Susan.

— Vous n'aviez pas dit que vous ne comptiez pas rester longtemps à Washington ?

— J'ai changé d'avis.

— Puis-je vous demander pourquoi ?

— Vous pouvez me le demander, oui. On peut se voir demain matin ?

— Tout à fait, dit Reuben. Et si vous avez besoin d'un endroit où lo…

— Non, ça va.

— On peut se retrouver chez moi, suggéra Stone.

— Où est-ce ?

— Dans un cimetière, répliqua Milton, hilare.

Stone lui écrivit l'adresse, mais en voulant récupérer le papier, elle trébucha et se raccrocha à sa veste pour ne pas tomber.

— Désolée, dit-elle en saisissant subrepticement la photo que Stone avait remise dans sa poche.

Soudain, la main de Stone se referma sur son poignet.

— Il suffisait de demander, dit-il de façon à n'être entendu que d'elle.

Il relâcha son étreinte et elle glissa doucement la photo dans sa propre poche, sans quitter Stone des yeux.

— On se voit demain, dit-elle en se tournant vers les autres sans émotion apparente.

Reuben se pencha et lui baisa la main.

— Sachez, Susan, que j'ai eu un plaisir immense à faire votre connaissance.

— Merci, Reuben, dit-elle en réprimant une grimace. Oh, j'oubliais : il y a une vue magnifique sur la chambre de Behan, là-haut. En ce moment, il est en train de s'amuser avec une fille du tonnerre. Vous devriez aller voir.

Reuben pivota sur ses talons.

— Tu ne m'avais pas dit ça, Oliver !

Annabelle se tourna vers Stone, qui semblait exaspéré.

— Pas de problème, Oliver, de toute façon, je ne m'appelle pas Susan non plus. Quelle surprise, hein ?

Une minute plus tard, ils entendirent la porte d'entrée se refermer. Reuben alla se planter derrière le télescope, mais manifesta aussitôt sa déception.

– Merde, ils ont déjà fini ! (Il se tourna vers Stone.) Dis donc, quel sacré bout de bonne femme !

Oui, songea Stone, *sacré bout de bonne femme !*

Une fois montée en voiture, Annabelle mit le contact, puis tira la photo de sa poche et se massa doucement le poignet à l'endroit où les doigts de Stone s'étaient enfoncés dans sa chair. Même enfant, à Los Angeles, lorsque son père l'envoyait faire les poches des touristes, elle n'avait jamais été prise sur le fait. Le lendemain promettait d'être intéressant.

Elle reporta son attention sur la photo. Que de souvenirs pouvait convoquer une simple image ! Cette année-là avait été la seule vraiment normale de toute sa vie. Certains auraient pu la trouver ennuyeuse, sans relief, mais elle y songeait toujours comme à une période merveilleuse. Elle avait rencontré un homme qui était tombé amoureux d'elle. Sans raison particulière, sans arrière-pensée, sans intention de préparer un gros coup. Il était tout simplement tombé amoureux d'elle. Un puits de science et une arnaqueuse. Cela semblait perdu d'avance.

Elle contempla la vieille maison. Dans une autre vie, Jonathan et elle auraient pu y vivre, qui sait, avec une ribambelle d'enfants. Mais cela valait peut-être mieux ainsi, elle aurait probablement été une mauvaise mère.

Elle songea alors que, dans deux jours, Jerry Bagger allait entrer en éruption. En dépit de ce qu'elle venait de dire aux amis de Jonathan, le plus sage était de quitter le pays sur-le-champ. Sa décision fut vite prise. Elle resterait. Peut-être devait-elle cela à Jonathan. Ou bien à elle-même.

Chapitre 31

Annabelle et le Camel Club au grand complet se retrouvèrent le lendemain matin à 7 heures au cottage de Stone.

– Jolie piaule, lança-t-elle en embrassant le petit intérieur du regard. Et vous avez des voisins tranquilles, ajouta-t-elle en montrant les tombes par la fenêtre.

– Je préfère la compagnie des morts à celle de certains vivants.

– Je vous comprends très bien, dit Annabelle d'un ton enjoué, en s'asseyant devant la cheminée.

Reuben prit place à côté d'elle, tel un gros toutou attendant qu'on le gratte derrière les oreilles. Caleb, Milton et Stone s'installèrent en face d'eux.

– Voici mon plan, annonça Stone. Milton va rassembler un maximum d'informations sur Bob Bradley. Cela nous fournira peut-être des pistes. J'irai également faire un tour dans sa maison, ou plutôt dans ce qu'il en reste, pour voir ce que je peux y trouver. Reuben a travaillé pour le Pentagone, précisa-t-il à l'intention d'Annabelle, et il actionnera ses contacts en vue d'obtenir un topo exhaustif des contrats remportés par Behan et l'implication éventuelle du prédécesseur de Bradley.

Annabelle lança un coup d'œil amusé à Reuben.

– Au Pentagone, hein ?

Il joua les modestes.

– Trois séjours au Vietnam, aussi. Et suffisamment de médailles pour décorer un arbre de Noël. Tout ça pour la patrie !

– Vous m'en direz tant. (Elle reporta son attention sur Stone.) Et la mort de Jonathan ? Comment savoir s'il a été tué ?

– J'ai une théorie à ce sujet, mais il faudrait aller à la Bibliothèque du Congrès et vérifier le système anti-incendie. Le seul problème, c'est qu'on ignore où il se trouve dans le bâtiment. Même Caleb ne peut pas le savoir, parce que cette information est tenue secrète, afin de prévenir les tentatives de sabotage… et pourtant je me doute que c'est précisément ce qui s'est passé. Le bâtiment est tellement vaste que l'éternité ne nous suffirait pas à fouiller toutes les salles. Il faut aussi comprendre la configuration du système de ventilation dans la salle où on a retrouvé le corps de Jonathan.

– Pourquoi s'intéresser au système de lutte contre l'incendie ?

– J'ai une théorie, se contenta de répondre Stone.

– Les architectes qui ont construit le bâtiment ont bien les plans des systèmes anti-incendie et de climatisation ?

– Évidemment, répondit Stone. Mais le Jefferson Building a été construit en 1800, et il y a une quinzaine d'années on y a procédé à de gros travaux de rénovation. L'architecte du Capitole détient les plans, mais on n'y a pas accès.

– Est-ce que la rénovation a été confiée à un cabinet d'architecte privé ?

Caleb claqua des doigts.

– Oui, à un cabinet de Washington. Je m'en souviens parce que le gouvernement voulait favoriser l'économie locale et accroître les partenariats public-privé.

– Voilà donc la solution, dit Annabelle.

– Je ne vous suis pas, fit Stone. Ça ne nous donne pas plus accès aux plans.

– Vous pouvez dégotter le nom de ce cabinet ? demanda Annabelle.

— Je pense, oui.

— Le problème, c'est de savoir s'ils nous laisseront prendre des photos ou dupliquer les plans. (Les membres du Camel Club la dévisageaient, interloqués, et elle s'en rendit compte.) Je peux nous introduire dans ce cabinet d'architectes, mais pour ce qui est d'obtenir des copies…

— J'ai une mémoire photographique, déclara Milton. Il suffit que je regarde une fois les plans pour les mémoriser.

Elle le considéra d'un air sceptique.

— J'ai déjà vu des gens s'en vanter, mais ça ne marchait jamais.

— Je peux vous assurer qu'avec moi ça marche, rétorqua Milton, indigné.

Elle prit un livre sur une étagère, l'ouvrit au hasard et le montra à Milton.

— Bon, lisez la page. (Il obéit puis hocha la tête lorsqu'il eut terminé. Annabelle retourna le livre vers elle.) Allez-y, monsieur « Mémoire photographique ». Je vous écoute.

Milton s'exécuta de bonne grâce, ponctuation comprise, sans commettre la moindre erreur. Pour la première fois depuis leur rencontre, Annabelle sembla impressionnée.

— Vous êtes déjà allé à Las Vegas ? demanda-t-elle. Vous devriez essayer, un jour.

— Ça n'est pas illégal, le comptage des cartes ? demanda Stone, qui avait deviné à quoi elle faisait allusion.

— Non, tant que vous n'utilisez pas d'appareil mécanique ou informatique.

— Ouah ! s'écria Milton. Je pourrais faire fortune.

— Avant de vous laisser emporter, je vous signale que, quand bien même se servir de son cerveau n'est pas illégal, vous risqueriez de vous faire passer à tabac si vous étiez pris sur le fait.

— Bon ! lança Milton, horrifié. N'en parlons plus.

— À votre avis, donc, comment Jonathan a-t-il été tué ? questionna Annabelle en se retournant vers Stone. Et plus de faux-fuyants, sans quoi je m'en vais !

Stone la dévisagea un moment avant de se lancer.

– C'est Caleb qui a découvert le corps de Jonathan. Et aussitôt après, il s'est évanoui. Plus tard, à l'hôpital, l'infirmière a déclaré que son état s'améliorait, comme en témoignait sa température qui remontait. Or, en général, on se félicite plutôt lorsque la fièvre baisse, non ?

– Où voulez-vous en venir ?

– À la Bibliothèque, intervint Caleb, le système de lutte contre l'incendie utilise une substance appelée halon 1301. Dans les tuyaux, il se propage sous forme liquide, mais il est projeté à l'extérieur sous forme de gaz. Il étouffe le feu en éliminant l'oxygène de l'air.

– Ce qui veut dire que Jonathan est peut-être mort asphyxié ! Mon Dieu, vous voulez dire que la police n'a même pas envisagé une telle possibilité et n'est pas allée vérifier les réservoirs de gaz ?

– Rien ne prouve que le système s'est mis en marche, dit Stone. La sirène ne s'est pas déclenchée, or Caleb a appris qu'elle était en état de fonctionnement, encore qu'on ait pu la déconnecter et la rebrancher discrètement. En outre, ce gaz ne laisse aucune trace.

– De plus, ajouta Caleb, le halon 1301 ne peut avoir tué Jonathan, en tout cas le système anti-incendie n'utilise pas de concentration mortelle. J'ai vérifié. C'est d'ailleurs pour cela qu'on l'utilise dans les lieux publics.

– Où ça nous mène, tout ça ? demanda Annabelle. D'abord vous affirmez que c'était le gaz, et puis que ce n'était pas ça.

– Au moment de sa diffusion dans la pièce, expliqua Stone, la température baisse. Caleb a aperçu le corps de Jonathan, a éprouvé une sensation de froid et s'est évanoui. Je crois que ce froid est dû au gaz, ce qui explique la réflexion de l'infirmière. Et je crois que Caleb a perdu connaissance parce que le niveau d'oxygène dans la salle était effectivement bas, mais pas suffisamment pour le tuer, parce qu'il a dû arriver environ une demi-heure après la mort de Jonathan.

– Donc, dit Annabelle, ce n'était visiblement pas ce halon 1301. Quelque chose d'autre, alors ?

– Exactement. Il faut simplement découvrir quoi.

Elle se leva.

– Bon, j'ai un gros travail de préparation qui m'attend, autant m'y mettre tout de suite.

Stone se leva à son tour.

– Avant que vous ne vous lanciez dans cette histoire, Susan, il faut que vous sachiez que des gens extrêmement dangereux y sont mêlés. J'en ai fait les frais. Sachez que vous risquez gros.

– Écoutez, Oliver, si c'est plus dangereux que ce que j'ai vécu la semaine dernière, je veux bien être coupée en morceaux.

Stupéfié par cette réponse, Stone fit un pas en arrière. Annabelle glissa un bras sous celui de Milton.

– Cher Milton, nous allons passer un petit bout de temps ensemble.

– Pourquoi Milton ? demanda Reuben, outré.

– Parce que c'est ma petite photocopieuse à moi. (Elle pinça la joue de l'intéressé, qui rougit comme une pivoine.) Mais d'abord, il va falloir lui trouver les bons vêtements, le bon style.

– Qu'est-ce qu'ils ont, mes vêtements ? dit Milton en baissant les yeux sur son jean et sur son chandail rouge.

– Absolument rien. Sauf qu'ils ne conviennent pas à mes plans. Caleb, dès que vous aurez obtenu le nom du cabinet d'architectes, téléphonez à Milton. (Elle claqua des doigts.) Allez, Miltie, on y va !

Elle franchit le seuil d'un air décidé, suivie de Milton. Celui-ci, résigné, se retourna vers ses amis et glissa à voix basse :

– Miltie ?

– Milton ! s'écria Annabelle depuis l'extérieur. Allez !

Chapitre 32

Une fois revenu à la Bibliothèque, Caleb adressa un e-mail à l'administration, qui lui fournit une heure plus tard le nom du cabinet d'architectes ayant assuré la rénovation du Jefferson Building. Il téléphona aussitôt à Milton.

– Alors, comment ça va avec cette femme ? demanda-t-il à voix basse.

Milton répondit sur le même ton.

– Elle m'a acheté un complet noir et une cravate très voyante, et elle veut que j'aille chez le coiffeur pour me faire faire une coupe à la mode.

– Elle t'a dit pourquoi ?

– Pas encore… Tu sais, Caleb, elle me fait un peu peur. Elle est tellement sûre d'elle !

– Eh bien, courage, Miltie.

Caleb raccrocha en riant, puis composa le numéro de Vincent Pearl, tout en sachant qu'il tomberait sur le répondeur puisque la boutique de livres rares n'était ouverte qu'en soirée. De toute façon, il n'avait pas envie de lui parler directement, parce qu'il n'avait pas encore pris de décision au sujet de la vente de la collection de Jonathan, ni même à propos du *Bay*. Le jour où le milieu des bibliophiles apprendrait son existence, se déchaînerait un véritable cyclone. Et il se trouverait dans l'œil de la tourmente, ce qui le terrifiait et l'intriguait à la fois. Après tout, la lumière des projecteurs avait quelque chose d'attirant, surtout pour un homme habitué à la pénombre des bibliothèques.

Mais une pensée lancinante l'empêchait de se jeter tête baissée dans l'aventure : et si Jonathan avait acquis le *Bay* de façon délictueuse ? Était-ce la raison pour laquelle il avait tenu ce bien secret ? Or Caleb n'avait aucune envie de salir la mémoire de son ami.

S'efforçant de penser à autre chose, il décida d'aller saluer Jewell English, qui, tout comme le toqué d'Hemingway, Norman Janklow, passait ses journées dans la salle de lecture.

En le voyant approcher, Jewell ôta ses lunettes, glissa ses pages de notes soigneusement rédigées dans un dossier en papier kraft et lui fit signe de s'asseoir à côté d'elle. Elle lui saisit alors le bras et, excitée, lui annonça :

– Caleb, j'ai mis une option sur un Beadle en excellent état. *Maleska, the Indian Wife of the White Hunter.* Une première édition, vous vous rendez compte !

– Je crois que nous en avons un exemplaire ici, répliqua-t-il, pensif. Assurez-vous qu'il soit vraiment en bon état, Jewell. Les Beadle étaient très mal brochés.

Elle claqua dans ses mains.

– Oh, mais n'est-ce pas quand même merveilleux, Caleb ? Une première édition !

– Oui, c'est formidable. Et si voulez, je pourrais jeter un œil dessus, avant que vous preniez une décision définitive.

– Oh, vous êtes un amour. Il faudra que vous veniez boire un verre à la maison, un de ces jours. Nous avons tellement de choses en commun !

Elle lui tapota le bras et lui coula un regard en biais, relevant à peine ses sourcils soulignés au crayon.

– Euh, oui, ce serait avec plaisir, balbutia Caleb. Peut-être. Un de ces jours… pourquoi pas… ?

Il s'efforça de regagner son bureau sans avoir l'air de fuir. *Se faire draguer par une septuagénaire, grands dieux !* Il retrouva sa bonne humeur et reprit la surveillance de la salle. Il y avait quelque chose de réconfortant à contempler des amoureux de la littérature, assis à ces tables magnifiques, penchés sur de vénérables ouvrages. *Revenir au temps du papier ministre et de la plume d'oie, ne fût-ce que quelques instants…*

Vingt minutes plus tard, la porte de la salle de lecture s'ouvrit, livrant le passage à Cornelius Behan. Caleb alla à sa rencontre, vers le bureau d'accueil, et lui tendit la main, remarquant au passage que le nouveau venu s'était déplacé sans ses gardes du corps. Peut-être la sécurité leur avait-elle refusé l'accès avec leurs armes.

– Monsieur Behan ?

– Appelez-moi CB, je vous prie… Je ne savais même pas que cet endroit existait. Vous devriez faire de la publicité.

– C'est vrai que nous pourrions mieux nous faire connaître, reconnut Caleb. Mais avec la diminution des subsides, il serait difficile de lever des fonds pour faire de la réclame.

– Je connais bien le problème des coupes budgétaires de l'État, croyez-moi.

– Il me semble pourtant que vous vous êtes fort bien débrouillé avec Washington, riposta Caleb.

Celui-ci regretta aussitôt son imprudence, car Behan le dévisageait en fronçant les sourcils.

– La cérémonie des obsèques était très belle, dit Behan en changeant brusquement de sujet. Pour autant que des obsèques puissent être belles, bien sûr.

– Oui, c'est vrai. Et j'ai été honoré de faire la connaissance de votre épouse.

– Merci. À part ça, j'étais venu en ville pour voir quelques hauts fonctionnaires, et je me suis dit que je pourrais passer à la Bibliothèque. Dire que je n'ai pas eu l'occasion de me rendre ici du vivant de Jonathan…

– Mieux vaut tard que jamais.

– J'imagine que Jonathan adorait son travail, non ?

– Oui. Il était toujours le premier à arriver, le matin.

– Il devait avoir aussi beaucoup d'amis, je suis sûr que tout le monde ici l'aimait bien.

– Oui, Jonathan s'entendait avec tout le monde.

– Je crois que, hier soir, vous vous êtes rendu à la maison en compagnie d'une dame.

Caleb fit mine de ne pas avoir remarqué la façon abrupte dont, pour la deuxième fois, le marchand d'armes venait de changer de sujet.

– Vous auriez dû venir nous dire bonjour.

– J'étais occupé.

J'imagine, songea Caleb.

– Ce sont des hommes à moi qui vous ont aperçus. Ils surveillent les lieux de près. Alors, cette femme ?

– C'est une experte en livres rares. Je lui ai demandé de venir pour évaluer une partie de la collection de Jonathan.

Caleb se sentait fier d'avoir trouvé sur-le-champ une explication plausible.

– Et que va devenir la maison de Jonathan ?

– Sans doute mise en vente. J'avoue ne pas être très au courant de cette question-là.

– Je me disais que je pourrais l'acheter pour la transformer en maison d'hôtes.

– La vôtre n'est pas assez grande ? s'écria Caleb sans même réfléchir.

Heureusement, Behan éclata de rire.

– Oui, mais nous recevons beaucoup d'invités. Je me suis dit que vous saviez peut-être ce que l'on comptait faire de cette maison. Peut-être l'avez-vous visitée entièrement, ajouta-t-il d'un air détaché.

– Non, je me suis cantonné à la chambre forte.

Behan dévisagea Caleb pendant un long moment.

– J'appellerai mes avocats, il faut bien qu'ils gagnent de l'argent. Tant que je suis ici, vous pourriez me faire faire un tour des lieux ? Je crois que vous détenez des livres très rares…

– D'où ce nom de « salle de lecture des livres rares ».

Une idée lui traversa alors l'esprit. C'était contraire au règlement, mais cela l'aiderait à découvrir l'assassin de Jonathan.

– Cela vous dirait de visiter les chambres fortes ?

– Oh, oui, s'écria Behan.

Caleb le guida dans les méandres du bâtiment, en terminant par l'endroit où Jonathan DeHaven avait trouvé la mort. Caleb était-il le jouet de son imagination, ou bien le regard de Behan s'attarda-t-il un peu trop longtemps sur la bouche de propulsion du gaz anti-incendie ? Ses soupçons se trouvèrent confirmés lorsque Behan la désigna du doigt.

– Qu'est-ce que c'est ?

Caleb lui expliqua le fonctionnement du système.

– En fait, nous allons remplacer ce gaz par un autre, moins polluant.

– Eh bien, merci pour la visite.

Après le départ de Behan, Caleb appela Stone et lui relata ce qui venait de se passer.

– C'est curieux, fit remarquer Stone, cette façon qu'il avait de demander si Jonathan avait des ennemis, comme s'il cherchait à accuser quelqu'un d'autre du meurtre. Et aussi le fait qu'il ait demandé si nous avions visité toute la maison, c'est très révélateur. Je me demande s'il connaissait les tendances voyeuristes de son voisin.

Après avoir raccroché, Caleb décida d'apporter à la restauration le livre qu'il avait pris dans la chambre forte de Jonathan ; il lui fallait pour cela parcourir une série de tunnels jusqu'au Madison Building, où se trouvaient deux ateliers dans lesquels travaillaient une centaine d'ouvriers. Caleb se dirigea droit vers une table où un homme mince, revêtu d'un tablier vert, tournait avec précaution les pages d'un incunable allemand. Autour de lui s'éparpillait un assortiment d'outils, depuis des soudeuses à ultrasons et des spatules en Teflon jusqu'à des presses manuelles à l'ancienne et des couteaux Exacto.

– Salut, Monty, lança Caleb.

Monty Chambers leva les yeux au-dessus de ses gros verres teintés et passa une main gantée sur son crâne chauve. Rasé de près, son menton fuyant semblait se fondre dans son visage et il se contenta d'adresser un signe de tête à Caleb. Presque septuagénaire, Monty était considéré de longue date comme l'un des meilleurs artisans de la Bibliothèque. On lui confiait les travaux les plus délicats et il ne les refusait jamais. On le disait capable de récupérer les livres les plus endommagés, on louait son habileté, son intelligence, sa créativité, ainsi que son érudition immense en matière de conservation et de restauration des ouvrages anciens.

– Si tu as le temps, Monty, j'ai un boulot pour chez toi. *Le Bruit et la Fureur*, une édition originale de Faulkner. Les bords portent quelques taches d'eau. Il appartenait à Jonathan DeHaven et c'est moi qui suis chargé de vendre sa collection.

Monty examina le volume.

– C'est pour quand ?

– Oh, tu as tout le temps que tu veux. On n'en est encore qu'au début.

Les ouvriers du niveau de Monty travaillaient souvent sur plusieurs ouvrages en même temps, partaient tard le soir et revenaient même parfois le week-end, lorsqu'ils étaient sûrs de ne pas être dérangés. Caleb savait aussi que Monty possédait à son domicile un atelier fort bien équipé et qu'il réalisait à l'occasion des travaux pour son propre compte.

– Réversible ? demanda Monty.

On exigeait désormais que toute intervention sur un livre fût réversible, car à la fin du XIXe et au début du XXe siècle, les restaurateurs de livres avaient eu la main trop leste : trop de livres totalement refaits, les couvertures originales arrachées, les feuillets reliés de cuir brillant avec parfois des fermoirs fantaisie. Les ouvrages avaient certes belle allure, mais leur cachet initial avait disparu sans espoir de retour.

– Oui, répondit Caleb. Et pourrais-tu mettre par écrit les différentes étapes de restauration ? Nous fournirons cette description avec le livre au moment de la vente.

Monty acquiesça et retourna à sa besogne.

Caleb, lui, prit le chemin de la salle de lecture. Dans le tunnel, il se prit à rire tout seul.

Miltie, songea-t-il. *Quelle drôle de coupe de cheveux…*

Il ne devait pas rire d'aussi bon cœur avant longtemps.

Chapitre 33

– Regina Collins, dit Annabelle en tendant sa carte de visite à la réceptionniste. J'ai rendez-vous avec M. Keller.

Milton et elle se trouvaient dans le hall d'entrée du cabinet d'architectes Keller & Mahonney, situé dans un gros immeuble en grès brun, non loin de la Maison-Blanche. La jeune femme était vêtue d'un tailleur-pantalon noir qui mettait en valeur sa chevelure teinte en roux pour l'occasion. Milton se tenait derrière elle, mal à l'aise, ajustant nerveusement sa cravate orange et tirant sur la queue-de-cheval très chic que lui avait arrangée Annabelle.

Une minute plus tard, un homme de haute taille, âgé d'une cinquantaine d'années, les cheveux gris et ondulés, vint à leur rencontre. Il avait relevé les manches de sa chemise rayée à monogramme et arborait d'éclatantes bretelles vert bouteille.

– Madame Collins ? dit-il en lui serrant la main.

– Quel plaisir de faire votre connaissance, monsieur Keller ! Merci de prendre ainsi sur votre temps alors que nous nous présentons au dernier moment. Ma secrétaire devait vous appeler avant notre départ de France, mais elle est nouvelle, vous savez ce que c'est. Permettez-moi de vous présenter mon associé, Leslie Haynes.

Milton parvint à dire bonjour à son interlocuteur et à lui serrer la main, mais sans se départir de son air gauche.

– Excusez-nous, c'est le décalage horaire, expliqua-t-elle en remarquant l'embarras de Milton. D'habitude nous prenons le vol de l'après-midi, mais il était complet et nous avons dû nous lever avant l'aube à Paris. Un vrai cauchemar !

– Ne vous inquiétez pas, je connais ça. Allons, suivez-moi, dit-il aimablement.

Dans son bureau, ils prirent place à une petite table ovale.

– Je sais que vous êtes très occupé, commença Annabelle, aussi j'irai droit au but. Comme je vous l'ai dit au téléphone, je dirige une nouvelle revue d'architecture à destination de l'Europe.

Keller jeta un coup d'œil à la carte de visite qu'Annabelle avait fait imprimer le matin même.

– *La Balustrade.* C'est un joli nom.

– Merci. L'agence de communication nous a pris un temps et un argent fous pour aboutir à ce nom. Ça aussi, vous devez connaître.

Keller s'esclaffa.

– Oh, oui. Après quelques expériences analogues, nous avons fini par trouver nous-mêmes le nom du cabinet.

– J'aurais aimé pouvoir en faire autant.

– Mais… vous n'êtes pas française ?

– C'est une longue histoire. Je suis américaine, mais je suis tombée amoureuse de Paris alors que j'y faisais mes études universitaires, dans le cadre d'un programme d'échange. Je parle français suffisamment pour commander à dîner, une bouteille de vin, ou pour m'attirer à l'occasion quelques ennuis…

Et Annabelle de se lancer dans une improbable tirade dans la langue de Molière. Keller rit d'un air un peu emprunté.

– Désolé, moi ne parle pas français…

Elle ouvrit sa mallette en cuir et en tira un cahier.

– Eh bien, pour notre premier numéro, nous voulions publier un article sur la réfection du Jefferson Building, que votre cabinet a menée à bien avec le concours de l'architecte du Capitole.

Keller acquiesça.

— Cela a représenté un grand honneur pour nous.

— Et un long travail. De 1984 à 1995, si je ne me trompe.

— Je vois que vous êtes bien informée. Au cours de cette période, nous avons également réhabilité l'Adams Building, qui lui fait face, et assuré la reconstitution des fresques du Jefferson Building. Je peux vous dire que j'y ai consacré corps et âme pendant dix ans.

— Et le résultat est remarquable. D'après ce que je sais, la grande salle de lecture représentait à elle seule une tâche herculéenne. Il y avait de gros problèmes de structures, de poids supporté par les piliers, notamment s'agissant de la coupole, et j'ai entendu dire que la ferme d'origine laissait grandement à désirer.

Ces renseignements, éparpillés sur une centaine de pages, Milton les avait pêchés le matin même sur Internet, et il était sidéré par la facilité avec laquelle sa complice en faisait usage.

— C'est vrai que nous nous sommes heurtés à de grosses difficultés, mais il faut comprendre que ce bâtiment a été construit il y a plus de cent ans...

— Et puis la dorure de la Torche du Savoir, au sommet de la coupole, à l'or vingt-trois carats et demi, était du meilleur effet.

— Je ne peux pas dire que c'est moi qui en ai eu l'idée, mais le contraste est extraordinaire sur la patine vert cuivré du toit.

— Mais c'est à vous qu'on doit l'utilisation des techniques modernes de construction qui ont permis de consolider le bâtiment.

— Sur ce point, en effet, le mérite nous revient d'avoir raffermi l'édifice. Il tiendra encore cent ans, et plus. Et vu le coût de l'opération, plus de quatre-vingts millions de dollars, c'est la moindre des choses.

— J'imagine que nous ne pourrons pas prendre de photos des plans, n'est-ce pas ?

— Malheureusement, non. Pour des questions de sécurité, tout ça...

– Je comprends, bien sûr, mais je tentais quand même ma chance. Est-ce qu'au moins nous pourrions y jeter un coup d'œil ? Lorsque j'écrirai l'article, j'aimerais rendre compte de l'ingéniosité avec laquelle vous avez traité ce chantier. En outre, cela nous permettra d'affiner le commentaire. Notre revue doit être diffusée dans huit pays. Je sais bien que votre cabinet n'a pas besoin de publicité, mais ça ne peut pas non plus le desservir.

Keller sourit.

– Je crois au contraire que votre article contribuera à accroître notre rayonnement international. D'ailleurs, nous envisageons de nous étendre à l'étranger.

– J'ai l'impression que nous sommes venus vous voir au bon moment...

– Y a-t-il un aspect particulier du chantier qui vous intéresse ?

– Tous, en fait, mais nous pourrions peut-être mettre l'accent sur le sous-sol et le premier étage, parce que je crois que c'était particulièrement difficile.

– Tout était difficile, mademoiselle Collins.

– Je vous en prie, appelez-moi Regina. Et la restauration du système de climatisation ?

– Ça, c'était un gros morceau.

Keller prit son téléphone et, quelques minutes plus tard, ils avaient devant eux les plans du bâtiment. Milton se disposa de façon à consigner dans sa mémoire les moindres détails. Keller brossa en quelques mots les orientations choisies et les défis relevés à chaque stade, tandis qu'Annabelle dirigeait ses remarques vers le système de climatisation et les chambres fortes de la salle des livres rares.

– Le système de lutte contre l'incendie est bien centralisé, et le produit dispersé ensuite à travers les canalisations, c'est bien ça ? demanda-t-elle en suivant du doigt un circuit sur le plan.

– Exactement. Nous avons pu réunir tout ça au même endroit grâce au système de distribution. Mais les normes environnementales nous obligent à changer de produit.

– Le halon 1301, dit Milton, s'attirant un regard approbateur d'Annabelle. On a le même problème en Europe.

– Tout à fait, reconnut Keller.

– Et la tuyauterie de la climatisation court jusqu'aux chambres fortes, releva-t-elle.

– Oui, ça a été un peu délicat en raison du manque d'espace, mais nous avons arrimé une partie du conduit principal sur les colonnes portant les étagères.

– Tout en permettant qu'elles supportent le poids nécessaire. Très astucieux, dit Annabelle.

Pendant une demi-heure encore, ils parcoururent les plans, jusqu'à ce qu'Annabelle s'estime satisfaite.

– Leslie, demanda-t-elle à Milton, tu as besoin d'autre chose ?

Il secoua la tête, et, en souriant, appuya un index sur sa tempe.

– Non, tout est enregistré là.

Annabelle se mit à rire, aussitôt imitée par Keller.

Elle prit une photo de Keller et de son associé, Mahoney, destinée à illustrer l'article, et leur promit de leur envoyer un exemplaire de la revue dès sa parution.

Ne soyez pas trop pressés, les gars, songea-t-elle.

– Et si vous avez d'autres questions, n'hésitez pas à nous appeler, ajouta Keller au moment où ils prenaient congé.

– Merci. En tout cas, vous nous avez été d'une aide inestimable, répondit Annabelle avec sincérité.

Alors qu'ils s'apprêtaient à remonter dans leur Ford de location, Milton lança :

– Heureusement, c'est terminé ! J'ai les mains tellement moites que j'aurais du mal à ouvrir la portière de la voiture.

– Tu t'es débrouillé comme un chef, Milton. L'idée de citer le halon, c'était parfait pour ferrer le poiss... enfin, pour mettre Keller à l'aise. En tout cas, tu as été très bien aussi quand tu as dit : « Tout est enregistré là. »

Milton rayonnait de plaisir.

– Ça t'a plu ? Ça m'est sorti comme ça.

– Je peux te dire que c'était super.

Il lui jeta un regard.

– Toi aussi, tu te débrouilles vachement bien.

Elle enclencha la première.

– La chance sourit aux débutantes.

Chapitre 34

Tandis qu'Annabelle et Milton effectuaient leur visite au cabinet d'architectes, Stone se rendait dans le quartier où avait vécu Bob Bradley. Coiffé d'un chapeau informe, vêtu d'un pantalon baggy et d'un manteau trop grand, il tenait en laisse le chien de Caleb, un bâtard répondant au nom de Goff en souvenir du premier directeur du département des livres rares. Il avait déjà utilisé ce stratagème lorsqu'il travaillait pour les services spéciaux, comptant sur le fait qu'on ne se méfie guère de quelqu'un qui promène son chien.

De la maison de l'ancien président de la Chambre des représentants, il ne restait plus qu'un amas de poutres noircies et une cheminée de brique en piteux état. Les deux maisons voisines avaient elles aussi été sévèrement endommagées. Stone examina les lieux. Le quartier n'était pas particulièrement huppé. Contrairement à une idée répandue, les parlementaires ne gagnent pas des sommes astronomiques. Ils doivent entretenir deux résidences, l'une dans leur État d'origine, l'autre dans la capitale, où l'immobilier atteint des prix vertigineux. Certains députés, notamment les nouveaux élus, partagent souvent un logement à Washington, voire dorment dans leurs bureaux. Mais Bradley, vétéran de la Chambre, avait eu, lui au moins, une véritable résidence.

Milton avait rassemblé des informations sur son compte, Stone avait consulté les documents qu'il conservait secrètement ; l'ensemble dressait un portrait édifiant de Bradley. Natif de l'État du Kansas, il avait suivi la carrière classique des hommes politiques ; réélu douze fois, il avait petit à petit grimpé les échelons à la Chambre, assurant pendant plus de dix ans la présidence de la commission du renseignement, avant de présider la Chambre elle-même. Mort à l'âge de cinquante-neuf ans, il laissait derrière lui une femme et deux grands enfants. Bradley semblait avoir mené honnêtement sa carrière et n'avoir jamais été mêlé au moindre scandale. En revanche, sa volonté affichée de nettoyer le Congrès avait fort bien pu lui créer des ennemis puissants et entraîner son assassinat. On aurait pu penser qu'exécuter le troisième personnage de l'État était une entreprise risquée, mais Stone savait qu'il n'en allait pas ainsi. Si on peut assassiner des Présidents, nul n'est à l'abri.

Officiellement, l'enquête sur le meurtre de Bradley était toujours en cours, mais les médias, après s'être livrés à une débauche d'hypothèses, demeuraient muets. La police ne commençait-elle pas à soupçonner l'inexistence de ce fameux groupe terroriste ? Ne devinait-elle pas qu'il y avait derrière cet assassinat autre chose que l'action de quelques fanatiques ?

Il s'arrêta près d'un arbre pour permettre à Goff de se soulager. Stone connaissait assez les services de renseignement pour savoir que les deux hommes, dans la camionnette garée au bout de la rue, étaient chargés de surveiller la maison du parlementaire et de recueillir les moindres indices. Le FBI avait dû également installer une équipe travaillant vingt-quatre heures sur vingt-quatre et sept jours sur sept dans l'une des maisons voisines. En ce moment même, jumelles et appareils photo étaient sans doute braqués sur lui. Il baissa un peu plus son chapeau sur les yeux, comme pour se protéger du vent.

Soudain, une camionnette blanche des travaux publics apparut au coin de la rue et se dirigea vers lui. Sans perdre de temps, Stone tourna à droite, dans l'artère suivante, priant pour que la camionnette ne le suive pas. Le coin avait beau grouiller de Fédéraux, il ne comptait guère sur eux pour le protéger. Il les voyait plutôt le jeter au milieu des meutriers et lui adresser un signe de la main en guise d'au revoir. Il parcourut deux pâtés de maisons avant de ralentir et de permettre à Goff de renifler un peu par terre, tandis que lui-même jetait un regard en arrière. Aucun signe de la camionnette. Mais elle pouvait aussi déboucher d'une autre rue. Il appela Reuben sur son portable. Son ami venait de quitter les quais.

— Je suis là dans cinq minutes. Il y a un poste de police à deux immeubles de là où tu te trouves. Avance dans cette direction. Si ces salauds se pointent, hurle !

Stone obtempéra.

Quelques instants plus tard, le pick-up de Reuben faisait son apparition dans un rugissement de moteur. Stone grimpa à l'intérieur en compagnie de Goff.

— Où est ta moto ? demanda Stone.

— Les salauds l'avaient déjà repérée. J'ai préféré la planquer.

Reuben attendit d'être assez loin pour s'arrêter.

— J'ai regardé dans le rétro. On n'est pas pistés.

Stone n'avait pas l'air convaincu.

— Ils ont dû me voir dans la rue.

— Tu étais bien déguisé.

— Des gens de leur trempe ne se laissent pas abuser aussi facilement.

— Peut-être qu'ils te tiennent la laisse courte en espérant que tu les mèneras au pot aux roses.

— J'ai peur qu'ils attendent longtemps.

— Au fait, mon ami du Pentagone m'a rappelé. Il n'avait pas grand-chose à raconter au sujet de Behan et des contrats d'armement, mais il m'a quand même appris un détail intéressant. Dans la presse, on a parlé de vols de secrets défense, de fuites. Mais c'est beaucoup plus grave que ça. D'après lui, il y aurait des taupes au sein de l'appareil d'État qui vendent des secrets à nos ennemis en Asie et au Moyen-Orient.

— Dis-moi, Reuben, est-ce que tes amis du FBI ou de la police de Washington t'ont rappelé ?

— Non, c'est étrange. Je ne comprends pas pourquoi.

Chapitre 35

Le soir, chez Stone, Annabelle et Milton firent le récit de leur visite au cabinet d'architectes. Grâce à sa stupéfiante mémoire, Milton avait dressé un plan détaillé du réseau de climatisation et du système de lutte contre l'incendie.

Caleb étudia les dessins.

– Je sais exactement où ça se trouve. Je croyais que ce n'était qu'une salle de rangement.

– Elle est verrouillée ? demanda Stone.

– J'imagine.

– Je suis sûr d'avoir des clés qui conviennent, dit Stone.

– Des clés ? s'écria Caleb. Quelles clés ?

– Ça veut dire, j'imagine, qu'il compte pénétrer dans la salle, dit Annabelle.

– Oliver, tu n'y penses pas ! Je n'étais déjà pas d'accord pour que tu te déguises en savant allemand pour visiter la chambre forte, mais pénétrer par effraction dans la Bibliothèque du Congrès, alors là, j'y suis totalement opposé !

Annabelle considéra Stone avec respect.

– Vous vous êtes fait passer pour un savant allemand ? Impressionnant !

— Je vous en prie, ne l'encouragez pas ! lança Caleb. Oliver, n'oublie pas que je suis fonctionnaire fédéral.

— Mais on ne te le reproche pas, railla Reuben.

— Écoute, Caleb, fit Stone, si on ne pénètre pas dans cette salle, on aura pris des risques pour rien en récupérant les plans. (Il montra les dessins.) Et tu peux voir, ici, que le système de climatisation qui aboutit dans la chambre forte part également de la salle anti-incendie. On pourra vérifier en même temps les deux systèmes.

Caleb secoua la tête.

— Cette pièce est située à côté du principal couloir du sous-sol. Il y a toujours plein de monde qui passe par là. On se fera prendre !

— On peut faire en sorte que personne ne s'étonne de notre présence.

— Il a raison, Caleb, intervint Annabelle.

— Moi aussi, je viens, ajouta Reuben. J'en ai ras le bol de rater tout ce qui est marrant.

— Et nous ? lança Milton.

— Je ne vais pas aller là-bas avec tout un bataillon, gémit Caleb.

— Nous, on peut rester en renfort, dit Annabelle. Dans chaque plan, il faut penser aux imprévus.

Stone la considéra avec curiosité.

— Parfait, vous nous servirez de renforts. On ira ce soir.

— Ce soir ! s'écria Caleb. Il va me falloir au moins une semaine pour me remettre de tout ça. Je suis lessivé.

— Tu y arriveras, dit Milton. J'ai éprouvé la même chose aujourd'hui, mais ça n'est pas si difficile de monter un bobard. Si j'ai pu tromper des architectes, toi, tu pourras le faire sur ton propre lieu de travail. Tu auras facilement du répondant devant des curieux.

— Oh, attendez… est-ce que je suis d'accord ? De toute façon, le temps qu'on arrive là-bas, le bâtiment sera fermé.

— Tu ne peux pas nous faire entrer avec ta carte de la Bibliothèque ?

– Je ne sais pas, peut-être.

– Du calme, Caleb, asséna Stone. Nous n'avons pas le choix.

Caleb soupira.

– Je sais, je sais. Au moins, laisse-moi la satisfaction de faire semblant de me battre.

En souriant, Annabelle lui posa la main sur l'épaule.

– Vous me rappelez quelqu'un que je connais. Il s'appelle Leo : toujours à se plaindre, à râler, mais à la fin on peut toujours compter sur lui.

– Je vais prendre ça comme un compliment, dit Caleb, raide comme la justice.

Stone s'éclaircit la gorge et ouvrit l'un des cahiers qu'il avait apportés.

– Je crois avoir découvert, au moins en partie, contre quoi nous nous battons.

Tout le monde se tourna vers lui, mais avant de prendre la parole, il alluma son poste de radio et des flots de musique classique inondèrent la pièce.

– Simplement au cas où ils auraient posé des micros, expliqua-t-il, avant d'évoquer sa petite promenade jusqu'à la maison de Bob Bradley. Ils ont tué le bonhomme et détruit sa maison. Au début, je croyais que c'était pour appuyer la thèse du groupe terroriste, mais maintenant je me dis qu'il y avait peut-être une autre raison. En dépit de sa réputation d'honnête homme, Bob Bradley était corrompu. Et les preuves de cette corruption ont disparu dans l'explosion.

– Impossible, protesta Caleb. Son prédécesseur était vénal, mais pas Bradley. On l'a installé à ce poste pour nettoyer les écuries.

Stone secoua vigoureusement la tête.

– D'après l'expérience que j'ai de Washington, on n'obtient pas le siège de président de la Chambre sur la promesse d'une opération mains propres. On y arrive grâce à de solides appuis et en bâtissant des alliances au fil des années. Cela dit, l'ascension de Bradley est inhabituelle. Si le chef de la majorité n'avait pas été inculpé avec l'ancien Président, c'est lui qui l'aurait remplacé. Ou à défaut le représentant chargé du vote. Mais la direction était tellement compromise qu'il a fallu faire venir Bradley, comme dans les westerns, lorsqu'on emploie un shérif venu d'ailleurs pour nettoyer une ville. Or je ne pensais pas à ce genre de corruption.

« Le rôle de Bradley comme président de la Chambre a éclipsé une autre de ses fonctions, celle de président de la commission du renseignement à la Chambre des représentants. À cette place, Bradley devait avoir connaissance de presque toutes les opérations clandestines menées par les services de renseignement américains, dont la CIA, la NSA et le Pentagone. Son équipe et lui avaient accès à des informations et à des documents classés secret défense très convoités par nos ennemis. (Il feuilleta son cahier.) Au cours de ces dernières années, un certain nombre d'opérations d'espionnage ont visé les services de renseignement américains, dont quelques-unes ont débouché sur la mort d'agents infiltrés ; récemment, la presse a évoqué l'assassinat de quatre personnes, présentées comme des interprètes du ministère des Affaires étrangères. Et d'après les sources de Reuben, c'est encore pire que ce qui est rapporté dans les médias.

— Tu es donc en train de nous dire que Bradley était un espion ? demanda Milton.

— Je dis que c'est possible.

— Mais si Bradley travaillait avec les ennemis des États-Unis, pourquoi l'auraient-ils tué ?

— Deux raisons me viennent à l'esprit, répliqua Stone. La première, il aura été trop gourmand et réclamé un pactole en échange de services ultérieurs. Ou alors...

— Ou alors c'est nous qui l'avons tué, compléta Annabelle.

Stone opina lentement. Les autres semblaient stupéfaits.

— Nous ? Le gouvernement américain ? s'écria Caleb.

— Pourquoi le tuer ? demanda Milton. Pourquoi ne pas le traduire en justice ?

– Parce que cela risquerait de tout faire éclater au grand jour, dit Stone.

– Et puis la CIA et le Pentagone n'ont peut-être pas envie que l'on sache à quel point ils se sont fait avoir par l'autre côté, ajouta Reuben.

– La CIA n'est pas réputée pour sa tendresse, fit sèchement remarquer Stone. Ils seraient capables d'abattre le président de la Chambre des représentants.

– Mais si l'appareil d'État américain est derrière tout ça, qui sont les gens qui t'ont enlevé et qui t'ont torturé, Oliver ? questionna Milton.

Annabelle lui lança un regard.

– Vous avez été torturé ?

– J'ai été interrogé par des gens très expérimentés.

– Ils ont essayé de te noyer ! explosa Caleb.

– Pour répondre à ta question, Milton, dit Stone, je ne connais pas encore le rôle que tiennent dans cette histoire ceux qui m'ont enlevé. Si Bradley a été éliminé par les services spéciaux, ceux-ci n'ont aucune raison de s'intéresser à ce que nous avons découvert. Ils le savent déjà.

– Mais ça aurait du sens si le service qui a tué Bradley a agi pour son propre compte et si un service concurrent essaye de le contrer, suggéra Annabelle. On assiste peut-être à une guerre des services.

Stone la dévisagea avec un respect accru.

– Hypothèse intéressante. Mais quelle place nous tenons, nous, au milieu de ce pataquès, c'est une autre histoire.

– Vous pensez toujours que la mort de Bradley est liée à celle de Jonathan ? demanda Annabelle.

– Le commun dénominateur à toutes ces affaires, c'est Cornelius Behan, expliqua Stone. Sa visite à la Bibliothèque et son intérêt pour le système de lutte contre l'incendie ne font que renforcer les soupçons. Voilà le lien avec Jonathan. Cornelius Behan. Et pour aller au fond des choses, il faut maintenant découvrir la cause de la mort de Jonathan.

– Et donc pénétrer par effraction dans la Bibliothèque du Congrès, grommela Caleb.

Stone posa la main sur l'épaule de son ami.

– Si ça peut te rassurer, Caleb, dis-toi que ce n'est pas le premier bâtiment officiel que je visite par effraction.

Chapitre 36

Caleb réussit à faire franchir le barrage de la sécurité à Stone et à Reuben en les faisant passer pour des personnalités désireuses de visiter une exposition après les heures d'ouverture. Il s'exécutait néanmoins de mauvaise grâce.

– J'ai l'impression de commettre un délit, se plaignit-il.

– Oh, mais le délit est encore à venir, plaisanta Stone en lui montrant un trousseau de clés. Ce que tu as fait jusqu'ici ne constituait qu'une incivilité mineure.

Caleb le fusilla du regard.

Ils trouvèrent la salle, fermée par des doubles portes que Stone ouvrit grâce à l'une des clés du trousseau. Le matériel de lutte anti-incendie était rangé contre l'un des murs.

– Je comprends maintenant l'utilité des doubles portes, fit Stone.

Les énormes réservoirs cylindriques devaient bien peser chacun une tonne et ne seraient jamais passés par des portes normales. Plusieurs d'entre eux étaient reliés à des tuyaux qui couraient au plafond.

Sur les étiquettes, on pouvait lire « halon 1301 ».

– « Fire Control, Inc. », lut Stone sur les réservoirs. (Il observa ensuite le trajet des tuyaux.) Il y a un robinet, ici, pour ouvrir manuellement l'arrivée de gaz. Et à part les chambres fortes, ces tuyaux doivent alimenter aussi d'autres pièces. Mais je ne vois pas bien quel réservoir alimente tes salles, Caleb.

Reuben regarda par-dessus l'épaule de Stone.

– Et il est difficile de dire s'ils sont vides ou non...

Stone s'avança vers le réseau de climatisation, tira de sa poche le dessin réalisé par Milton et observa un réseau de tuyaux qui montaient directement vers le plafond.

– Pourquoi t'intéresses-tu au système de climatisation, Oliver ? demanda Reuben.

– Si c'est un gaz qui a tué Jonathan, le tueur devait savoir qu'il se trouverait à un endroit précis avant d'ouvrir l'alimentation à partir d'ici.

– C'est vrai, je n'y avais pas pensé, dit Caleb. Mais pour cela, il faut se trouver dans cette salle. Alors comment le tueur pouvait-il savoir que Jonathan irait dans telle ou telle partie de la chambre forte ?

– Je pense qu'il connaissait ses habitudes quotidiennes. Il arrivait invariablement le premier et il visitait toujours certaines salles, y compris celle où il a trouvé la mort.

Reuben hocha la tête d'un air sceptique.

– D'accord, Caleb nous a même appris que le corps de DeHaven se trouvait à environ six mètres des bouches d'arrivée de gaz, ce qui signifie qu'il était à l'endroit idéal. Mais comment la personne qui se tenait ici l'aurait-elle deviné ?

Stone étudia le dessin de Milton puis désigna le système de climatisation.

– Cette canalisation mène directement à la chambre forte en traversant tous les étages.

– Et alors ?

Soudain, il montra quelque chose. Reuben et Caleb s'approchèrent pour observer.

— Pourquoi y a-t-il une trappe d'accès au système d'adduction ? s'étonna Reuben.

Stone ouvrit la petite trappe et jeta un coup d'œil à l'intérieur.

— Caleb, tu te souviens de la bouche d'aération près de l'endroit où se trouvait le corps de Jonathan. La grille était pliée, non ?

— Oui, je me rappelle que tu l'avais souligné. Et alors ?

— On aurait pu installer une caméra reliée à un long câble, cela aurait permis de voir clairement où Jonathan se trouvait ce matin-là. Il suffisait que quelqu'un se tienne ici, avec un écran relié à la caméra, pour voir tout ce qui se passait là-haut, y compris les déplacements de Jonathan.

— Bon sang ! s'écria Reuben. Et ils ont utilisé la gaine de tuyauterie…

— Parce que c'était la seule façon de faire passer un câble. Une liaison sans fil n'aurait pas fonctionné avec tout ce béton, tous ces obstacles. Je pense que si on jette un œil dans le conduit, derrière la grille pliée, on trouvera des indices prouvant qu'on y avait installé une caméra. Quelqu'un devait attendre ici, en bas, et actionner le robinet manuellement en voyant Jonathan sur l'écran ; auparavant, il avait pris la précaution de déconnecter la sirène. En dix secondes, le gaz était propulsé, entraînant la mort.

— Mais il a dû retirer ensuite la caméra, observa Reuben, alors pourquoi n'a-t-il pas redressé la grille ?

— Il a dû essayer, répondit Stone, mais une fois pliées, ces grilles sont difficiles à redresser. (Il se tourna vers Caleb.) Tu te sens bien ?

Caleb avait un visage terreux.

— Si ce que tu dis est vrai, c'est un employé de la Bibliothèque qui a tué Jonathan. Personne d'autre ne peut pénétrer dans la chambre forte sans être accompagné.

— Mais qu'est-ce que c'est que ça ? lança soudain Reuben à voix basse.

Surpris, Stone tourna le regard vers la porte.

— On vient. Vite, aux abris !

Reuben entraîna Caleb, terrifié, et ils se dissimulèrent tous derrière l'appareil de climatisation. Ils avaient à peine disparu que les doubles portes s'ouvrirent, livrant le passage à cinq hommes vêtus de combinaisons bleues, dont l'un conduisait un chariot élévateur. Un sixième personnage tenait à la main une planchette. Ils se rassemblèrent autour de lui.

– Bon, on emmène celle-ci, celle-là, et l'autre, là-bas, dit-il en montrant trois bonbonnes cylindriques, dont deux reliées à la tuyauterie. Et on les remplace par les trois du chariot.

Les ouvriers entreprirent alors de débrancher les énormes cylindres pressurisés, sous l'œil de Stone et des autres.

Reuben jeta un coup d'œil à Stone, qui posa un doigt sur ses lèvres. Caleb, lui, tremblait si fort que Reuben et Stone le prirent chacun par un bras pour tenter de le calmer.

Une demi-heure plus tard, les trois bonbonnes cylindriques étaient fermement attachées sur le chariot élévateur et les trois nouvelles reliées au système de distribution. Puis les hommes quittèrent la pièce, devant le chariot. Dès que les portes se furent refermées, Stone s'approcha des bonbonnes et lut à haute voix les étiquettes.

– FM-200. Dis-moi, Caleb, tu avais bien dit que la Bibliothèque allait supprimer le halon ? Ils doivent le remplacer par ce nouveau gaz.

– J'imagine que c'est ça.

– Bon, on va les suivre, annonça Stone.

– Oh non, Oliver, je t'en prie ! gémit Caleb.

– Si, Caleb, il le faut.

– Je... je ne veux pas... mourir !

Stone le secoua sans ménagement.

– Ressaisis-toi, Caleb ! Tout de suite !

– Tu m'agresses, et je n'aime pas ça !

Stone ignora la remarque.

– Où se trouve le quai de chargement ?

Caleb lui indiqua le chemin, mais au moment où ils s'apprêtaient à sortir de la salle, le téléphone portable de Stone retentit.

C'était Milton qui se trouvait avec Annabelle dans la chambre d'hôtel de cette dernière, et Stone lui raconta leur mésaventure.

– On va suivre ces bonbonnes. Vous, restez où vous êtes.

Milton rapporta à Annabelle les propos de Stone.

– Ça pourrait être dangereux, dit-elle. Ils ne savent pas où ils mettent les pieds.

– Mais qu'est-ce qu'on peut faire, nous ?

– Nous sommes les renforts, n'oublie pas.

Dans le placard, elle prit un sac et en tira une petite boîte.

Milton s'empourpra violemment.

– Ne joue pas les timides, Milton. Les boîtes de tampons font d'excellentes cachettes. (Elle tira de la boîte quelque chose qu'elle glissa dans sa poche.) Ils ont dit que la société s'appelait Fire Control. J'imagine qu'ils vont se rendre à leur entrepôt. On peut trouver l'adresse ?

– Ton hôtel a une liaison Wi-Fi, alors je peux regarder sur Internet.

Déjà, les doigts de Milton couraient sur le clavier de l'ordinateur.

– Bon, dit Annabelle. Est-ce qu'il y aurait un bazar, dans le coin ?

Il réfléchit un instant.

– Oui. Et il ferme tard.

– Parfait.

Chapitre 37

La Chevrolet Nova suivit à bonne distance le camion de Fire Control, Caleb conduisait, Stone était assis à ses côtés et Reuben à l'arrière.

— Pourquoi ne pas laisser la police s'occuper de l'affaire ? se plaignit Caleb.

— Et tu veux lui dire quoi, à la police ?

— Génial ! Alors c'est moi qui dois prendre des risques ? Je ne vois pas pourquoi je paye des impôts !

Le camion tourna une fois à gauche, puis à droite. Après avoir franchi la colline du Capitole, ils s'engageaient dans un quartier miséreux.

— Ralentis, ordonna Stone. Le camion s'arrête.

Caleb se rangea le long du trottoir. Le camion s'était arrêté devant un portail qu'un homme ouvrait à présent de l'intérieur.

— C'est leur entrepôt, dit Stone.

Le camion franchit la grille, qui se referma après son passage.

— Bon, eh bien, on ne peut rien faire de plus, conclut Caleb avec soulagement. On rentre au bercail. Après cette soirée cauchemardesque, j'ai besoin d'un bon cappuccino.

— Non, lâcha Stone. On entre.

— Tout à fait, renchérit Reuben.

— Vous n'êtes pas fous, tous les deux ? s'écria Caleb.

— Tu peux nous attendre dans la voiture, grommela Stone. Mais il faut qu'on aille vérifier ce qu'il y a dans cet entrepôt.

— Et si vous vous faites pincer ?

— Eh bien, on se fera pincer, voilà tout. Mais je crois que ça vaut le coup.

— Et je peux rester dans la voiture ? demanda lentement Caleb.

— Si on est amenés à déguerpir rapidement, répliqua Stone, il vaut mieux que tu restes dans la voiture, prêt à partir.

— Bon, si tu le dis. (Caleb serra les mains sur le volant et prit un air farouche.) Ça m'est déjà arrivé de démarrer sur les chapeaux de roue !

Stone et Reuben se glissèrent hors de la voiture et se dirigèrent vers la grille. Dissimulés derrière une pile de vieilles planches, ils observèrent le camion garé dans un coin du terrain. Les ouvriers en descendirent et gagnèrent le bâtiment principal. Quelques minutes plus tard, en vêtements de ville, ils quittèrent les lieux à bord de leurs véhicules personnels. Un vigile verrouilla le portail derrière eux et retourna dans le bâtiment.

— Le mieux serait d'escalader le grillage de l'autre côté, là où le camion est garé, suggéra Reuben. Comme ça, le camion se trouvera entre nous et le bâtiment au cas où le vigile sortirait à nouveau.

— Bien vu.

Ils gagnèrent l'autre côté, mais avant de grimper Stone jeta un bâton sur le grillage pour s'assurer qu'il n'était pas électrifié.

— Sage précaution, nota Reuben.

Ils escaladèrent le grillage, se laissèrent silencieusement glisser de l'autre côté, et, courbés en deux, se dirigèrent vers le camion. À mi-chemin, Stone s'immobilisa et fit signe à Reuben de se jeter à plat ventre. Ils scrutèrent en vain les lieux pendant une minute avant de se remettre en route. Soudain, Stone bifurqua vers un petit bâtiment en béton. Reuben le suivit en toute hâte. La porte était verrouillée, mais Stone en vint à bout sans peine.

La pièce était pleine de grosses bonbonnes cylindriques. Stone promena autour de lui le pinceau d'une lampe de poche. Il y avait des outils sur un établi, et dans un coin, un pistolet à peinture à côté de boîtes de peinture et de solvant. Accrochés à un mur, un réservoir à oxygène portatif et un masque. Grâce à sa lampe de poche, Stone lut à haute voix les inscriptions portées sur certaines bonbonnes :

– FM-200. Inergen. Halon 1301, CO_2, FE-25.

Il s'interrompit et revint à la bonbonne de CO_2, examinant l'inscription de plus près.

– Regarde, lança alors Reuben en lui montrant une affiche sur l'un des murs.

– Fire Control. On le sait déjà, dit Stone impatiemment.

– Lis ce qu'il y a écrit en dessous.

Stone se raidit.

– Fire Control est une filiale de Paradigm Technologies.

– La société de Cornelius Behan, murmura Reuben.

– Ce qui signifie qu'il a menti à Caleb en prétendant ne pas savoir ce qu'était la bouche de gaz dans la chambre forte.

Assis au volant de la Nova, Caleb s'impatientait, le regard rivé sur le grillage.

– Allez, lança-t-il à haute voix. Qu'est-ce qui prend si longtemps ?

Soudain, il plongea de côté sur le siège : une voiture passait à côté de lui et se dirigeait vers l'entrepôt. Lorsqu'il se redressa, il crut que son cœur allait s'arrêter. C'était une voiture de vigiles, accompagnés d'un gros berger allemand.

Il tira de sa poche son téléphone portable pour appeler Stone, mais la batterie était à plat.

– Bon Dieu ! grommela-t-il. Tu peux y arriver, Caleb, tu peux y arriver ! lança-t-il à mi-voix.

Pour se donner du courage, il déclama l'un de ses poèmes favoris, *La Charge de la brigade légère*, de Tennyson.

« Une demi-lieue, une demi-lieue / Une demi-lieue en avant / Dans la vallée de la mort / Chevauchaient les six cents. / En avant la brigade légère ! / Chargez pour les canons ! Il dit : / Dans la vallée de la mort / Chevauchaient les six cents. »

Puis il releva la tête et contempla le drame qui se déroulait sous ses yeux, avec chien d'attaque et hommes armés. Son échine se courba et ce qui lui restait de courage s'envola lorsqu'il se rappela que la fameuse brigade légère avait été anéantie.

– Tennyson ne connaissait rien au danger ! s'écria-t-il à haute voix.

Il descendit pourtant de voiture et se dirigea d'un pas hésitant vers le grillage.

Pendant ce temps, Stone et Reuben s'avançaient vers le camion.

– Surveille les environs pendant que je jette un œil, chuchota Stone.

Il grimpa dans le camion, dont la plate-forme était entourée de lattes de bois pour maintenir la cargaison. Le pinceau lumineux de sa lampe lui révéla que toutes les bonbonnes, sauf une, portaient l'inscription Halon 1301. Sur l'autre, il lut FM-200. Stone tira de la poche de sa veste un petit flacon de térébenthine et un chiffon dérobés dans l'entrepôt et entreprit de frotter l'inscription FM-200.

– Allez, allez, dit Reuben, inquiet, le regard virevoltant dans toutes les directions.

Lorsque la plus grande partie de la peinture eut disparu, sa lampe lui révéla le contenu réel.

– CO_2. 5 000 ppm, déchiffra-t-il à haute voix.

– Merde ! siffla Reuben. Fous le camp, Oliver !

Le chien descendait de la voiture des vigiles, près du portail.

Stone sauta à terre, et, dissimulés par le camion, les deux amis se ruèrent vers le grillage. Mais le camion n'empêcha pas le chien de renifler leur odeur et de se précipiter à leur poursuite, suivi par les deux vigiles.

Stone et Reuben atteignirent pourtant le grillage et entreprirent de l'escalader, mais le chien, plus rapide, planta ses crocs dans la jambe du pantalon de Reuben.

Dissimulé dans l'obscurité, Caleb assistait à la scène, impuissant, mais cherchant à rassembler son courage pour une hypothétique intervention.

— Ne bougez plus ! lança une voix.

Reuben tentait de dégager sa jambe, mais le chien ne lâchait pas prise. Baissant le regard, Stone aperçut les deux vigiles qui braquaient leurs pistolets sur eux.

— Descendez de là, sinon le chien va vous arracher la jambe, s'écria l'un des vigiles. Tout de suite !

Lentement, Stone et Reuben obtempérèrent. Le vigile rappela le chien, qui recula un peu, les babines toujours retroussées.

— Je crois qu'il s'agit d'un malentendu, commença Stone.

— Mais oui, vous raconterez ça aux flics, répondit l'autre vigile en ricanant.

— On va s'en occuper, les gars, claironna une voix féminine. Merci pour tout.

Les regards convergèrent vers la femme qui avait parlé. Annabelle se trouvait derrière la grille, devant une berline noire, en compagnie de Milton, vêtu d'un coupe-vent bleu et coiffé d'une casquette portant l'inscription FBI.

— Qui êtes-vous ? lança l'un des vigiles.

— Agents McCallister et Dupree, du FBI.

Elle exhiba sa carte et ouvrit sa veste de façon à révéler sa plaque et l'arme qu'elle portait dans un étui à la ceinture.

— Ouvrez le portail et retenez votre clébard, ajouta-t-elle d'un ton sec.

— Qu'est-ce que le FBI fabrique par ici ? dit le vigile, qui ne s'en précipita pas moins pour ouvrir le portail.

Ils pénétrèrent dans l'enceinte de l'entrepôt et Annabelle se tourna vers Milton.

– Passe-leur les menottes et récite-leur leurs droits.

Milton sortit deux paires de menottes de ses poches et s'avança vers Stone et Reuben.

– Attendez un instant, objecta l'autre vigile. Nous avons pour consigne d'appeler la police quand nous attrapons des intrus.

Annabelle toisa le jeune homme au visage poupin.

– Ça fait longtemps que vous travaillez dans la, euh… sécurité, mon garçon ?

– Treize mois. Et j'ai mon permis de port d'arme, précisa-t-il, sur la défensive.

– Je n'en doute pas. Mais baissez quand même votre machin, avant de tuer quelqu'un. Quelqu'un comme moi, par exemple. (À regret, il rengaina son arme, tandis qu'une nouvelle fois Annabelle exhibait sa carte.) Ça vaut tous les agents de la police locale, vous croyez pas ?

C'était cette carte, fort bien imitée par Freddy, qu'Annabelle avait prise dans sa boîte de tampons.

Le vigile déglutit, visiblement dans ses petits souliers.

– Mais on a des procédures à respecter.

D'un geste, il désigna Stone et Reuben, à qui Milton était en train de passer les menottes. Sur le dos de son coupe-vent, s'étalaient également les trois lettres FBI. Tout leur attirail provenait du bazar près de l'hôtel d'Annabelle.

– Et ils sont entrés par effraction, ajouta-t-il.

Annabelle éclata de rire.

– Par effraction ! (Elle mit les mains sur les hanches.) Vous savez à qui vous avez affaire, là ? Vous le savez ?

Les deux vigiles échangèrent un regard.

– À deux vieux clodos ?

– Dis donc, toi, espèce de petit salopard !

Feignant la colère, Reuben, menotté, s'avança vers eux. Aussitôt, Milton tira son arme de son étui et posa le canon sur sa tempe en hurlant :

– Ferme ta gueule, connard, ou j'te fais éclater la cerbemme !

Aussitôt, Reuben se figea.

— Le grand gars sympa, là, c'est Randall Weathers, qui a sur le dos quatre inculpations pour trafic de drogue et blanchiment d'argent, deux inculpations de meurtre et attentat à l'explosif contre le domicile d'un juge en Géorgie. L'autre s'appelle Paul Mason, alias Peter Dawson, et je vous fais grâce d'une quinzaine d'autres noms d'emprunt. Cette enflure est en contact direct avec une cellule terroriste islamiste opérant secrètement au sein du Capitole. On a placé sous surveillance son téléphone portable et son courrier électronique. Apparemment, ils faisaient une reconnaissance avant de venir voler du gaz explosif. Cette fois-ci, je crois qu'ils visaient la Cour suprême. Ils devaient garer un camion bourré de gaz devant le bâtiment et pulvériser en même temps les neuf juges. (Elle jeta un regard de dégoût sur Stone et Reuben.) Cette fois-ci, les gars, vous allez plonger. Et pour longtemps, ajouta-t-elle d'un ton menaçant.

— Putain, Earl, dit l'un des vigiles à son collègue. Des terroristes !

Annabelle tira un calepin de sa poche.

— Je vais prendre vos noms. Le FBI va vouloir savoir qui remercier pour l'arrestation de ces deux-là. (Elle sourit.) M'est avis que vous allez avoir une sacrée promotion.

Les deux vigiles échangèrent un regard en souriant.

— Putain ! s'écria le dénommé Earl.

Lorsqu'ils eurent décliné leurs identités, Annabelle lança à l'adresse de Milton :

— Mets-les dans la voiture, Dupree. On va les ramener au quartier général le plus rapidement possible. (Elle se tourna vers les vigiles.) On va prévenir la police locale, mais seulement après avoir interrogé nos deux gaillards…

Ils lui adressèrent un sourire complice.

— Faites-leur cracher le morceau, dit Earl.

— Comptez sur nous.

Ils firent grimper Stone et Reuben à l'arrière et démarrèrent. Caleb attendit que les vigiles aient disparu pour se ruer dans sa

Nova et suivre la voiture d'Annabelle. Pendant ce temps-là, Milton ôtait les menottes de Stone et de Reuben.

– Dis donc, Milton, t'as fait fort, là, lança fièrement Reuben.

Milton, ravi, ôta sa casquette de base-ball, laissant échapper son long catogan.

– Quand vous dites que vous êtes du renfort, c'est pas du flanc. Merci, dit Stone à Annabelle.

– Quand on a mis le doigt dans l'engrenage… Bon, et maintenant, où va-t-on ?

– Chez moi, répondit Stone. Il faut qu'on discute.

Chapitre 38

Au volant de sa voiture de location, Roger Seagraves roulait lentement dans les rues tranquilles de ce quartier aisé de Washington. Il tourna à gauche dans Good Fellow Street. À cette heure, la plupart des grandes demeures étaient plongées dans l'obscurité. Il passa devant la maison de Jonathan DeHaven sans même lui accorder un regard. Une nouvelle tornade s'approchait et leur répétition commençait à le lasser. Mais le piège était parfait, il ne pouvait y renoncer. Il poursuivit sa route à la même allure, comme s'il admirait les vieilles bâtisses, fit le tour du pâté de maisons et descendit la rue parallèle, scrutant les moindres détails.

Mais observer un quartier et élaborer un plan étaient deux choses différentes. Il lui fallait du temps pour réfléchir. Il avait pourtant remarqué un détail : quelqu'un espionnait avec des jumelles depuis une fenêtre de la maison située juste en face de celle de Behan. Mais que guettait-il ? De toute façon, il faudrait tenir compte de cela dans le plan.

Roger Seagraves gara sa voiture sur le parking d'un hôtel. Une serviette à la main, il gagna le bar, prit un verre puis s'engouffra dans l'ascenseur, comme s'il montait à sa chambre. Il attendit une heure, puis descendit par l'escalier, sortit par une autre porte et monta dans une autre voiture qui l'attendait sur un parking voisin. Il avait encore quelque chose à faire ce soir-là, avant de songer à un nouveau meurtre.

Il gagna un motel, se gara et tira une clé de sa poche. Puis, en quelques pas rapides, il se retrouva devant une chambre du premier étage, donnant sur le parking. Il pénétra à l'intérieur mais n'alluma pas la lumière, et se rendit directement dans la chambre voisine par la porte communicante. Seagraves se dévêtit et se glissa dans le lit à côté d'elle. Elle avait la peau douce et chaude, les courbes voluptueuses, et surtout elle occupait un poste important à la NSA.

Au bout d'une heure, la satisfaction fut réciproque. Il s'habilla et alluma une cigarette tandis qu'elle se douchait. En venant ici, elle avait pris les mêmes précautions que lui ; cela dit, la NSA avait trop d'employés pour les surveiller tous. De toute façon, sa conduite n'avait jamais éveillé le moindre soupçon et c'était d'ailleurs en partie pour cela qu'il l'avait recrutée. Enfin, ils étaient tous les deux célibataires, et si leurs rendez-vous venaient à être découverts, on pourrait n'y voir qu'une simple relation sexuelle entre adultes consentants ; certes, ces deux adultes étaient employés des services de renseignement, mais, jusqu'à preuve du contraire, cela ne constituait pas un délit aux États-Unis.

Dans la douche, l'eau cessa de couler. Il frappa à la porte de la salle de bains avant d'entrer, l'aida à sortir de la cabine, l'étreignit doucement et l'embrassa.

– Je t'aime, lui murmura-t-elle à l'oreille.

– Tu veux dire que tu aimes l'argent.

– Ça aussi, roucoula-t-elle.

Elle se serra contre lui.

– Une seule fois dans la soirée, dit-il. Je n'ai plus dix-huit ans.

Elle posa alors les mains sur ses épaules musclées.

– On s'y tromperait.

– La prochaine fois !

Il lui administra une forte claque sur la fesse, y laissant une marque rouge.

Elle le poussa contre le mur, ses seins mouillés trempant sa chemise, et lui passa rudement la main dans les cheveux tandis qu'il fouillait sa bouche avec sa langue.

– Mmm, tu es tellement sexy, gémit-elle.

– Oui, c'est ce qu'on dit.

Il voulut s'écarter, mais elle l'en empêcha.

– Le virement arrivera comme prévu ? demanda-t-elle lorsque la langue de Seagraves lui laissa quelque répit.

– Dès que j'aurai touché mon fric, tu toucheras le tien, ma jolie.

Elle roucoula de nouveau, il lui administra une claque sur l'autre fesse, lui laissant une marque encore plus rouge, et cette fois elle le laissa s'écarter.

Eh oui, espèce d'idiote, songea-t-il, *tout ça c'est pour l'argent.*

Tandis qu'elle terminait sa toilette, il regagna la chambre, alluma la lumière et tira du sac à main, posé sur la table de nuit, un appareil photo numérique. Il en sortit la carte mémoire de vingt gigas, gratta avec l'ongle un petit copeau de placage noir et contempla quelques instants le minuscule objet. En dépit de sa taille, il valait au moins dix millions de dollars, peut-être plus ; un acheteur du Moyen-Orient était prêt à verser une telle somme pour que les États-Unis ignorent ses projets de meurtres et de destructions.

Les informations contenues dans ce petit bijou noir équilibreraient le combat, au moins jusqu'au moment où la NSA se rendrait compte que son nouveau programme de surveillance avait été déjoué et déciderait d'en changer. Seagraves recevrait un nouvel appel, et lui aussi, de son côté, donnerait un nouveau coup de téléphone. Quelques jours plus tard, il se rendrait dans un autre motel, baiserait à nouveau la dame, gratterait un bout de placage et toucherait une fois encore dix millions de dollars. La répétition était son fonds de commerce. Ils continueraient ainsi, jusqu'à ce que la NSA comprenne que la taupe se trouvait dans ses propres services. Seagraves, alors, mettrait un terme à ses opérations au sein de cette agence, au moins provisoirement, parce que les bureaucrates ont tendance à avoir la mémoire courte. Entre-temps, il rechercherait une nouvelle cible. Il y en avait tellement...

À l'aide d'un bout de chewing-gum, il fixa le morceau de placage derrière l'une de ses incisives. Puis il passa dans la première chambre, celle par laquelle il était entré, où des vêtements l'attendaient dans un placard. Il prit une douche, se changea, puis sortit de l'hôtel, marcha un moment et monta dans un autobus jusqu'à une agence de location de voiture, et rentra chez lui au volant de ce nouveau véhicule.

Il passa une heure à extraire les informations contenues dans la carte mémoire et une autre à les crypter pour les transmettre à leur nouveau destinataire. Sa tâche terminée, il se mit au lit.

De retour dans sa petite maison au bord du cimetière, Stone informa rapidement les autres de sa découverte. Dès qu'il eut cité les lettres cachées sur la bonbonne, « CO_2, 5 000 ppm, » Milton bondit sur son ordinateur portable pour chercher des informations sur Internet.

– Le dioxyde de carbone n'est presque jamais utilisé dans les lieux publics. S'il parvient à étouffer les incendies, c'est qu'il supprime instantanément l'oxygène de l'air. À une concentration de 5 000 ppm, il serait rapidement fatal à quelqu'un se tenant tout près ; la personne serait asphyxiée avant d'avoir pu fuir. Et ça n'est pas une façon agréable de mourir.

Annabelle fut prise d'une sorte de quinte de toux et gagna la fenêtre.

– Et j'imagine qu'il a un effet refroidissant, dit Stone en jetant un regard inquiet en direction d'Annabelle.

Milton acquiesça sans quitter des yeux l'écran de son ordinateur.

– Avec les systèmes à haute pression, il y a une décharge de particules de glace sèche. On appelle ça un « effet neige » parce qu'elles absorbent rapidement la chaleur, réduisent la température ambiante et préviennent la reprise du feu. À température normale, cette neige se transforme en vapeur et ne laisse aucun résidu. Lorsqu'on a découvert Caleb et DeHaven dans la chambre forte, le niveau de CO_2 avait dû revenir presque à la normale, et s'il faisait encore un peu frais, on pouvait mettre cela sur le compte de la climatisation, toujours poussée à fond.

– Mais si DeHaven est mort asphyxié par le CO_2, est-ce qu'on n'en aurait pas retrouvé des traces à l'autopsie ? demanda Reuben.

Tandis qu'ils parlaient, les doigts de Milton ne cessaient de voler sur le clavier.

– Pas forcément. Voilà ce que je viens de trouver sur le site d'une association de médecins légistes. Alors que la couleur rouge cerise de la peau permet de conclure, lors de l'autopsie, à la présence de monoxyde de carbone, le dioxyde de carbone, lui, ne laisse pas de traces aussi nettes. La seule façon de détecter une quantité trop minime d'oxygène chez quelqu'un, c'est de procéder à un test sanguin, mais ce test n'est réalisé que chez une personne vivante pour permettre de voir si on peut augmenter chez elle le taux d'oxygène. On ne le fait jamais au cours d'une autopsie, tout simplement parce que le sujet est mort.

– D'après ce que j'ai entendu dire par la suite, la mort de Jonathan a été constatée dans la chambre forte, déclara Caleb. On ne l'a même pas emmené en réanimation.

– C'est pour des raisons évidentes que je me suis intéressé à la bonbonne portant l'inscription FM-200, dit Stone.

– Je ne vois pas ce que tu veux dire, fit Reuben.

– La Bibliothèque est en train de supprimer le système au halon. Si je ne me trompe pas, et s'ils ont bien amené une bonbonne pleine de CO_2 avec une fausse inscription, ils n'allaient pas rapporter à la Bibliothèque une bonbonne de halon : cela aurait éveillé les soupçons.

– C'est vrai. Ils ont dû rapporter une bonbonne du gaz qu'ils utilisent maintenant à la place du halon. Du FM-200, ajouta Caleb. Et l'autre, ils l'ont emportée ce soir avec des bonbonnes de halon. Si on n'avait pas été là, personne ne l'aurait remarqué.

– Et je suis sûr que la bonbonne reliée à la tuyauterie ce soir était bourrée de halon. La bonbonne vide contenant le dioxyde de carbone a dû être déconnectée aussitôt après avoir été vidée. Donc, si la police avait vérifié, elle n'aurait rien trouvé. Elle n'allait pas contrôler toutes les bonbonnes. Et même dans ce cas, les flics l'auraient envoyée à Fire Control.

– Le crime parfait, dit Annabelle en se rasseyant. La question du mobile demeure…

– Ça nous ramène à Cornelius Behan, dit Stone. Maintenant, nous savons que le halon du système anti-incendie a été remplacé par du CO_2. Nous savons aussi que Fire Control appartient à Behan. Conclusion, c'est lui qui a fait tuer DeHaven. Behan s'est pointé à la Bibliothèque pour voir Caleb le jour même où on changeait les bonbonnes. Je suis sûr qu'il essayait de vérifier si on s'intéressait aux bouches de gaz. Et il doit exister des liens entre Behan et Bob Bradley.

– Bradley et Behan faisaient peut-être partie du réseau d'espions qui sévit à Washington, suggéra Reuben. Bradley a pu venir rendre visite à Behan chez lui et Jonathan a vu ou a entendu des trucs qu'il aurait pas dû. Ou alors il a surpris quelque chose qui permettait d'imputer à Behan le meurtre de Bradley. Behan s'en est rendu compte, et il a fait tuer DeHaven avant qu'il n'ait pu ébruiter l'affaire.

– C'est possible, dit Stone. Il y a beaucoup de pistes à explorer, alors il faut qu'on se répartisse les tâches. Caleb, demain matin à la première heure, il faut que tu regardes derrière la grille de la climatisation pour voir si on y a installé une caméra. Ensuite, examine les bandes des caméras de surveillance pour voir qui a pénétré dans la chambre forte.

– Quoi ? s'exclama Caleb. Pourquoi ?

– Tu as dit toi-même que celui qui a tué Jonathan devait avoir accès à la fois à la Bibliothèque et à la chambre forte. Je veux savoir qui s'est rendu dans cette chambre forte quelques jours avant la mort de DeHaven et ensuite après son meurtre.

— Je ne peux quand même pas réclamer les bandes aux agents de la sécurité ! Quelle raison pourrais-je invoquer ?

— Je peux vous aider à en trouver une, Caleb, dit Annabelle.

— Oh, magnifique, grommela Reuben. D'abord Milton peut aller faire joujou avec la dame, et maintenant c'est Caleb. Et moi ? Et moi ?

— Bon, Reuben, dit Stone, je veux que tu passes un coup de fil anonyme à la police de Washington et que tu lui refiles l'info à propos de la bonbonne de CO_2. Appelle depuis un téléphone public, de façon qu'ils ne puissent pas retrouver ta trace. Je ne sais pas s'ils prendront ton tuyau au sérieux, de toute façon, le temps qu'ils arrivent là-bas, il sera probablement trop tard, mais ça vaut le coup d'essayer.

— Mais est-ce que ça ne signalera pas à certains que nous sommes sur leur piste ? s'enquit Caleb.

— Peut-être, répondit Stone. Mais pour l'instant, c'est la seule preuve matérielle que nous ayons du meurtre de DeHaven. Après cela, Reuben, et dès ce soir, je veux que tu surveilles Good Fellow Street.

— C'est pas un endroit très commode pour espionner les gens, Oliver. Où veux-tu que je me mette ?

— Caleb peut te donner la clé et le code pour entrer dans la maison de DeHaven. Tu n'auras qu'à passer par-derrière pour que personne ne te voie.

— Et moi, je fais quoi ? demanda Milton.

— Dégote tout ce qui a pu lier Bob Bradley et Cornelius Behan. Il faut explorer la moindre piste.

— Et vous, Oliver, qu'allez-vous faire ?

— Je vais réfléchir.

Tandis que les autres s'en allaient, Annabelle prit Caleb à part.

— Vous faites vraiment confiance à votre copain Oliver ?

Caleb blêmit.

— Je lui confierais ma vie. D'ailleurs, ça s'est déjà produit.

— Je dois reconnaître qu'il semble savoir ce qu'il fait.

– C'est le moins qu'on puisse dire ! Mais vous avez dit que vous pouviez m'aider pour cette histoire des bandes vidéo. Comment cela ?

– Quand j'aurai trouvé une solution, vous serez le premier à la connaître.

Chapitre 39

À 10 h 35, l'État du New Jersey connut son premier tremble-ment de terre depuis plusieurs dizaines de milliers d'années. L'épicentre se situait à Atlantic City, sur le front de mer, à l'en-droit même où s'élevait le casino Pompeii. D'abord, Jerry Bagger était entré lentement en éruption. Les premières secousses avaient eu lieu à 10 heures du matin tapantes, lorsque ses quarante huit millions de dollars n'étaient pas revenus. À 10 h 30, il apprit qu'on ignorait où se trouvait l'argent ; alors, même ses gardes du corps se tinrent un peu en retrait. Cinq minutes plus tard, son directeur financier informa le roi du casino, après consultation avec El Banco, que non seulement il ne percevait pas ses huit millions de dollars d'intérêts, mais pas davantage ses quarante millions d'origine, puisque la banque ne les avait jamais reçus.

D'emblée, Bagger tenta de tuer le messager. Fou de rage, il aurait battu à mort le financier si ses gardes du corps ne l'avaient pas retenu. Bagger se rua sur son téléphone, appela El Banco en menaçant de prendre le premier avion et de les étri-per tous jusqu'au dernier. Le président de la banque le défia de mettre sa menace à exécution, confiant, lui dit-il, dans la petite armée qui gardait ses bâtiments, équipée de chars et d'artillerie.

En revanche, la banque lui envoya un relevé prouvant que les trois premiers virements avaient bel et bien été effectués. Et que des fonds correspondant à dix pour cent de ces sommes sur deux jours avaient été versés sur le compte de Bagger. À trois reprises, la totalité de l'argent avait été reversée sur l'un de ses comptes. En revanche, le quatrième virement ne leur était jamais parvenu. Lorsque le service comptable du casino examina plus attentivement le reçu électronique, on découvrit que le code d'autorisation de la banque était incomplet, mais il aurait fallu un examen extrêmement minutieux pour s'en apercevoir au premier abord.

En apprenant la nouvelle, Bagger s'en prit au chef du service comptable. Deux heures plus tard, après une enquête approfondie, on intercepta un logiciel espion fort perfectionné, placé dans le système informatique du casino, permettant à un tiers de détourner les virements bancaires. Aussitôt, Bagger demanda une arme et convoqua dans son bureau le directeur de son service informatique ; prudent, celui-ci préféra prendre la fuite, mais les hommes de Bagger le rattrapèrent à Trenton. Après un interrogatoire digne des questionneurs de Guantanamo, il apparut que l'homme n'avait pris aucune part à l'escroquerie et avait été abusé. Pour toute récompense, il eut droit à une balle dans la tête, tirée par le roi du casino lui-même. Plus tard, cette nuit-là, le corps fut transporté sur un terrain d'enfouissement des déchets. Pourtant, en dépit de toute l'énergie déployée pour calmer le volcanique Bagger, la terre n'en finit pas de trembler.

– Je tuerai cette salope, vous m'entendez ?

Planté devant la fenêtre de son bureau, Bagger hurlait comme s'il s'adressait aux badauds qui déambulaient dans les rues du bord de mer. Il revint à sa table et sortit la carte d'un tiroir. Pamela Young, International Management, Inc. Il déchira la carte en petits morceaux et jeta un regard fou au chef de la sécurité.

– Patron, je vous en prie, il faut garder la tête froide. Le directeur financier est à l'hôpital, avec le type des virements bancaires.

Et vous avez buté vous-même le chef du service informatique. Ça fait beaucoup pour un seul jour. Déjà, l'avocat nous prévient que ça va être dur de tenir la police à l'écart de cette histoire.

– Je la retrouverai, dit Bagger, regardant une nouvelle fois par la fenêtre. Je la retrouverai. Et je la tuerai lentement.

– Ça se fera comme vous dites, patron, dit le gorille d'un ton encourageant.

– Quarante millions de dollars à moi ! Quarante millions ! s'écria Bagger, les yeux si exorbités que le chef de la sécurité battit en retraite vers la porte.

– On la retrouvera, je vous le jure, patron.

Bagger sembla se calmer un peu.

– Je veux que tu rassembles tout ce que tu peux trouver sur cette salope et sur la raclure qui lui sert de complice. Prends les bandes des caméras de surveillance et fais-les tourner, qu'on arrive à les identifier. C'est pas une petite arnaqueuse de bas étage. Et demande aux flics à qui on graisse la patte de venir relever les empreintes dans sa chambre. Tire toutes les ficelles possibles.

– Entendu, patron.

L'homme se hâta vers la sortie.

– Attends ! Personne doit savoir que je me suis fait baiser, t'entends ? Jerry Bagger n'est pas un pigeon. C'est compris ?

– Tout à fait, patron. Tout à fait.

– Eh bien, fonce !

Bagger s'assit à son bureau et contempla les petits bouts de carte de visite éparpillés sur le tapis. *Quand j'en aurai fini avec elle*, songea-t-il, *elle ressemblera à ça.*

Chapitre 40

– Vous avez l'air bien heureux ce matin, Albert, nota Seagraves.

Installés dans le bureau de Trent, au Capitole, ils buvaient leur café dans des gobelets en carton.

– Le marché a enregistré une forte hausse, hier. Mon portefeuille d'actions se porte bien.

Seagraves glissa un dossier sur la table.

– Tant mieux pour vous. Voici le dernier rapport de la CIA. Deux hauts responsables vous feront un exposé circonstancié. Vos services ont une semaine pour examiner ce rapport, et ensuite nous déciderons d'une date pour la rencontre.

Trent prit les papiers et opina.

– Je vais vérifier l'emploi du temps des membres de la commission et je vous proposerai quelques dates. Il y a des surprises, là-dedans ? ajouta-t-il en tapotant la liasse.

– C'est confidentiel.

– Ne vous inquiétez pas, j'y suis toujours très attentif.

Trent apporterait le document chez lui, et obtiendrait ensuite rapidement toutes les informations lui permettant de transmettre les secrets de la NSA.

Une fois dehors, Seagraves descendit à petites foulées les marches du Capitole. *Et dire que les espions, autrefois, jetaient leurs informations dans le parc et ramassaient ensuite leur argent soit au même endroit, soit dans une boîte postale...* C'était souvent dans l'un de ces deux endroits qu'ils se faisaient coffrer.

Pour l'heure, un détail le tourmentait. Son informateur au sein de Fire Control. lui avait communiqué une information inquiétante. La veille, des vigiles avaient coincé deux types qui fouinaient dans l'entrepôt mais avaient été obligés de les remettre au FBI. Discrètement contacté par ses soins, le FBI avait pourtant nié toute implication dans cette affaire. Son informateur lui avait également appris qu'un troisième type tournait autour des locaux, cette nuit-là, au volant d'une vieille Chevrolet Nova. Le moment était venu de remédier à cette situation. Avec son goût du détail, Seagraves ne pouvait laisser passer une telle occasion ; une rencontre en face à face peut toujours se révéler utile par la suite.

Ce matin-là, en ouvrant les portes de la salle de lecture, Caleb fit la rencontre de Kevin Philips. Ils discutèrent un moment de Jonathan et des événements en cours à la Bibliothèque. Caleb lui demanda ce qu'il en était de l'installation du nouveau système de lutte contre l'incendie, mais Philips n'en savait rien.

— Je ne suis pas sûr qu'ils aient tenu Jonathan au courant, lui dit Philips. Il ne devait même pas savoir quel gaz on utilisait.

— Je n'en doute pas, grommela Caleb.

Après le départ de Philips, et alors qu'il n'y avait encore personne dans la salle, Caleb sortit d'un tiroir de son bureau un tournevis et une lampe stylo. Tournant le dos à la caméra de surveillance, il glissa les deux objets dans sa poche et pénétra dans la chambre forte. Il gagna l'étage supérieur, évitant de regarder l'endroit où son ami avait trouvé la mort, puis entreprit de dévisser la grille du conduit de gaz ; il remarqua alors que les vis se délogeaient facilement, comme si on les avait ôtées récemment. Il posa la grille sur une étagère et braqua le faisceau de la lampe dans l'ouverture. D'abord, il ne vit rien d'inhabituel, puis finit par remarquer un trou de vis dans la paroi du conduit. Peut-être y avait-il une caméra accrochée à cet endroit. Il reprit la grille tordue et l'examina ; compte tenu de l'endroit où se trouvait le trou de vis, une caméra aurait pu embrasser une grande partie de la salle.

Il remit la grille en place, quitta la chambre forte et appela Stone pour lui faire part de sa découverte. Il venait à peine de se mettre au travail lorsque quelqu'un fit son apparition.

– Salut, Monty, qu'est-ce que tu apportes, là ?

Monty Chambers tenait à la main divers ouvrages. Il portait encore son tablier vert de travail et ses manches de chemise retroussées.

– La *Doctrina* et le *Constable's Pocket Book.*

– Tu étais occupé, dis-moi. Je ne savais même pas que la *Doctrina* était sortie pour restauration.

La *Doctrina breve,* rédigée par Juan de Zumarraga, premier évêque de Mexico, datait de 1544, et avait l'insigne honneur d'être le livre complet le plus ancien publié dans l'hémisphère nord. Le *Constable*, lui, datait de 1710.

– C'est Kevin Philips qui l'a demandé, répondit Chambers, voilà trois mois. Même chose pour le *Constable.* Y avait pas grand-chose, mais j'avais du travail en retard. Je le rapporte dans la chambre forte ou tu t'en charges ?

– Hein ? Oh, je le ferai, merci.

Il posa les ouvrages enveloppés sur sa table, songeant à la petite fortune qu'ils représentaient.

– Je m'attaquerai bientôt à ton Faulkner, murmura Chambers. Ça pourra prendre du temps. Il a été abîmé par l'eau.

– Oui, très bien, merci.

Chambers s'éloigna mais Caleb le rappela aussitôt.

– Euh… Monty…

– Oui ?

– Tu as vérifié récemment notre exemplaire du *Bay* ?

– Le *Bay* ? Pourquoi ?

– Je me disais seulement que ça faisait un bout de temps que je ne l'avais pas vu. Des années, en fait.

– Eh bien, moi non plus. On ne peut pas aller voir le *Bay* comme ça. Il est dans la section des trésors nationaux.

Caleb acquiesça. Il avait l'autorisation d'accéder à presque tous les livres et documents qu'abritaient les chambres fortes, mais le *Bay* et quelques autres ouvrages catalogués comme « trésors nationaux », étaient rangés séparément. En cas de guerre ou de catastrophe naturelle, ils devaient être évacués en priorité et mis à l'abri.

Plus loquace qu'à l'accoutumée, Chambers reprit :

– Ça fait longtemps que je leur ai dit qu'il fallait réparer la couverture, refaire les coutures et renforcer le dos, tout ça réversible, bien sûr, mais ils n'ont jamais rien décidé. Je ne sais pas pourquoi. Mais s'ils ne font rien, le *Bay* ne tiendra plus très longtemps. Tu ne veux pas leur en parler ?

– Entendu. Merci, Monty.

Après le départ de Chambers, Caleb s'interrogea sur le parti à adopter. Et si l'exemplaire du *Bay* manquait ? Impossible ! Il ne l'avait pas vu depuis au moins… trois ans. Il ressemblait à celui qu'il avait découvert dans la collection de Jonathan. Sur les onze exemplaires encore existants, six étaient incomplets et en mauvais état. Celui de Jonathan était complet, mais en piteux état, comme l'exemplaire de la Bibliothèque du Congrès. Le seul moyen d'en avoir le cœur net était d'aller y voir, ce que Kevin Philips l'autoriserait probablement à faire. Il trouverait bien une excuse, peut-être en s'appuyant sur ce que Monty venait de lui dire.

Après avoir entré les informations dans l'ordinateur, il alla replacer dans les chambres fortes les volumes réparés, puis il appela Philips. Bien qu'un peu surpris, celui-ci autorisa Caleb à vérifier l'état du *Bay*. Pour des raisons de sécurité, et pour empêcher quiconque, par la suite, de l'accuser d'avoir endommagé le livre, Caleb emmena avec lui un autre employé de la Bibliothèque. Après examen, il ne put que confirmer les dires de Chambers : l'ouvrage avait besoin d'être restauré. Pourtant, il aurait été incapable d'affirmer s'il s'agissait bien du livre qu'il avait vu trois ans auparavant. Il y ressemblait, certes, mais il ressemblait aussi à celui de Jonathan. De toute façon, même si ce dernier avait remplacé l'exemplaire de la Bibliothèque par un faux, celui que Caleb avait eu entre les mains autrefois ne pouvait être qu'authentique.

Mais enfin, suis-je bête ! songea-t-il. Sur les livres rares, la Bibliothèque du Congrès apposait un signe particulier, toujours à la même page. Il gagna cette page et y vit le symbole. Il laissa échapper un soupir, mais son soulagement fut de courte durée. Ce signe-là aurait pu être falsifié, notamment par quelqu'un comme Jonathan. Et si le *Bay* de sa collection particulière portait le même ? Il faudrait qu'il vérifie. Si c'était le cas, cela prouverait que Jonathan l'avait volé à la Bibliothèque. Que faire, alors ? Il maudit le jour où il avait accepté la charge d'exécuteur littéraire. *Je croyais que tu m'aimais bien, Jonathan*, songea-t-il, amer.

Il passa le reste de l'après-midi à travailler à diverses requêtes d'universitaires et de collectionneurs, et à aider des habitués en salle de lecture.

Ce jour-là, Jewell English et Norman Janklow étaient tous deux présents. Bien que du même âge et habités par une même passion pour la lecture, ils ne s'adressaient jamais la parole et cherchaient même à s'éviter. Caleb se rappelait que cette inimitié remontait à un funeste après-midi où Jewell English avait fait part à Norman Janklow de sa passion pour les *Beadle's Dime Novels*, des romans populaires, et le vieil homme avait répondu d'une façon pour le moins inattendue : « Les *Beadle* sont un ramassis de fadaises, des suppositoires pour décérébrés ! » Comme on pouvait s'y attendre, Jewell English avait pris ombrage de cette remarque. Sachant de son côté quel était l'auteur préféré de Janklow, elle avait aussitôt rétorqué qu'Hemingway était au mieux un écrivaillon de second ordre, et que s'il utilisait un langage des plus simples c'était parce qu'il n'en connaissait pas d'autre. Et le fait qu'il ait obtenu le prix Nobel pour ses niaiseries discréditait à jamais ce prix littéraire. Elle avait ajouté qu'Hemingway n'était pas digne de lécher les semelles des coûteuses chaussures de F. Scott Fitzgerald, et avait terminé en traitant quasiment le grand homme de pédophile. Pour la seule fois de sa vie, Caleb avait été obligé de séparer deux habitués de la salle de lecture, comme si ces deux septuagénaires allaient en venir aux mains. Il avait même dû ôter prestement les ouvrages présents sur leurs tables – car ils s'apprêtaient à se les jeter mutuellement à la figure –, leur rappeler les règles de courtoisie en vigueur à la Bibliothèque avant de les menacer de leur retirer leur autorisation d'entrée s'ils ne revenaient pas à de meilleurs sentiments. Janklow semblait réprimer une furieuse envie de balancer son poing sur la figure de Caleb, mais ce dernier avait tenu bon.

Du coin de l'œil, Caleb s'assura qu'aucune nouvelle altercation n'opposait les deux ennemis ; Janklow lisait son ouvrage, écrivant paresseusement au crayon sur une feuille de papier, et s'interrompant de temps à autre pour essuyer ses épaisses lunettes. De son côté, Jewell English gardait les yeux rivés sur son livre. À un moment, elle releva la tête, surprit le regard de Caleb et lui fit signe d'approcher.

Caleb vint s'asseoir à côté d'elle.

– Ce *Beadle* dont je vous ai parlé… chuchota-t-elle.

– Oui, le numéro un ?

– Je l'ai, je l'ai, dit-elle en tapant silencieusement dans ses mains.

– Félicitations, c'est magnifique. Et il était donc en bon état ?

– Oh oui, sinon j'aurais fait appel à vous. Vous êtes un expert.

Avec une fermeté surprenante, elle prit entre les siennes la main de Caleb.

– Ça vous dirait de venir le voir, un de ces jours ?

Il tenta en vain d'extraire doucement sa main des serres d'oiseau.

– Euh… enfin, il faut que je regarde mon agenda. Je vous dirai ça une prochaine fois, vous me proposerez quelques dates et je verrai si j'ai des moments de libres.

– Oh, Caleb, moi, je suis toujours libre, dit-elle d'un ton badin en battant des cils.

– Quelle chance…

Il voulut une nouvelle fois dégager sa main, sans plus de succès.

– Pourquoi ne pas décider d'une date tout de suite ?

Paniqué, Caleb lança un regard vers Janklow, qui les surveillait d'un air soupçonneux. Jewell et lui se disputaient la présence de Caleb à leurs côtés comme deux loups la carcasse d'une proie. Il lui faudrait passer quelques minutes avec lui pour tenir la balance égale. Pourtant, en croisant le regard du vieux monsieur, une idée lui traversa l'esprit.

– Écoutez, Jewell, je parie que si vous le lui demandiez, Norman serait ravi de voir aussi votre nouvelle acquisition. Je suis sûr qu'au fond il regrette de s'être emporté.

Elle relâcha immédiatement sa main.

– Je ne parle pas boutique avec les hommes de Neandertal, dit-elle sèchement.

Elle ouvrit son sac pour qu'il l'inspecte et quitta la salle d'un pas décidé.

Le sourire aux lèvres, Caleb massa doucement sa main avant d'aller passer quelque temps avec Janklow, remerciant silencieusement le vieil homme de lui avoir permis de se débarrasser de Jewell English. Puis il retourna à son travail.

Pourtant, il ne cessait de songer au mystérieux *Bay* de Jonathan, au meurtre de son ami, à celui de Bob Bradley, le président de la Chambre, à Cornelius Behan, le riche marchand d'armes qui trompait sa femme et avait fini par faire assassiner son voisin.

Et dire que s'il était devenu bibliothécaire, c'était en partie parce qu'il appréciait le calme ! Peut-être devrait-il postuler pour un poste à la CIA, histoire de se reposer un peu.

Chapitre 41

Annabelle se fit servir à dîner dans sa chambre d'hôtel, prit une douche, s'enveloppa dans une serviette et entreprit de se coiffer. Assise face au miroir de la coiffeuse, elle songea aux derniers événements. Le quatrième jour était arrivé et Jerry Bagger savait à présent qu'il s'était fait refaire de quarante millions de dollars. Elle aurait dû se trouver à dix mille kilomètres de là, et non à un saut de puce en avion.

Oliver et Milton ne laissaient pas de l'intriguer, bien que Caleb fût un peu particulier et Reuben touchant avec son béguin de toutou. La compagnie de ces vieux briscards ne lui déplaisait pas. Elle avait toujours fait partie d'une équipe et quelque chose en elle réclamait avec insistance la présence de comparses. Cela avait commencé avec ses parents et s'était poursuivi à l'âge adulte avec ses propres partenaires. Oliver et les autres satisfaisaient ce besoin en elle, mais d'une façon différente. Pourtant, elle n'aurait pas dû se trouver là.

Elle ôta sa serviette, enfila un long tee-shirt, gagna la fenêtre et regarda la rue animée, dix étages au-dessous. Tout en observant le ballet des piétons et des voitures, elle se revit en esprit les derniers événements en date. Elle avait joué une directrice de revue, aidé Oliver à pénétrer par effraction dans la

Bibliothèque du Congrès, commis un délit d'usurpation d'identité en se faisant passer pour un agent du FBI, et elle devait à présent découvrir comment accéder aux bandes des caméras de sécurité. Et si Oliver ne se trompait pas, ils risquaient de rencontrer des individus encore plus dangereux que Jerry Bagger.

Elle alla s'asseoir sur son lit et se frictionna les jambes avec une lotion. *C'est de la folie*, se dit-elle. *Bagger va remuer ciel et terre pour te retrouver, et toi tu n'as même pas quitté le pays.* Et pourtant, elle avait promis aux autres de les aider, et même insisté pour participer aux opérations. Le radar de Jerry Bagger éviterait-il Washington ? Mais Jonathan avait été assassiné et elle souhaitait le venger, tout simplement parce que personne n'avait le droit de lui ôter la vie.

Une pensée, soudain, lui traversa l'esprit et elle consulta sa montre. Elle ignorait quelle heure il pouvait être là-bas, mais elle avait besoin de le savoir. Elle prit son téléphone portable, composa fébrilement le numéro et attendit. Elle lui avait donné un portable avec accès à l'international de façon à rester en contact avec lui. Si l'un des deux avait des nouvelles de Jerry, il devait aussitôt prévenir l'autre.

Leo finit par décrocher.

– Salut.

– Salut. J'ai cru que tu ne répondrais jamais.

– J'étais dans la piscine.

– Ah bon. Où ça ?

– Au fond.

– Non, je voulais dire dans quel pays…

– Je ne te répondrai pas. Et si Bagger se tenait juste là, à côté de toi ?

– Tu as des nouvelles des autres ?

– Aucune.

– Et Bagger ?

– Celui-là, je l'ai rayé de mon carnet d'adresses, dit-il sèchement.

– Est-ce que tu as eu des échos ?

– Seulement quelques ragots. J'avais pas envie de trop me montrer. Mais on peut parier qu'il est d'humeur assassine.

– Tu sais qu'il passera sa vie entière à nous donner la chasse.

– Dans ce cas, prions pour qu'il ait rapidement une crise cardiaque. Je ne veux pas qu'il souffre trop. (Il ménagea une pause.) Écoute, il y a quelque chose que j'aurais déjà dû te dire il y a un bout de temps, Annabelle. J'espère que tu ne m'en voudras pas trop.

Elle se raidit.

– Quoi ?

– J'ai raconté un peu de ton histoire à Freddy, ça m'a échappé.

– Qu'est-ce que tu as dit, exactement ?

– Ton nom de famille et ta relation avec Paddy.

– Tu es complètement malade ? hurla-t-elle.

– Je sais, je sais, c'était idiot. Ça m'est venu comme ça. Je voulais seulement qu'il sache que t'étais pas comme ton paternel. Mais je n'ai rien dit à Tony, je ne suis pas bête à ce point.

– Merci, Leo, vraiment, merci beaucoup !

Elle raccrocha. Freddy connaissait son nom de famille et savait qu'elle était la fille de Paddy Conroy, l'ennemi mortel de Jerry Bagger. Si Jerry parvenait à lui mettre la main dessus, il le ferait parler et la retrouverait. Elle savait dès lors ce qui l'attendait. Il la ferait passer sous une scie à bois, morceau par morceau.

Annabelle se mit à préparer son sac. *Désolée, Jonathan.*

Ce soir-là, en revenant chez lui, Caleb eut la surprise de découvrir quelqu'un qui l'attendait sur le parking.

– Monsieur Pearl ? Qu'est-ce que vous faites ici ?

Ce soir-là, Vincent Pearl ne ressemblait plus à un sorcier échappé de l'école d'Harry Potter. Il avait troqué sa longue robe de chambre couleur lavande pour un costume deux pièces, chemise ouverte, et avait peigné avec soin ses cheveux et sa barbe. Lunettes baissées sur le nez, Pearl scrutait Caleb dans un silence si pesant que ce dernier commençait à en être gêné.

– Eh bien ? insista finalement Caleb.

— Vous ne m'avez pas rappelé, dit Pearl, visiblement offensé. Alors je me suis dit qu'en venant personnellement vous voir... J'aimerais parler d'un certain nombre de choses avec vous. Mais discuter sur un parking d'un des livres les plus rares du monde ne me paraît guère judicieux.

Caleb laissa échapper un soupir.

– Très bien, venez donc chez moi.

Ils prirent l'ascenseur, puis les deux hommes s'installèrent dans le petit salon de Caleb.

– Je craignais que vous n'ayez décidé de vous passer de mes services et de vous rendre directement chez Sotheby's ou Christie's avec le *Bay*.

– Non, pas du tout ! Je ne suis même pas retourné chez Jonathan après notre entrevue. Si je ne vous ai pas rappelé, c'est que j'hésite encore.

Pearl sembla soulagé.

– Au moins, cela nous laissera le temps de faire procéder à des examens approfondis du *Bay*. Je connais plusieurs laboratoires d'excellente réputation qui pourraient s'en charger. Je crois qu'il ne faut plus tarder.

– Eh bien...

– Plus vous faites traîner les choses, et plus vous risquez que le public apprenne l'existence d'un douzième *Bay*.

– Qu'entendez-vous par là ?

– Je ne suis pas sûr que vous mesuriez l'importance d'une telle découverte, Shaw...

– Tout au contraire, je me rends compte de l'énormité de la chose.

– Il pourrait y avoir des fuites.

– Comment ? Je n'en ai parlé à personne.

– Et à vos amis ?

– Je leur fais une confiance absolue.

– Pardonnez-moi si je ne partage pas votre absence de réserve. Mais s'il y a des fuites, les gens vont commencer à porter des accusations. La réputation de Jonathan risque d'en souffrir...

– Quel genre d'accusations ?

– Oh, enfin ! s'écria Pearl avec agacement. Mais d'avoir volé ce livre, bien sûr !

Caleb se souvint d'avoir lui-même envisagé que le livre pût être un faux.

– Volé ? dit-il en s'efforçant de paraître sincère. Qui croirait une chose pareille ?

Pearl leva les yeux au ciel.

– Il existe onze exemplaires connus du *Bay* de par le monde. Dans la longue histoire de la bibliophilie, aucun propriétaire n'a gardé un tel secret. Jusqu'à aujourd'hui !

– Et vous croyez que c'est parce que Jonathan l'aurait volé ? C'est grotesque.

Pourvu que ce soit vrai, songea Caleb à part lui.

– Mais il a pu l'acheter à quelqu'un qui l'avait volé, peut-être involontairement, peut-être pas. Peut-être a-t-il eu des soupçons, ce qui expliquerait qu'il ait gardé le secret.

– Et où ce livre aurait-il été volé ? Vous dites que vous avez vérifié partout, auprès de tous les détenteurs d'un *Bay*.

– À quoi vous attendiez-vous ? répondit Pearl. Vous croyez que ça se crie sur les toits, la disparition d'un chef-d'œuvre historique ? N'oubliez pas que la plupart des voleurs sont prudents : et si on avait laissé à la place un faux remarquablement imité ? Dans ces institutions, on ne vérifie pas tous les jours l'authenticité du *Bay*. Avez-vous trouvé le moindre papier relatif à cet ouvrage ? Une facture ? Un document qui indique sa provenance ?

– Non, admit Caleb, le cœur serré. Mais je n'ai pas examiné les papiers personnels de Jonathan. Mon travail se limite à sa collection de livres.

– Non. Votre travail s'étend à tout ce qui peut justifier la propriété de ses livres. Vous croyez vraiment que Sotheby's ou Christie's mettraient un *Bay* aux enchères sans être absolument certains d'abord de son authenticité, et ensuite du droit de propriété de Jonathan DeHaven ?

– Bien sûr, je me disais qu'ils réclameraient des preuves.

– Shaw, si j'étais vous, je me mettrais en quête de ces preuves sans attendre. Mais si vous n'y parvenez pas, on en conclura que Jonathan a acquis cet ouvrage de manière invérifiable. Et dans le monde des bibliophiles, cela équivaut à déclarer qu'il l'a volé lui-même ou bien qu'il l'a acheté au voleur en toute connaissance de cause.

– Je pourrais demander à ses avocats s'ils m'autorisent à effectuer des recherches dans ses papiers personnels. Ou alors ils pourraient le faire eux-mêmes si je leur explique ce qu'il faut chercher.

– Si vous vous engagez sur cette voie, ils voudront savoir pourquoi. Et vous perdrez toute maîtrise de la situation.

– Vous voulez que j'effectue moi-même les recherches ?

– Oui ! Vous êtes son exécuteur littéraire, alors il est temps que vous agissiez en conséquence.

– Je n'admets pas qu'on me parle sur ce ton ! lança Caleb avec colère.

– Toucherez-vous une commission sur le produit de la vente ?

– Je n'ai pas à vous répondre.

– J'en déduis que vous êtes intéressé à l'affaire. Eh bien, si vous cherchez à vendre aux enchères ce *Bay* sans prouver de façon irréfutable que DeHaven est entré en sa possession de façon honnête, et s'il se révèle ensuite que ce n'était pas le cas, ce ne sera pas sa réputation qui en souffrira, mais la vôtre. Quand de grosses sommes sont en jeu, les gens imaginent toujours le pire.

Aussi révoltantes que fussent ses remarques, Caleb devait bien reconnaître que son interlocuteur n'avait pas tort. La réputation de feu son ami lui tenait certes à cœur, mais il n'avait aucune intention de l'accompagner dans son déshonneur.

— Je crois que je vais examiner les papiers de Jonathan, chez lui.

Oliver et les autres avaient déjà fouillé la maison, mais sans chercher de documents touchant à sa collection de livres.

— Vous comptez y aller ce soir ?

— Il est déjà tard.

En outre, il avait donné la clé à Reuben.

— Dans ce cas, demain ?

— Oui, demain.

— Très bien. Tenez-moi au courant.

Chapitre 42

Le lendemain matin, à la première heure, Reuben vint faire son rapport à Stone : comme la veille, la nuit avait été calme dans la maison de DeHaven. Rien à signaler.

– Rien ? demanda Stone, sceptique.

– Il ne s'est rien passé dans la chambre à coucher, si c'est ça que tu veux dire. Behan et sa femme sont rentrés vers minuit, mais apparemment, ils n'utilisent pas cette pièce, parce que la lumière ne s'y est jamais allumée. Peut-être Behan la réserve-t-il à ses strip-teaseuses.

– Tu n'as rien vu d'autre ? La camionnette blanche, par exemple ?

– Non, et je pense être entré et sorti sans que personne me voie. Il y a une haie haute de trois mètres qui entoure toute la partie arrière, et une alarme juste à l'intérieur de la porte de derrière, alors c'était assez facile.

– Tu es sûr de n'avoir rien remarqué qui puisse nous être utile ? Reuben hésita.

– Ce n'est peut-être rien du tout, mais vers 1 heure du matin j'ai cru voir un éclair dans l'une des fenêtres de la maison d'en face, de l'autre côté de la rue.

– Les habitants étaient peut-être éveillés.

– C'est ça le problème, la maison ne semble pas occupée. Ni voiture ni poubelles dehors. Et aujourd'hui, c'est le jour du ramassage parce que les autres maisons les ont toutes sorties sur le trottoir.

– Mais c'est très intéressant, ça. Est-ce que ça aurait pu être une signature optique ?

– Pas celle d'une arme, en tout cas, mais peut-être d'une paire de jumelles.

– Surveille aussi cet endroit. Et tu as téléphoné à la police ?

– Oui, d'une cabine publique, comme tu me l'avais dit. Mais je me suis fait tirer les bretelles par la standardiste, qui en a marre que je passe des appels bidon.

– Bon, rappelle-moi demain matin pour un nouveau rapport.

– Pas de problème, mais quand est-ce que je suis censé dormir, Oliver ? Je vais aller bosser sur les quais, là, et je n'ai pas fermé l'œil de la nuit.

– À quelle heure quittes-tu le travail ?

– À 14 heures.

– Couche-toi en rentrant. Tu n'es pas obligé d'être chez DeHaven avant 22 heures.

– Merci beaucoup. Je peux au moins manger ses provisions ?

– Oui, du moment que tu les remplaces.

– Mouais. En tout cas, vivre dans une immense maison comme ça, c'est pas mon truc.

– Tu vois, t'as rien loupé.

– Et pendant que je m'emmerde là-bas, que fait Sa Majesté ?

– Sa Majesté continue à réfléchir.

– Tu as eu des nouvelles de Susan ?

– Aucune.

Une demi-heure plus tard, un taxi s'arrêta devant le portail du cimetière. Milton en descendit, Stone se redressa, s'essuya les mains et les deux hommes gagnèrent le cottage. Tandis que

Stone préparait deux verres de limonade, Milton ouvrait son ordinateur portable et lui tendait un dossier.

– J'ai du neuf sur Cornelius Behan et Robert Bradley, mais j'ignore si ça va nous servir.

Stone prit le dossier et alla s'asseoir à son bureau. Vingt minutes plus tard, il releva la tête.

– Apparemment, Behan et Bradley n'étaient pas du même bord.

– Tu peux même dire qu'ils étaient ennemis. La société de Behan a décroché deux gros contrats avec l'État, mais Bradley lui a barré la route pour trois autres, non sans laisser entendre que Behan se livrait au trafic d'influences. Ça, je le tiens de la bouche de deux hauts fonctionnaires. Ils ne le diront jamais ouvertement, bien sûr, mais il est clair que c'est Bradley qui a bataillé contre l'attribution des marchés en question. Il ne semble pas qu'ils faisaient partie d'un réseau d'espionnage.

– Je suis d'accord avec le défunt président de la Chambre. Moi aussi, je pense que Behan est pourri. Mais l'est-il suffisamment pour tuer ? En ce qui concerne DeHaven, je serais tenté de dire oui.

– Dans ce cas, il est possible que Behan ait fait également assassiner Bradley. Si Bradley le gênait dans ses affaires, il aurait eu un excellent mobile.

Stone abattit la main sur son bureau.

– Il est établi que DeHaven a été empoisonné au dioxyde de carbone et que la bonbonne contenant ce gaz venait d'une des sociétés de Behan. Caleb m'a appelé hier. Il a inspecté le conduit de la chambre forte. Il y avait un petit trou de vis dans la paroi : la caméra aurait pu être fixée à cet endroit. Il m'a aussi dit qu'il n'avait eu aucun mal à ôter les vis de la grille, à croire qu'on les avait dégagées récemment. Mais ça ne suffit pas à prouver qu'il y avait une caméra.

– Mais si Bradley et Behan n'étaient pas de mèche, Jonathan n'a pas pu les voir ensemble chez Behan. Dans ce cas, pourquoi avoir tué Jonathan ?

– Je n'en sais rien, Milton.

Après le départ de Milton, Stone reprit son travail au cimetière. Il sortit une tondeuse à gazon de l'appentis et la passa sur une pelouse attenante au cottage. Une fois son ouvrage terminé, il coupa le moteur et il la vit qui l'observait. Elle portait un chapeau à large bord, des lunettes de soleil et un manteau trois quarts en cuir par-dessus sa jupe courte. Derrière elle, garée devant le portail, il aperçut une voiture de location.

Il s'essuya le visage avec un chiffon et poussa la tondeuse vers le perron du cottage, où se tenait Annabelle. Elle ôta ses lunettes.

– Comment va, Oliver ?

Il mit un instant à répondre.

– Vous êtes habillée comme si vous partiez en voyage.

– J'ai dû modifier mes projets. Il faut que je quitte la ville. Mon avion décolle dans quelques heures. Je ne reviendrai pas.

– Vous en êtes sûre ?

– Tout à fait sûre.

– Je ne peux pas vous le reprocher. La situation commence à devenir très dangereuse.

– Si vous croyez que c'est pour ça que je pars, vous n'avez rien compris.

Il la dévisagea un moment.

– Ceux qui vous poursuivent doivent être également dangereux.

– Il me semble que vous aussi, vous avez des ennemis.

– Je ne cherche pas à m'en faire. Ce sont eux qui me cherchent.

– J'aimerais en dire autant. Moi, j'ai tendance à me faire des ennemis.

– Vous allez prévenir les autres ?

Elle hocha la tête en signe de dénégation.

– Je crois que vous le ferez pour moi.

– Ils seront déçus. Surtout Reuben. Quant à Milton, ça fait des années que je ne l'ai pas vu aussi heureux. Caleb, lui, ne reconnaîtra jamais qu'il apprécie votre présence, mais c'est lui qui fera la tête le plus longtemps.

— Et vous ? demanda-t-elle en baissant les yeux.

Du bout du pied, il ôta des touffes d'herbe accrochées aux roues de la tondeuse.

— Vous avez des talents remarquables.

— Justement, vous m'avez surprise en train de vous faire les poches. Ça ne m'était pas arrivé depuis l'âge de huit ans.

Elle plongea son regard dans le sien.

— Vous étiez une enfant précoce.

— Bon, on s'est bien amusés, dit-elle avec une petite grimace. Et soyez prudents, les gars.

Elle pivota sur ses talons, prête à partir.

— Susan, si on arrive à résoudre cette histoire, vous ne voulez pas qu'on vous prévienne, qu'on vous dise ce qui s'est passé pour Jonathan ?

Elle se retourna.

— Je crois qu'il vaut mieux laisser le passé là où il est.

— Je me disais que vous auriez aimé savoir. Perdre un mari de cette façon, c'est difficile de s'en remettre.

— Vous semblez parler d'expérience.

— Oui, j'ai perdu ma femme. Il y a longtemps.

— Vous étiez divorcés ?

— Non.

— Ce n'était pas la même chose pour Jonathan et moi. C'est lui qui a décidé de mettre un terme à notre mariage. Je ne sais même pas pourquoi je suis revenue ici.

— Je vois. Dites-moi, est-ce que je pourrais récupérer la photo ?

— Quoi ? dit-elle, visiblement étonnée.

— La photo de Jonathan. Je voudrais la remettre chez lui.

— Oh, je… je ne l'ai pas sur moi.

— Dans ce cas, vous n'aurez qu'à me la renvoyer.

— Rien ne m'y oblige.

— C'est vrai.

Elle le considéra avec curiosité.

— Vous êtes l'un des personnages les plus étranges que j'aie jamais rencontrés, et croyez-moi, j'en ai croisé beaucoup.

– Vous devriez y aller, vous risquez de rater votre avion.

Elle jeta un regard circulaire sur les tombes.

– Vous êtes entouré par la mort, ici. C'est trop déprimant. Vous devriez trouver un autre boulot.

– Vous voyez la mort et la tristesse dans ces carrés de terre, moi je vois des vies pleinement vécues, et l'ombre bénéfique des générations passées planant sur les générations futures.

– Tout cela est trop altruiste pour moi.

– Moi aussi, je pensais comme ça autrefois.

– Bonne chance.

Elle se retourna pour partir.

– Si vous avez besoin d'un ami, vous savez où me trouver.

Elle se raidit un peu en entendant ces mots, mais elle s'éloigna.

Stone rangea la tondeuse, puis s'assit sur le perron, contemplant les tombes d'un air songeur tandis qu'un vent glacé soufflait sur le cimetière.

Chapitre 43

Caleb se leva pour accueillir l'homme qui pénétrait dans la salle de lecture.

– Je peux vous aider ?

Roger Seagraves lui tendit sa carte de bibliothèque, que n'importe qui pouvait acquérir au Madison Building sur le trottoir d'en face, en montrant un passeport ou un permis de conduire, faux ou authentique. La carte était établie au nom de William Foxworth et la photo correspondait au visage du titulaire. Les informations figurant sur la carte avaient également été introduites dans le système informatique de la Bibliothèque.

– Je cherche un livre en particulier, dit Seagraves en lui indiquant le titre de l'ouvrage qu'il désirait.

– Très bien. Quel domaine vous intéresse particulièrement ?

– Je m'intéresse à beaucoup de choses. Je suis également bibliophile, mais tout à fait novice. J'ai récemment acheté quelques volumes de littérature anglaise, mais j'aimerais les faire expertiser. Je crois que j'aurais dû me préoccuper de leur valeur avant de les acheter, mais comme je vous l'ai dit, je suis un néophyte. J'ai hérité d'un peu d'argent il y a quelque temps et ma mère a travaillé pendant des années dans une bibliothèque. Je me suis toujours intéressé aux livres, mais je me rends compte que la bibliophilie, c'est une autre histoire.

– Tout à fait. Et c'est un monde qui peut être impitoyable.Tout en restant profondément honnête, bien sûr. Le hasard fait bien les choses, je connais particulièrement bien la littérature anglaise du XVIIIe siècle.

– Ah, formidable ! C'est mon jour de chance.

– Quels livres avez-vous donc acquis, monsieur Foxworth ?

– Je vous en prie, appelez-moi Bill. Eh bien… une première édition de Daniel Defœ.

– *Robinson Crusoe* ? *Moll Flanders* ?

– *Moll Flanders*.

– Excellent. Quoi d'autre ?

– La vie *de Richard Nash*, de Goldsmith. Et un Horace Walpole.

– *Le château d'Otrante*, de 1765 ?

– Exactement. Et il est en excellent état.

– On n'en voit pas beaucoup. Je serai heureux d'y jeter un œil. Comme vous pouvez vous en douter, il y a de nombreuses variantes suivant les éditions. Certains croient acquérir une première édition et finissent par s'apercevoir qu'on les a dupés. Ça arrive même avec les marchands les plus scrupuleux. Euh… tout à fait involontairement, bien sûr.

– Je pourrai les apporter lors de ma prochaine visite.

– Ce ne serait pas une bonne idée, Bill, parce que si vous ne vous êtes pas arrangé auparavant, vous risquerez d'avoir des ennuis avec la sécurité. Ils pourraient croire que vous avez volé les livres ici. Vous pourriez être arrêté.

Seagraves pâlit.

– Bien sûr, je n'avais pas pensé à ça.

– N'ayez crainte, dit Caleb un peu pompeusement. Le monde des bibliophiles peut être… à la fois très raffiné mais il en émane parfois un parfum de danger. Mais si vous voulez vraiment réunir une collection d'ouvrages du XVIIIe siècle, il faut qu'un certain nombre d'auteurs soient représentés. Les premiers qui me viennent à l'esprit sont Jonathan Swift et Alexander Pope, qui sont considérés comme les grands maîtres de la première moitié du siècle. Il vous faudra bien sûr le *Tom Jones* de Henry Fielding, mais aussi des ouvrages de David Hume, Tobias Smollett, Edward Gibbon, Fanny Burney, Ann Radcliffe et Edmund Burke. Inutile de préciser que tout cela n'est pas donné.

– Oui, je commence à m'en rendre compte, lâcha Seagraves d'un air sombre.

– Ça revient plus cher que de collectionner les capsules de bouteille, hein ? Oh, et puis on ne peut pas oublier le poids lourd de cette époque, l'un des plus grands auteurs de la seconde moitié du XVIIIe siècle, le fabuleux Samuel Johnson. Bien sûr, la liste n'est pas exhaustive, mais c'est un bon début.

– Visiblement, vous connaissez bien la littérature du XVIIIe.

– J'ai fait ma thèse sur le sujet. En tout cas, pour expertiser vos livres, nous pourrions nous retrouver quelque part. Téléphonez-moi.

Il pêcha dans sa poche une carte de visite avec son numéro au bureau et la tendit à Seagraves avant de lui administrer une claque sur le dos.

— Et maintenant, je vais aller chercher votre livre.

Quelques instants plus tard, il lui tendit l'ouvrage.

– Tenez, je vous souhaite beaucoup de plaisir.

Seagraves prit le livre en souriant.

Tout le plaisir sera pour moi, monsieur Shaw, songea-t-il.

Caleb et Reuben convinrent de se retrouver quelque part avant de gagner ensemble la maison de DeHaven. Ils passèrent les lieux au peigne fin pendant deux heures et trouvèrent les factures de tous les livres présents dans la bibliothèque, sauf celle du *Bay*. Caleb descendit ensuite au sous-sol pour vérifier si l'ouvrage portait la marque de la Bibliothèque du Congrès.

Pourtant, une fois devant la porte de la chambre forte, il se sentit incapable d'y pénétrer. Il opta alors pour la solution qu'il choisissait toujours face à un choix embarrassant, la fuite, et il rejoignit Reuben au rez-de-chaussée.

– Je ne comprends pas, murmura Caleb. Jonathan était un homme honnête.

– Oui, mais tu l'as dit toi-même, la bibliophilie peut rendre fou. Et un livre de ce niveau est capable de réveiller les côtés les plus sombres chez quelqu'un. Cela expliquerait aussi pourquoi il a gardé le secret.

– Mais ça aurait fini par se savoir. Il fallait bien qu'il meure un jour.

– Visiblement, il ne comptait pas mourir aussi vite. Il avait peut-être des projets pour ce livre, mais il n'a pas eu le temps de les mener à bien.

– Comment veux-tu que je mette aux enchères un livre dont j'ignore l'origine ?

– Écoute, Caleb, je sais que c'était ton ami, mais la vérité devra bien éclater.

– Il y aura un scandale.

– Je ne vois pas comment tu pourras l'éviter. Fais simplement en sorte de ne pas être éclaboussé.

– Je crois que tu as raison, Reuben. Et merci pour ton aide. Tu restes ici ?

Reuben consulta sa montre.

– Il est encore un peu tôt. Je crois que je vais partir avec toi et revenir discrètement tout à l'heure. Cet après-midi, j'ai enfin réussi à dormir un peu.

Les deux hommes quittèrent la maison ensemble. Trois heures plus tard, soit un peu avant 23 heures, Reuben y revint en passant par la porte de derrière. Il se prépara un en-cas dans la cuisine et gagna ensuite le grenier. De là-haut, on n'avait pas seulement une vue imprenable sur la « chambre d'amour » de Cornelius Behan, mais également sur Good Fellow Street, à partir d'une fenêtre en demi-lune. Reuben surveilla donc la maison de Behan grâce au télescope et celle d'en face avec la paire de jumelles qu'il avait apportée.

Vers 1 heure du matin, un gros SUV Cadillac vert foncé vint se garer devant chez Behan ; ce dernier en descendit en compagnie d'une jeune femme vêtue d'un long manteau de cuir noir et de deux gardes du corps. La petite troupe pénétra dans la maison. *Madame doit être absente,* se dit Reuben en prenant position derrière le télescope.

Il n'attendit pas longtemps. Les lumières de la chambre à coucher s'allumèrent, le marchand d'armes et sa compagne d'un soir firent leur apparition.

Behan s'assit sur une chaise, frappa dans ses mains et la jeune femme passa immédiatement à l'action. Un bouton après l'autre, elle ouvrit son manteau de cuir. Lorsqu'elle en écarta les pans, Reuben réprima un cri. Des bas à résille tenus haut sur les cuisses, un soutien-gorge aux bonnets pointus et une culotte réduite à sa plus simple expression. Il laissa échapper un long soupir de contentement.

Un instant plus tard, Reuben remarqua un éclair rouge dans la fenêtre donnant sur la rue. Pensant qu'il s'agissait du reflet des feux arrière d'une voiture passant devant la maison, il n'y prêta guère attention et retourna à son télescope. La jeune femme avait laissé glisser son soutien-gorge à terre, révélant une poitrine siliconée, et, assise sur une chaise, faisait lentement glisser ses bas sur ses longues jambes.

Au diable le cinéma, vive le spectacle en chair et en os ! songea-t-il en poussant un nouveau soupir. Il jeta alors un coup d'œil vers l'autre maison, où l'on apercevait clairement une lueur rouge. Ce ne pouvaient être les feux d'une voiture. Il gagna l'autre fenêtre et braqua ses jumelles vers l'autre côté de la rue.

– Merde, un incendie ! s'écria-t-il à haute voix.

Et ces sirènes, au loin ? On avait déjà appelé les pompiers ?

Il n'eut pas le temps de répondre à cette question. Le coup l'atteignit par-derrière et il s'effondra sur le sol. Roger

Seagraves contourna le corps et s'approcha de la fenêtre d'où, même sans télescope, il aperçut la jeune femme s'agenouillant lentement devant un Cornelius Behan ravi.

Plus pour longtemps, pensa-t-il.

À son réveil, Reuben se demanda d'abord où il était. Il s'assit avec lenteur et sa vision se précisa. Il se trouvait encore dans le grenier. Il se leva, les jambes flageolantes, et se rappela alors ce qui lui était arrivé. Saisissant un morceau de planche en guise de matraque, il regarda autour de lui. Personne. Mais on l'avait bel et bien assommé.

Il entendit alors le bruit venu de la rue et avisa la maison en flammes, les pompiers luttant contre l'incendie et leurs camions garés le long du trottoir. Il remarqua également le ballet des voitures de police.

En se massant la nuque, il tourna le regard vers la maison de Behan. Toutes les lumières étaient allumées, et, en voyant des policiers pénétrer à l'intérieur, il éprouva un sentiment de panique. Il colla l'œil au télescope.

Cornelius Behan était allongé face contre terre, tout habillé, et le sang qui avait coulé de la blessure à l'arrière du crâne teignait ses cheveux en rouge foncé. La jeune femme, elle, était assise contre le lit, le visage et la poitrine constellés de taches cramoisies. Des flics en uniforme et deux inspecteurs en civil examinaient les lieux. *Combien de temps suis-je resté inconscient ?* se demanda-t-il. Terrifié, il nota alors quelque chose.

Il y avait deux trous dans la fenêtre de la chambre à coucher de Behan et deux trous identiques dans celle du grenier où il se trouvait.

— Et merde ! s'écria Reuben en fonçant vers la porte.

Il trébucha et dut se rattraper à la poignée. En se relevant, il se rendit compte que sa main s'était refermée sur un fusil, certainement celui qui avait servi à tuer Behan et la jeune femme. Il le jeta loin de lui et dévala l'escalier. En traversant la cuisine, il aperçut les reliefs de son repas sur la table et comprit qu'il avait dû laisser des empreintes un peu partout. Pas le temps de s'en occuper ! Il franchit la porte de derrière.

La lueur l'éblouit violemment et il dut lever la main pour se protéger les yeux.

– Restez où vous êtes ! hurla une voix. Police !

Chapitre 44

– J'ai réussi à lui trouver un avocat, annonça Caleb. Mais il est si jeune et si bon marché que je doute des ses compétences. En tout cas, j'ai fait un petit mensonge, j'ai dit que Reuben se trouvait là à ma demande pour surveiller la collection de livres, ce qui expliquait pourquoi il avait les clés de la maison et le code de l'alarme. J'ai également donné à la police le nom des avocats de Jonathan, de façon qu'ils confirment mon rôle d'exécuteur littéraire.

Milton et Caleb se trouvaient chez Stone et les trois hommes étaient consternés par la nouvelle du meurtre de Cornelius Behan et de sa maîtresse suivi de l'arrestation de Reuben.

– Il va être libéré sous caution ? demanda Milton.

Stone secoua la tête.

– Vu les circonstances, ça m'étonnerait. Mais peut-être qu'avec les informations que leur a fournies Caleb ils vont changer d'avis.

– J'ai vu Reuben brièvement ce matin, dit Caleb. Il m'a expliqué qu'il surveillait la maison de Behan quand il a aperçu l'incendie et que c'est à ce moment-là qu'il a été assommé. En revenant à lui, il a vu que Behan et la fille étaient morts. La police l'a arrêté quand il s'apprêtait à partir.

– Les journaux ont fait leurs manchettes avec la découverte du cadavre de Behan en compagnie de sa maîtresse, ajouta Milton. Apparemment, Mme Behan se trouvait à New York la nuit dernière.

– Il faut qu'on trouve le vrai tueur, dit Stone.

– Et on fait comment, d'après toi ? interrogea Milton.

– En poursuivant notre enquête. Il faut jeter un œil aux vidéos de sécurité de la Bibliothèque.

– Susan a dit qu'elle allait m'aider, mais je n'ai pas encore eu de ses nouvelles.

– Dans ce cas, je te suggère de te débrouiller sans elle.

Caleb eut l'air surpris mais ne discuta pas.

– On peut dire avec certitude que Behan et Bradley n'étaient pas amis, déclara Stone. Au début, je pensais que c'était Behan qui avait fait tuer Bradley, et c'est peut-être vrai, d'ailleurs, mais alors qui a tué Behan, et pourquoi ?

– Une vengeance pour avoir tué Bradley ? suggéra Milton.

– Dans ce cas, il faut envisager une liste de suspects. (Il se tourna vers Milton.) J'aimerais avoir les noms de l'équipe de Bradley, peut-être ceux de ses amis dans l'armée ou dans les services de renseignement qui auraient les moyens de tuer Behan.

– Il y a un truc appelé annuaire des hauts fonctionnaires, qui pourrait être utile. Mais pour l'armée et les services de renseignement, ça risque de prendre plus longtemps.

– Ceux qui ont tué Behan savaient que Reuben se trouvait dans la maison et se sont débrouillés pour le faire plonger. Donc ils surveillaient aussi la maison de DeHaven.

– Les gens dans la maison d'en face, dont Reuben a parlé, supposa Caleb.

– Non, dit Stone. Le feu a été probablement allumé par un complice du tueur. Ils devaient savoir qu'il y avait une surveillance mise en place dans la maison. L'incendie a servi à détourner l'attention, en leur permettant de pénétrer dans la maison, de tuer Behan et de fuir.

– Astucieux, dit Caleb.

– Je vais aller voir Reuben, déclara Stone.

– Ils ne vont pas te demander une pièce d'identité, Oliver ? questionna Milton.

– Ils peuvent toujours demander, mais aux dernières nouvelles ce n'est pas un crime de ne pas en posséder.

– Je parie que Susan pourrait te trouver une pièce d'identité, dit Milton. Elle avait des cartes du FBI qui ressemblaient tout à fait aux vraies.

– Et où est notre intrépide collègue ? s'étonna Caleb.

– Elle avait d'autres projets, répondit Stone.

Assis dans son bureau, Jerry Bagger arborait une mine accablée qu'on ne lui connaissait guère. On avait fait circuler dans les milieux concernés les portraits d'Annabelle et de Leo, sans succès. C'était d'autant moins surprenant que les clichés étaient flous, comme si les deux larrons avaient réussi à s'abriter des caméras de surveillance. Et en dépit de ses consignes, la nouvelle que Bagger avait été victime d'une arnaque commençait à se répandre ; d'une certaine façon, c'était presque pire que si toute la vérité avait éclaté, parce que la rumeur laissait la porte ouverte à toutes les spéculations. Le roi du casino était la risée générale. Tout cela ne faisait qu'augmenter son désir de les passer à la tronçonneuse sous l'œil gourmand d'un Caméscope.

On avait passé leurs chambres au peigne fin sans découvrir d'empreintes digitales. Tous les verres qu'ils avaient touchés étaient depuis longtemps lavés. Le téléphone portable qu'Annabelle avait jeté contre le mur avait disparu dans la poubelle et devait se trouver à présent dans une décharge du New Jersey. Les quatre jours de délai avaient fait disparaître leurs traces. Bagger se prit la tête dans les mains. Et dire que c'était lui qui avait insisté pour allonger le délai ! Il s'était escroqué lui-même.

Et cette salope avait arrangé ça depuis le début. C'est elle qui m'a fourni la corde pour me pendre.

Il se leva et gagna la large baie vitrée. Il s'enorgueillissait d'avoir toujours su flairer les arnaques avant qu'elles aboutissent. Mais celle-ci l'atteignait personnellement, alors que les autres, des petits coups visant à soulager ses tables de craps, black-jack et roulette, étaient dirigées contre son casino. Il avait succombé à une opération d'une tout autre envergure, recourant à la technique la plus éprouvée au monde : la séduction.

Et il faut avouer que son adversaire avait été sacrément convaincante.

Le regard perdu au-dehors, il se rappela ce coup de téléphone au cours duquel elle lui avait proposé une rencontre. Il avait menti en lui disant qu'il n'était pas en ville, mais elle lui avait rétorqué qu'il se trouvait dans son bureau. Cette seule remarque l'avait persuadé qu'il était bel et bien surveillé par les services de renseignement.

Son regard se porta alors sur l'hôtel en face, de l'autre côté de la rue, un bâtiment de vingt-deux étages, identique à celui dans lequel il se tenait. Les fenêtres donnaient directement sur son bureau. *Putain ! Voilà !* En hurlant, il convoqua le chef de la sécurité.

Après un interrogatoire serré et un coup de fil à l'avocat de Reuben, Oliver Stone reçut l'autorisation de rendre visite à son ami dans sa cellule. Lorsque la porte claqua derrière lui, Stone sursauta. Il avait déjà connu la prison, mais pas aux États-Unis. Non, corrigea-t-il mentalement, sa récente séance de torture avait été effectuée par des compatriotes, sur le sol américain.

Persuadés qu'on avait placé des micros dans la cellule, Stone et Reuben s'entretinrent à voix basse, le plus laconiquement possible. Dès le début, Stone se mit à taper du pied par terre.

– Tu crois que ça va gêner leur surveillance électronique ? chuchota Reuben, l'air sceptique.

– Pas vraiment, mais ça me rassure.

En souriant, Reuben se mit lui aussi à taper régulièrement des pieds.

– L'incendie ? murmura-t-il.

– Oui, je suis au courant, répondit Stone. Ça va, toi ?

– Un coup sur la tête. Mon avocat s'en servira.

– Les empreintes sur le fusil ?

– Je l'ai touché accidentellement.

– Caleb a tout expliqué à la police, que tu étais là pour surveiller les livres. Rien d'autre ?

– À part le peep-show, rien. Je n'ai rien vu venir.

– On continue, ne t'inquiète pas.

– Du nouveau ?

Stone acquiesça imperceptiblement.

– Besoin de quelque chose ?

– Oui, d'un bon avocat. Dommage que Johnny Cochran plaide déjà au paradis. Et Susan ?

Stone hésita un instant.

– Occupée.

En quittant le bâtiment, un peu plus tard, Stone remarqua deux hommes qui le suivaient, visiblement des policiers.

– Je vous garde avec moi, mais pas longtemps, murmura-t-il pour lui-même.

Il pensait déjà à la prochaine personne avec qui il devait s'entretenir.

Chapitre 45

Roger Seagraves lut le récit de l'affaire sur son écran d'ordinateur, au bureau. Un suspect du nom de Reuben Rhodes avait été arrêté. Ancien militaire et membre des services de renseignement militaire, alcoolique, en perdition depuis de nombreuses années, il travaillait sur un quai de transbordement et vivait dans un taudis, à l'extrême nord de la Virginie. Une véritable bombe à retardement, laissait entendre l'article. Et cet homme qui haïssait la guerre avait tué un marchand d'armes ayant fait fortune en vendant les jouets meurtriers prisés par toutes les armées du monde. C'était trop beau pour être vrai.

Lorsque la première fois il avait vu ce grand gaillard pénétrer dans la maison, Seagraves n'avait su comment réagir. Il avait d'abord cru à un cambrioleur, mais l'alarme ne s'était pas déclenchée, et l'homme était ressorti le lendemain matin sans rien emporter. En le revoyant la nuit suivante, Seagraves comprit qu'il tenait là un suspect en or pour la police.

Il effectua consciencieusement ses heures de travail pour le gouvernement fédéral avant de pouvoir disposer de tout son temps. Il avait encore une petite tâche à accomplir. Pas aussi plaisante que sa séance de jambes en l'air avec la dame de la NSA, mais le boulot ne peut pas toujours être une partie de plaisir. Il était important de soigner ses sources et, en même temps, de ne rien faire qui pût éveiller les soupçons. Heureusement, grâce à sa position au sein de la CIA, Seagraves bénéficiait d'informations de première main sur les enquêtes relatives aux fuites. Bien sûr, le FBI jouait un rôle important dans ces enquêtes, et il possédait peu de contacts chez eux, mais au moins savait-il quelles personnes son administration avait dans le collimateur.

Hommage à ses faits d'armes antérieurs, les soupçons ne s'étaient jamais portés sur lui. Apparemment, la CIA n'imaginait même pas que l'un de ses tueurs pût travailler pour son propre compte, et une telle naïveté laissait mal augurer de la sécurité du pays. Il faut dire qu'il y avait déjà eu l'exemple d'Aldrich Ames, l'agent de la CIA qui avait vendu des secrets aux Soviétiques puis aux Russes. Mais Seagraves était d'une autre engeance.

Il avait tué pour le compte de l'État, et dans une certaine mesure on lui permettait de s'affranchir des règles. Pendant des années, Seagraves avait versé du sang en toute impunité, ce qui avait fini par faire naître en lui un sentiment de toute-puissance. D'ailleurs, à l'époque où il gagnait sa vie en écourtant celle des autres, il n'avait jamais eu le sentiment de travailler pour un client. Au Proche-Orient comme en Asie du Sud Est ou ailleurs dans le monde, c'était toujours sa vie qu'il mettait en jeu. Son profil psychologique le donnait comme un solitaire et c'était en partie pour cela qu'on lui avait confié ces tâches.

Il se rendit dans un club de sports de McLean, en Virginie, vers Chain Bridge Road, non loin du quartier général de la CIA, où il jouait régulièrement au tennis avec son chef de service – un homme qui s'enorgueillissait de son patriotisme, de ses qualités professionnelles et de son revers sur le court.

Ils firent match nul pour les deux premiers sets et Seagraves hésita un instant à laisser son chef gagner le troisième, mais son esprit de compétition l'emporta. Après tout, il était de quinze ans plus jeune.

— Vous m'avez flanqué une raclée, Roger ! lui dit son supérieur.

— Oh, j'étais en forme ce soir. Mais vous m'avez donné du fil à retordre. Si nous avions le même âge, je ne tiendrais pas longtemps face à vous.

L'homme avait mené une carrière de rond-de-cuir à Langley, et en fait de danger ne connaissait que ce qu'en racontaient les thrillers qu'il affectionnait. Il savait fort peu de choses des postes occupés autrefois par Seagraves. Pour des motifs évidents, le club des triple six était un secret jalousement gardé. Pourtant, il n'ignorait pas que son subordonné avait longtemps travaillé sur le terrain, et dans des endroits qu'à la CIA on qualifiait de « chauds ». Pour cette raison, il lui manifestait un respect et une déférence auxquels n'avait pas droit le menu fretin travaillant sous ses ordres.

Après s'être douchés dans les vestiaires du club, les deux hommes allèrent dîner dans un endroit élégant, le Clyde's Restaurant du Reston Town Center. Une fois le repas terminé et son supérieur rentré chez lui, Seagraves se prit à flâner le long de la grand-rue et s'arrêta devant la salle de cinéma. Jadis les espions s'y échangeaient des messages, lâchant des petits papiers au fond des cornets de pop-corn ou sous les sièges numérotés. Amusant, mais maladroit. Dire que son chef l'avait amplement informé au cours de leur dîner...

De retour chez lui, il descendit dans une petite pièce spécialement aménagée au sous-sol pour échapper à toute tentative de surveillance. Il déplia sur une table la serviette rapportée du club sportif et brancha un fer à repasser. Le logo du club figurait au milieu, mais au lieu d'être brodé, il était simplement thermocollé. Avec le fer, il ôta rapidement le logo, et à l'envers découvrit ce qui avait motivé les trois sets épuisants : quatre morceaux de bande magnétique de cinq centimètres de long.

Utilisant un appareil de grossissement très sophistiqué, il lut et décrypta les informations figurant sur les bandes. Ensuite, il les crypta et les convertit sous une forme permettant leur transmission à Albert Trent. Pour cela, il dut travailler jusqu'à minuit, mais il n'en avait cure.

Il lui restait encore une tâche à terminer avant d'aller se coucher. Il gagna son placard particulier, déverrouilla la serrure, neutralisa l'alarme et pénétra à l'intérieur. Il s'y rendait au moins une fois par jour, à contempler sa collection, et ce soir il devait y ajouter un objet, bien qu'à son grand regret il n'y en eût qu'un au lieu de deux. De la poche de son manteau, il tira un bouton de manchette appartenant à Cornelius Behan, que lui avait donné un de ses contacts chez Fire Control. Apparemment, Behan l'avait perdu le jour où il était venu visiter l'entrepôt, visite qui lui avait coûté la vie. De toute évidence, Behan avait compris de quoi était mort Jonathan DeHaven, et cette information, il était hors de question qu'il la communique à quiconque.

Seagraves déposa le bouton de manchette sur une étagère, à côté du biberon. Il n'avait pas ramassé d'objet ayant appartenu à la jeune femme tuée avec Behan, mais il comptait bien apprendre son identité et se débrouiller pour obtenir un souvenir personnel.

Chapitre 46

Au prix de quelques efforts, Stone parvint à semer les hommes qui le filaient. Après quoi il se rendit dans la maison abandonnée près du cimetière qui lui servait parfois de refuge. Il changea de vêtements, gagna Good Fellow Street et passa devant les maisons de DeHaven et de Behan. Des journalistes faisaient le pied de grue devant la vaste demeure de Behan, attendant visiblement qu'apparaisse la veuve. Sur le trottoir d'en face, la maison délabrée semblait vide.

Il alla se poster au coin de la rue et fit mine de consulter un plan de la ville. Au même instant, un camion de déménagement vint se garer devant la maison, et deux costauds en descendirent. Une domestique ouvrit la porte, face aux journalistes. Quelques minutes plus tard, les déménageurs ressortirent, portant une lourde caisse en bois. Les deux hommes avaient beau être forts, ils titubaient sous le poids et l'on devinait le soupçon des journalistes : Mme Behan devait se trouver dans la caisse pour échapper aux médias. Quel scoop !

Les téléphones portables jaillirent avec un bel ensemble, et de nombreux journalistes bondirent dans leur voiture pour suivre le camion. Deux voitures couvrant l'arrière de la maison se joignirent à la poursuite. Pourtant, quelques journalistes, flairant le piège, choisirent de demeurer sur place. Ils firent mine de s'éloigner eux aussi mais reprirent leur surveillance un peu plus loin. Une minute plus tard, la porte d'entrée s'ouvrit à nouveau, livrant le passage à une femme en uniforme de domestique, coiffée d'un chapeau à large bord. Elle monta à bord d'une voiture garée dans la cour et démarra.

Une fois encore, Stone eut l'impression de deviner le raisonnement des journalistes. Après le leurre du camion de déménagement, c'était la maîtresse de maison qui était déguisée en domestique et qui s'éloignait ainsi. Ils gagnèrent leurs voitures et se lancèrent à sa poursuite. Venant d'une rue voisine et visiblement prévenus par leurs collègues, deux autres reporters firent alors leur apparition et montèrent la garde devant la demeure.

D'un pas vif, Stone tourna le coin de la rue, gagna l'arrière de la propriété des Behan et attendit derrière une haie. Son attente fut de courte durée. Marilyn Behan apparut quelques minutes plus tard, vêtue d'un pantalon, d'un long manteau noir et coiffée d'un chapeau aux larges bords rabattus sur les yeux. Arrivée au bout de la ruelle, elle regarda prudemment autour d'elle.

Stone s'avança vers elle.

— Madame Behan ?

Elle sursauta.

— Qui êtes-vous ? Un de ces affreux journalistes ?

— Non. Je suis un ami de Caleb Shaw, qui travaille à la Bibliothèque du Congrès. Nous nous sommes rencontrés lors des obsèques de Jonathan DeHaven.

Elle sembla chercher dans sa mémoire. Stone la trouva un peu éthérée, mais son haleine ne sentait pas l'alcool. De la drogue ? Des médicaments ?

— Ah, oui, je me rappelle, maintenant. J'ai décoché une petite pointe sur le fait que mon cher et tendre époux s'y connaissait en mort subite.

Elle fut prise d'une quinte de toux et fouilla son sac à la recherche d'un mouchoir.

— Je voulais vous présenter mes condoléances, reprit Stone en espérant qu'elle ne se rappellerait pas la présence dans leur groupe de Reuben, l'assassin présumé de son mari.

— Merci. C'est un peu étrange, mais...

— J'ai vu les journalistes, madame Behan. Ce doit être un cauchemar pour vous. Mais vous avez réussi à les tromper, ce qui n'est pas facile.

— Quand on est mariée à un homme très riche et qui est sujet à controverse, on apprend à entortiller les médias.

— Pourrais-je vous parler quelques instants ? Nous pourrions aller boire un café.

— J'hésite, répliqua-t-elle en se raidissant. C'est un moment très difficile pour moi. Je viens de perdre mon mari !

Stone ne sembla pas s'émouvoir.

— Cela concerne justement la mort de votre mari. Je voudrais vous poser une question sur ce qu'il a dit le jour de l'enterrement.

Elle se figea et lui lança un regard soupçonneux.

— Que savez-vous à propos de sa mort ?

— Pas autant que je le voudrais, mais je pense qu'elle n'est pas sans rapport avec celle de Jonathan DeHaven. Après tout, il est étrange que deux voisins meurent dans des circonstances aussi... particulières.

— Vous non plus, vous ne pensez pas que DeHaven soit mort de mort naturelle ?

Moi non plus ? songea-t-il.

— Madame Behan, pouvez-vous me consacrer quelques minutes ? Je vous en prie, c'est important.

Ils s'attablèrent dans un café voisin. Stone attaqua bille en tête.

— Votre mari vous a parlé de la mort de DeHaven, n'est-ce pas ?

Elle avala une gorgée de café et baissa le bord de son chapeau.

– Cornelius ne croyait pas à une crise cardiaque, je peux vous le dire.

– Pourquoi ? Que savait-il ?

– Je l'ignore. Il ne m'en a jamais parlé directement.

– Dans ce cas, comment pouvez-vous affirmer qu'il avait des doutes ?

– Je ne vois pas pourquoi je devrais vous raconter tout ça… hésita-t-elle.

– Je vais être franc avec vous, dans l'espoir que vous me rendrez la pareille.

Il lui parla de Reuben et des raisons de sa présence dans la maison, tout en évitant d'évoquer le télescope.

– Ce n'est pas lui qui a tué votre mari, madame Behan. S'il était là, c'est que je lui avais demandé de surveiller la maison. Il se passe des choses étranges dans Good Fellow Street.

– Quoi, par exemple ?

– Comme la présence de quelqu'un dans la maison d'en face.

– Je ne sais rien de tout cela, dit-elle, visiblement mal à l'aise. Et Cornélius ne m'en a jamais parlé. En revanche, il se croyait surveillé, notamment par le FBI, il était persuadé qu'on cherchait à le salir. Je ne sais pas si c'est vrai, toujours est-il qu'il s'était fait beaucoup d'ennemis.

– Vous dites qu'il ne vous a pas parlé directement de la mort de Jonathan, mais aux obsèques il semblait demander une confirmation à propos de la crise cardiaque. Il a même dit que l'on peut parfois commettre des erreurs au cours des autopsies.

Elle posa sa tasse de café et essuya maladroitement la trace de rouge à lèvres qu'elle avait laissée sur le rebord.

– Un jour, j'ai entendu Cornélius parler au téléphone. Je ne l'épiais pas, se hâta-t-elle d'ajouter, je cherchais un livre et il téléphonait dans la bibliothèque. La porte était entrouverte… Eh bien, il disait à quelqu'un que DeHaven venait de se faire faire un bilan cardiologique au Johns Hopkins et qu'il était en pleine forme. Il a ajouté aussi que grâce à des contacts dans la police de Washington, il avait appris que certaines personnes n'étaient pas satisfaites des résultats de l'autopsie. Il avait l'air soucieux et il a dit qu'il allait y voir de plus près.

— C'est ce qu'il a fait ?

— D'habitude je ne lui demandais pas où il allait, et il me rendait la politesse. Mais enfin, vu les circonstances de sa mort, il est évident qu'il lui arrivait de vagabonder. Je partais pour New York, j'étais pressée, mais pour une raison, je ne sais pas laquelle, peut-être à cause de son air soucieux, je lui ai demandé si quelque chose n'allait pas bien. À dire vrai, je ne savais même pas que cette société lui appartenait.

— Cette société ? Quelle société ?

— Fire Control. Je crois que c'était ce nom-là. Ou quelque chose d'approchant.

— Il est allé à Fire Control ?

— Oui.

— Il vous a dit pourquoi ?

— Seulement qu'il voulait vérifier quelque chose. Oh, il a aussi parlé de la Bibliothèque du Congrès, là où travaillait Jonathan. Il m'a dit que sa société s'occupait du système anti-incendie et qu'il avait appris que récemment on avait retiré des bonbonnes de là-bas. Il m'a signalé aussi qu'il y avait un problème dans l'inventaire.

— Savez-vous s'il a trouvé quelque chose ?

— Non. Comme je vous l'ai dit, je partais pour New York. Il ne m'a pas appelée. Mais quand moi je l'ai appelé, il n'en a pas parlé et, de toute façon, à ce moment-là, je n'y pensais plus.

— Il vous a semblé préoccupé lorsque vous l'avez eu au téléphone ?

— Pas plus que d'habitude… Oh, il a dit aussi qu'il allait vérifier la tuyauterie dans notre maison. Je pensais qu'il plaisantait.

— La tuyauterie ? Quelle tuyauterie ?

— Je n'en sais rien. J'imagine que c'étaient les tuyaux de gaz. Il peut y avoir des fuites, une explosion.

– Madame Behan, avez-vous un système d'arrosage automatique contre l'incendie, chez vous ?

– Oh, non. Nous avons de nombreuses œuvres d'art, alors il n'est pas question de déverser de l'eau. Mais Cornélius se préoccupait du risque d'incendie. Il n'y a qu'à voir ce qui s'est passé en face. Il avait fait installer un système différent, qui éteint l'incendie sans utiliser d'eau, mais j'ignore comment ça fonctionne.

– Pas de problème, je crois savoir.

– Vous pensez donc que les personnes qui ont tué Jonathan sont aussi derrière la mort de mon mari ?

Stone acquiesça.

– Oui. Et à votre place, je m'éloignerais de Good Fellow Street.

Elle eut l'air effrayée.

– Vous croyez que je suis en danger ?

– J'estime que tous les habitants de votre rue pourraient être en danger.

– Dans ce cas, je vais retourner à New York. Je partirai cet après-midi.

– Ça me paraît sage.

– J'imagine que la police ne s'y opposera pas. Ils m'ont quand même pris mon passeport. Je dois figurer sur la liste des suspects. Après tout, je suis sa femme. J'ai un alibi en or massif, mais c'est vrai que j'aurais pu engager quelqu'un pour le tuer en mon absence.

– Ça c'est déjà vu, concéda Stone.

– Vous savez, dit finalement Marilyn Behan, il m'aimait pour de bon.

– Je n'en doute pas, répliqua poliment Stone.

– Non, je sais ce que vous pensez. Mais il m'aimait vraiment. Les autres femmes, ce n'était que de la bagatelle. Elles allaient, elles venaient. J'étais la seule à laquelle il tenait. Et il m'a tout laissé. (Elle avala une gorgée de café.) Curieusement, il a fait fortune en fabriquant des machines de guerre, mais il détestait les armes à feu, il n'en a jamais possédé aucune. Il avait une formation d'ingénieur. C'était un homme brillant, et il a travaillé dur. (Elle s'interrompit un instant.) Il m'aimait. Et moi aussi, je l'aimais. Malgré tous ses défauts. Je n'arrive pas encore à croire à sa disparition. Une partie de moi est morte avec lui.

Elle essuya une larme au coin de ses paupières.

– Madame Behan, pourquoi me mentir ?

– Quoi ?

– Pourquoi me mentir ? Vous ne me connaissez même pas. Alors pourquoi tant d'efforts ?

– Je ne mens pas. Je l'aimais vraiment.

– Si vous l'aimiez tant, pourquoi avoir engagé un détective privé pour le surveiller depuis la maison d'en face ? Prenait-il des photos des femmes que votre mari ramenait sous votre toit ?

– Comment osez-vous ? Je n'ai rien à voir avec ça. Je vous l'ai dit, c'était probablement le FBI qui espionnait Cornélius.

– Non, le FBI aurait eu l'intelligence d'envoyer une équipe, au moins un couple, de façon que la maison paraisse habitée. Ils auraient aussi sorti les poubelles, allumé régulièrement les lumières, et ils ne se seraient pas laissé surprendre au cours de leur surveillance ! Et pourquoi aurait-on surveillé votre domicile ? Même le FBI n'a pas le budget nécessaire pour vérifier les moindres hypothèses. J'espère que vous n'avez pas payé trop cher ce cabinet de détectives privés, parce qu'ils n'étaient pas à la hauteur.

Elle se leva à moitié de sa chaise.

– Espèce de salaud !

– Vous auriez pu simplement divorcer. Obtenir la moitié de sa fortune et vous en aller, libre.

– Après avoir été humiliée comme ça ? Alors qu'il ramenait toutes ces putains dans ma maison ? Je voulais le faire souffrir. Vous avez raison. J'ai engagé un détective privé et je l'ai installé dans la maison d'en face. Et alors ? Et les photos qu'il a déjà prises de mon mari avec ses putes ? Avec ces preuves, je comptais lui faire mordre la poussière, le forcer à me donner toute sa fortune. Sans cela, j'aurais tout déballé, et laissez-moi vous dire que le gouvernement américain n'apprécie guère que les industriels de l'armement se retrouvent dans des situations compromettantes. Mon mari avait accès à des secrets d'État, dont on l'aurait privé si on avait su qu'on pouvait le faire chanter. Ne vous méprenez pas, j'aurais fini par le quitter si j'avais eu des garanties financières. Il n'était pas seul à batifoler. Moi aussi, j'ai eu des aventures, et j'ai choisi l'homme avec qui je vais vivre le restant de ma vie. Mais maintenant, j'ai hérité de tout sans même avoir eu besoin de le faire chanter. C'est la vengeance parfaite.

– Vous devriez parler moins fort. Et puis, vous l'avez dit vous-même, la police vous considère toujours comme suspecte. Inutile de lui fournir des bâtons pour vous fouetter.

Marilyn Behan s'aperçut alors que, dans le café, tous les regards étaient tournés vers elle. Elle blêmit et se rassit.

Stone, lui, se leva.

– Merci de m'avoir consacré un peu de votre temps. Vos informations m'ont été très utiles.

Et, le visage de marbre, il ajouta :

– Je vous présente toutes mes condoléances.

– Allez au diable, siffla-t-elle entre ses dents.

Chapitre 47

En attendant sa correspondance à l'aéroport d'Atlanta, Annabelle ne cessait de maudire l'initiative de Leo. Comment avait-il pu commettre une telle bêtise ? Si elle avait voulu révéler à Freddy sa véritable identité, elle l'aurait fait elle-même !

Les passagers de son vol faisaient déjà la queue à l'embarquement, mais elle ne se leva pas ; son billet de première classe lui permettait d'embarquer parmi les premiers, mais, fidèle à une vieille habitude, elle tenait à voir avec qui elle voyageait. Comme la file d'attente progressait vite, elle empoigna son sac. Quand elle prenait l'avion, elle n'enregistrait jamais de bagage, de crainte qu'on ne le fouille hors de sa présence. Une fois rendue à destination, elle s'achèterait de nouveaux vêtements.

Alors qu'elle s'apprêtait à rejoindre le comptoir, elle leva les yeux sur un poste de télévision branché sur CNN et se figea. Sur l'écran, Reuben la dévisageait. Elle se précipita en avant pour mieux lire les sous-titres. Reuben Rhodes, un vétéran du Vietnam, avait été arrêté pour le meurtre de Cornelius Behan, un industriel de l'armement. Une femme avait également été tuée dans la fusillade. Les coups de feu avaient été tirés de la maison voisine. Rhodes était détenu à…

Les haut-parleurs annoncèrent :

Vol 3457 sans escale pour Honolulu, embarquement immédiat. Vol 3457 sans escale pour Honolulu, embarquement immédiat.

Annabelle se tourna vers la porte d'embarquement qu'on s'apprêtait à fermer, puis vers l'écran de télévision. Des coups de feu tirés depuis la maison voisine ? Behan mort. Reuben arrêté. Mais que se passait-il, là-bas ? Il fallait qu'elle sache.

Puis les pensées se bousculèrent dans son esprit. *Ça ne te concerne pas, Annabelle. Il faut que tu partes. Jerry Bagger est lancé à tes trousses. Laisse les vieux s'occuper de ça. Ce n'est certainement pas Reuben qui a tué Behan, et ils vont finir par résoudre cette affaire. Et s'ils n'y arrivent pas, ce n'est pas ton problème.*

Pourtant, elle demeura clouée sur place. Jamais auparavant elle n'avait été la proie d'une telle indécision.

– Dernier appel pour le vol 3457, embarquement immédiat, fermeture de la porte

Va-t'en, Annabelle. Ce n'est pas ton histoire, ce n'est pas ton combat. Tu ne leur dois rien, à ces gars. Tu ne dois rien à Jonathan.

La porte d'embarquement se referma et l'hôtesse se dirigea vers une porte voisine. Elle attendit encore dix minutes, tandis que l'appareil s'éloignait de la porte d'embarquement. Alors qu'il s'élevait dans le ciel, Annabelle réservait déjà une autre place sur un vol en direction du nord, plus près de Jerry Bagger et de sa scie électrique. Elle ne savait même pas pourquoi. Et pourtant...

Albert Trent finissait un travail chez lui, assis à son bureau. Il s'était levé tard après une longue nuit de travail et devait mettre la dernière main à des dossiers de la commission du renseignement de la Chambre des représentants. Cela faisait des années qu'il occupait un poste élevé au sein de cette commission et il maîtrisait parfaitement tous les arcanes de ce monde-là, du moins ce que les services acceptaient de partager avec les parlementaires chargés de les surveiller. Il aplatit ses rares mèches de cheveux, termina son café et son fromage danois, ferma sa mallette et quelques minutes plus tard se retrouva au volant de sa Honda à deux portières. D'ici cinq ans, il conduirait une voiture infiniment plus luxueuse, peut-être en Argentine, ou alors sur une île du Pacifique sud dont on disait que c'était un véritable paradis.

Son compte secret abritait à présent des millions de dollars, et dans les cinq ans à venir il entendait bien doubler cette somme. Les secrets de Roger Seagraves se négociaient très cher. Ce n'était pas comme à l'époque de la guerre froide, où l'on déposait un paquet de documents en échange de vingt mille dollars. Les correspondants de Seagraves traitaient à coups de millions, mais ils en voulaient pour leur argent. Trent n'avait jamais posé de question à Seagraves, ni à propos de ses sources ni à propos des destinataires. De toute façon, Seagraves ne lui aurait rien dit, et lui-même préférait ne rien savoir. Sa seule tâche consistait à transmettre les informations collectées par Seagraves à un autre maillon de la chaîne. La façon dont il s'acquittait de cette tâche représentait une contribution inestimable à la cause et justifiait les sommes considérables que lui versait Seagraves. Il est vrai qu'ils formaient un tandem redoutable, qui avait su semer un trouble considérable au sein des services de renseignement américains.

Des agents du contre-espionnage s'efforçaient de localiser l'origine des fuites, mais, en sa qualité de membre de la commission du renseignement, Trent était au courant de certaines de ces enquêtes. Certes, un réseau d'espionnage ruinait les efforts des services de renseignement, mais les agents qui lui parlaient n'avaient aucune raison de soupçonner un simple haut fonctionnaire mal coiffé, conduisant une petite Honda vieille de huit ans et vivant dans une maison plus que modeste.

À présent, les autorités devaient savoir que la source se trouvait au cœur même de l'appareil d'État, mais avec quinze services de renseignement employant plus de cent vingt mille personnes et engloutissant chaque année cinquante millions de dollars de budget, la botte de foin se révélait gigantesque et l'aiguille microscopique. Quant à Roger Seagraves, Trent avait pu mesurer sa glaçante efficacité, sa manie du détail, même le plus insignifiant en apparence.

Dans les premiers temps de leur rencontre, Trent avait tenté en vain de s'informer à son propos, mais, fort de son expérience, il avait vite compris que la carrière passée de Seagraves devait demeurer secrète et qu'il valait mieux ne pas se frotter à un tel homme. Il ne s'y était d'ailleurs jamais risqué, préférant mourir riche et vieux, loin des États-Unis.

Au volant de sa vieille Honda, il tentait de se représenter sa nouvelle vie. Elle serait bien différente, indubitablement. En revanche, il ne songeait jamais aux vies que sa cupidité avait supprimées. Les traîtres ont rarement des accès de mauvaise conscience.

Stone venait à peine de rentrer de sa visite à Marilyn Behan que quelqu'un frappa à la porte de son cottage.

– Bonjour, Oliver.

Il ne montra aucune surprise en voyant Annabelle et lui fit signe d'entrer. Ils prirent place sur deux chaises bancales, devant la cheminée.

– Comment s'est passé votre voyage ? demanda-t-il d'un ton plaisant.

– Laissez tomber. Je ne suis pas partie.

– Vraiment ?

– Vous avez parlé de mon départ aux autres ?

– Non.

– Pourquoi ?

– Parce que je savais que vous alliez revenir.

– Ah, vous m'énervez ! s'écria-t-elle. Vous ne me connaissez même pas !

– Apparemment si, puisque vous êtes là.

Elle le dévisagea en hochant la tête.

– Vous êtes l'employé de cimetière le plus étrange que j'aie jamais vu.

– Vous en connaissez beaucoup ?

– J'ai appris ce qui est arrivé à Reuben.

– La police se trompe, bien sûr, mais ils ne le savent pas encore.

– Il faut le faire sortir de prison.

– On y travaille, et Reuben se débrouille bien. Je crois que là où il est, personne n'ira lui chercher des crosses. Je l'ai vu prendre cinq types à la fois dans une bagarre de bar. Non seulement il est très costaud, mais en plus il sait se battre, et de manière particulièrement vicieuse. J'admire beaucoup ça chez quelqu'un.

– Donc on a essayé de lui faire porter le chapeau.

– Oui.

– Mais pourquoi ? Et pourquoi tuer Behan ?

– Parce qu'il avait trouvé comment on avait tué Jonathan. C'était une raison suffisante.

Stone lui rapporta sa conversation avec Marilyn Behan.

– Alors ils éliminent Behan et font accuser Reuben, tout simplement parce qu'il se trouvait là ?

– Ils ont dû le voir sortir de la maison, et ils se sont dit que le grenier ferait un excellent poste de tir. Ils devaient aussi savoir que Behan amenait des femmes chez lui et qu'ils passaient toujours un certain temps dans cette chambre.

– On a affaire à forte partie. Bon, qu'est-ce qu'on fait, maintenant ?

– Pour commencer, il faut qu'on voie les bandes de la chambre forte.

– Sur le chemin du retour, j'ai réfléchi à un moyen d'y parvenir.

– J'étais sûr que vous trouveriez. Je crois que sans vous on n'aurait pas pu y arriver.

– Ne me flattez pas. On n'y est pas encore.

Ils demeurèrent silencieux pendant un moment, puis Annabelle se prit à regarder par la fenêtre.

– C'est vraiment tranquille, ici.

– Avec tous ces morts ? Je commence à trouver ça déprimant.

Elle se leva en souriant.

– Je vais appeler Caleb pour lui faire part de mon idée.

Stone se leva aussi et étira sa longue carcasse.

– Je me fais vieux, et tondre le gazon à longueur de journée, c'est mauvais pour les articulations.

– Prenez de l'Advil. Je vous appellerai plus tard, quand je me serai réinstallée.

Au moment où elle sortait, il lui lança :

– Je suis content que vous soyez revenue.

Même si elle l'avait entendu, elle ne réagit pas. Elle monta dans sa voiture et s'éloigna.

Chapitre 48

Après sa soudaine révélation, Jerry Bagger avait convoqué dans son bureau le directeur de l'hôtel situé en face du casino et lui avait demandé des renseignements sur le client qui avait pris une chambre au vingt-deuxième étage, tel jour. Et à Atlantic City, lorsque Jerry Bagger demandait quelque chose, il l'obtenait. Comme d'habitude, des hommes à lui se tenaient à l'arrière de la pièce.

Le directeur de l'hôtel, un bel homme encore jeune, visiblement ambitieux et désireux de bien faire, n'entendait pas se plier aux volontés du patron de casino.

– Comprenez bien une chose, jeune homme, si vous ne me donnez pas ce que je veux, vous mourrez.

Le directeur se raidit.

– Vous me menacez ?

– Non. Une menace, c'est quand il est possible que ça n'arrive pas. Dans le monde des affaires, on dirait plutôt que c'est garanti sur facture.

Le directeur pâlit, mais répondit avec courage :

– L'information que vous me demandez est confidentielle. Je ne peux pas vous la donner. Nos clients ont droit à la discrétion, et la politique de la maison est de ne…

Bagger l'interrompit.

— Ouais, ouais. Écoutez, je vais vous simplifier la vie. Combien vous voulez ?

— Vous tentez de me corrompre ?

— Ah, vous devenez raisonnable.

— Vous ne pensez quand même pas que… ?

— Cent mille.

— Cent mille dollars !

Bagger jeta un regard à ses hommes.

— Il a l'esprit vif, notre bonhomme, hein ? Je devrais l'engager pour diriger le casino à ma place. Ouais, cent mille dollars versés directement sur votre compte si vous me laissez regarder dans vos registres. (L'homme sembla hésiter, et Bagger s'impatienta.) Et si vous refusez, je vais vous le dire : je ne vous tuerai pas. Non, je vous casserai tous les os du corps, je vous foutrai le cerveau en compote pour que vous ne puissiez raconter à personne ce qui vous est arrivé, et vous passerez le reste de votre vie dans un hospice à vous pisser dessus en permanence. Je suis un homme raisonnable et je vous laisse prendre votre décision. Vous avez cinq secondes.

Une heure plus tard, Bagger avait obtenu toutes les informations qu'il demandait et dressé rapidement une liste de suspects. Ensuite, il interrogea le personnel de l'hôtel. Il ne lui fallut pas longtemps pour tirer le gros lot : l'un de ces clients avait bénéficié de services particuliers lors de son séjour.

— Oui, je lui ai fait un massage, déclara la jeune Cindy.

Elle était petite, un visage mignon, les cheveux noirs, des courbes affolantes et une effronterie née de la rue. Tout en s'entretenant avec Bagger dans une salle privée du somptueux espace de bains de l'hôtel, elle mâchait du chewing-gum et jouait avec ses mèches de cheveux.

Il l'observa avec attention.

— Vous savez qui je suis ?

Elle opina du chef.

— Vous êtes Jerry Bagger. Ma mère, Dolores, travaille à une table de craps, au Pompeii.

– C'est vrai. Brave Dolores. Ça vous plaît, ce travail aux bains ?

– La paye est minable, y'en a même quelques-uns qui bandent quand je les masse, mais il y a de bons pourboires. C'est plutôt dégueu pour une fille de dix-huit ans, mais ils filent des gros pourboires.

– Ce type pour qui vous avez travaillé (Bagger jeta un regard au nom qu'il avait noté), ce Robby Thomas, parlez-moi de lui, et dites-moi d'abord à quoi il ressemble.

– Beau garçon, mais super prétentieux. Il s'y croyait. Moi, ça me plaît pas chez les hommes. Et puis il était trop mince, trop mignon, si vous voyez le genre. Au bras de fer, j'aurais pu le battre. Moi, j'aime bien les grands gars costauds.

– Oui, j'imagine. Alors, à ce petit mignon, vous lui avez fait qu'un massage ? Ou alors une prestation supplémentaire ?

Cindy croisa les bras sur la poitrine et cessa de mâcher son chewing-gum.

– J'ai une licence professionnelle, monsieur Bagger.

Pour toute réponse, il tira de son portefeuille dix billets de cent dollars.

– Ça suffit pour acheter votre licence ?

Cindy coula un regard vers les billets.

– Faut dire que ce que je fais de mon temps libre, ça me regarde.

– J'irai pas dire le contraire. Alors, racontez-moi…

Elle prit l'argent, mais en hésitant.

– Je pourrais perdre mon boulot si…

– Écoutez, Cindy, je me fous éperdument que vous baisiez avec n'importe qui dans cette boîte de merde, d'accord ? (Il lui fourra les billets dans le décolleté.) Et maintenant, racontez-moi. Et ne me mentez pas. C'est très vilain de mentir.

Elle se mit à parler à toute allure.

– Bon, il était après moi dès le début. Je le massais, et brusquement j'ai senti sa main sur ma jambe. Et puis elle est montée plus haut.

– Ouais, un vrai dégueulasse. Et après ?

— Eh bien après il y a été de plus en plus fort. D'abord, je l'ai repoussé. Et puis il s'est mis à causer. Il m'a dit qu'il faisait un gros coup, qu'il fallait que je sois gentille avec lui.

— Un gros coup, hein ? Continuez.

— Il m'a montré des billets et il m'a dit qu'il allait en avoir plein d'autres. Quand j'ai fini le massage, il m'a attendu. On a bu quelques verres et j'ai commencé à devenir un peu pompette. J'tiens pas très bien l'alcool, moi.

— Ouais, ouais, continuez, Cindy, continuez, dit Bagger avec impatience. J'ai des problèmes de concentration.

Son débit se précipita.

— Ben, on a terminé dans sa chambre. Je lui ai fait une pipe, pour le mettre en forme, mais le salaud, il a éjaculé tout de suite. Je peux vous dire que j'étais furieuse. Je le connaissais même pas, ce con. Lui, il était dans tous ses états, il pleurait comme un gamin. Et il il m'a filé cent dollars. Merde, cent dollars ! Et puis il est allé dégueuler dans la salle de bains, il y est resté au moins dix minutes. Quand il est sorti, il m'a dit que ça faisait long-temps qu'il avait pas baisé, et que c'était pour ça qu'il avait fini si vite. Comme si j'en avais quelque chose à foutre, moi !

— Un pauvre type. Qu'est-ce qui s'est passé, ensuite ?

— Ben, c'est à peu près tout. J'avais pas de raison de rester, hein ? On n'était pas amoureux, quand même !

— Il n'a rien dit d'autre ? D'où il était ? Où il allait ? Ce que c'était, son gros coup ? (Elle secoua la tête.) Bon, vous m'avez l'air d'avoir la tête sur les épaules. Pendant qu'il dégueulait, dans les chiottes, vous en avez profité pour lui tirer quelques billets ?

— Je suis pas une salope, moi. Qui vous êtes, vous, pour m'ac-cuser d'un truc comme ça ?

— On va mettre les choses au point. (Il se frappa la poitrine de l'index.) Moi, je suis Jerry Bagger. Et vous, vous êtes une traî-née qui se fait juter dans la bouche pour un peu de pèze. Alors je vous repose la question : est-ce que vous lui avez pris un peu de fric pour compléter les cent dollars qu'il vous a donnés ?

— Je sais pas, peut-être, mais j'ai plus envie de parler.

Bagger lui saisit alors le menton et lui leva la tête de façon à la regarder droit dans les yeux.

– Est-ce que votre mère vous a parlé de moi ?

Cindy déglutit avec nervosité.

– Elle a dit qu'elle adore travailler pour vous.

– Rien d'autre ?

– Elle a dit qu'y fallait être con pour essayer de vous contrarier.

– Exactement. Elle a tout pigé, votre maman. (Il lui serra plus fort le menton, lui arrachant un petit cri.) Alors, si vous voulez la revoir, votre maman, réfléchissez bien et dites-moi ce que vous avez vu dans le portefeuille du petit mignon.

– D'accord. C'était bizarre, parce qu'il avait deux pièces d'identité.

– Oui ?

– La première, était au nom qu'il m'avait donné aux bains, Robby Thomas, du Michigan. L'autre, c'était un permis de conduire de Californie.

– À quel nom ?

– Tony. Tony Wallace.

Bagger lui lâcha le menton.

– Et voilà, c'était pas si dur que ça. Vous pouvez partir maintenant, et aller branler vos vieux.

Elle se leva, les jambes tremblantes. Alors qu'elle se tournait vers la porte, il lança :

– Dites-moi, Cindy, vous n'oubliez pas quelque chose ?

Lentement, elle pivota sur ses talons.

– Pardon, monsieur Bagger ?

– Je vous ai payé mille dollars. Le petit mignon vous en a donné dix fois moins et il a eu droit à une pipe. Vous ne m'avez même pas demandé si j'en voulais une. C'est pas gentil, ça, Cindy. Je suis du genre à m'en souvenir longtemps.

Il attendit, sans la quitter du regard.

– Vous voulez que je vous taille une pipe, monsieur Bagger fit-elle d'une voix tremblante. Avec plaisir…

– Non, j'en ai pas envie.

Chapitre 49

Annabelle et Caleb parcouraient ensemble un couloir du Jefferson Building. Vêtue d'une jupe droite rouge, d'un chemisier beige et d'une veste noire, Annabelle semblait pleine d'assurance, très professionnelle. Caleb, lui, paraissait au bord du suicide.

– Tout ce que vous avez à faire, dit-elle, c'est d'avoir l'air triste et déprimé.

– Ça ne sera pas difficile…

Avant de pénétrer dans le bureau de la sécurité de la Bibliothèque du Congrès, Annabelle chaussa sur son nez une paire de lunettes retenues par une chaînette.

– Vous êtes sûre que ça va marcher ? chuchota-t-il.

– Dans ce genre de comédie, on n'est jamais sûr à l'avance de quoi que ce soit.

– Fabuleux !

Quelques minutes plus tard, ils se trouvaient assis dans le bureau du chef de la sécurité. Annabelle prit la parole, tandis que Caleb gardait la tête baissée et le regard rivé sur la pointe de ses chaussures.

– Je disais donc que je suis psychologue, et que Caleb m'a demandé de l'aider à surmonter cette mauvaise passe.

– Vous dites qu'il a du mal à pénétrer dans la chambre forte ? demanda le chef de la sécurité, abasourdi.

– Oui. Comme vous le savez, c'est là qu'il a découvert le corps de son ami. D'ordinaire, Caleb aime cet endroit. Cela fait tant d'années qu'il y travaille, cela fait partie de sa vie…

Elle glissa un regard vers Caleb, qui, au signal, laissa échapper un profond soupir et se tamponna les yeux avec son mouchoir.

– Et ce lieu qui charrie avec lui tant de souvenirs agréables est devenu pour lui source de tristesse et même d'horreur.

Le chef se tourna vers Caleb.

– Cela a dû être très dur pour vous, monsieur Shaw.

Les mains de Caleb tremblaient si fortement qu'Annabelle en prit une entre les siennes pour le calmer.

– Je vous en prie, appelez-le Caleb. Ici, nous sommes tous des amis, dit Annabelle en jetant un regard appuyé au chef sans que Caleb s'en aperçoive.

– Oui, bien sûr, nous sommes tous des amis, répéta le chef. Mais quel est le rapport avec mon service ?

– J'aimerais que Caleb puisse visionner les bandes de surveillance de la salle de lecture, voir les gens entrer et sortir normalement, comme ça doit se passer, de façon à lui permettre de surmonter cette période difficile, et d'appréhender la salle de lecture et la chambre forte comme des expériences positives.

– Je ne sais pas si je peux vous permettre de visionner ces bandes. C'est une requête plutôt inhabituelle.

– C'est vrai que cette situation est plutôt inhabituelle, admit Annabelle. Mais je suis persuadée que vous ferez tout ce qui est en votre pouvoir pour permettre à l'un de vos collègues de retrouver une vie saine à son travail.

– Oui, bien sûr, mais…

– Eh bien, le moment ne serait-il pas idéal pour voir ces bandes ? (Elle jeta un regard furieux à Caleb, qui s'était déjà à moitié relevé.) Vous voyez bien qu'il est complètement effondré.

Caleb retomba sur sa chaise, la tête entre les genoux.

– Dites-moi, Dale… reprit-elle. Je peux vous appeler Dale, n'est-ce pas ?

— Oui, oui, bien sûr.

— Bon, Dale, vous voyez les vêtements que je porte ?

Le dénommé Dale détailla un instant la belle silhouette et répondit d'un ton soumis :

— Oui, j'ai remarqué.

— Vous avez vu que ma jupe est rouge, une couleur vive, positive. Mais ma veste est noire, ce sont des vibrations négatives, et mon chemisier beige, couleur neutre. Tout cela indique que je suis à mi-chemin, que je ne suis pas encore parvenue à ramener cet homme à une vie saine et normale. Pour mener à bien cet objectif, Dale, j'ai besoin de votre concours. Pour Caleb, je veux pouvoir m'habiller en rouge de pied en cap. Et je suis sûre que vous aussi. Allez, finissons le travail, Dale, on y va ! Vous êtes avec moi, pas vrai ?

— Euh, oui... bon, je vais vous chercher les bandes.

Quelques heures plus tard, Annabelle et Caleb avaient visionné les allées et venues avant et après le meurtre de DeHaven.

— Ce sont les mouvements habituels, finit par dire Caleb. Il n'y a rien, là-dedans.

Annabelle fit une nouvelle fois défiler l'une des bandes.

— Qui est-ce ?

— Kevin Philips, Il dirige le service depuis la mort de Jonathan. Il était descendu me parler de sa mort. Et là, c'est Oliver, déguisé en universitaire allemand.

— Joli, dit Annabelle, admirative. Il se débrouille très bien.

Ils poursuivirent leur examen. À un moment, Caleb montra une scène.

— Là, c'est quand on m'a annoncé que j'étais l'exécuteur littéraire de Jonathan. (Il observa l'écran avec plus d'attention.) Je suis vraiment aussi gros que ça ?

Il pressa la main sur son ventre.

— Qui vous a appris la nouvelle ?

— Kevin Philips.

Sur l'écran, Caleb trébuchait et cassait ses lunettes.

– Je ne suis pas aussi maladroit, d'habitude, dit-il. J'aurais été incapable de lire ce mot si Jewell English ne m'avait pas prêté ses lunettes.

– Mais pourquoi les a-t-elle échangées ?

– Quoi ?

– Elle a échangé les lunettes qu'elle portait contre une autre paire, dans son sac. (Annabelle fit revenir la bande en arrière.) Vous voyez ? C'est un mouvement très rapide, très habile. Elle ferait une bonne pick… enfin, elle est très habile de ses doigts.

Surpris, Caleb observa le geste de Jewell English escamotant les lunettes qu'elle portait et tirant une autre paire de son sac. C'était cette dernière qu'elle tendait à Caleb.

– Je ne sais pas, c'étaient peut-être des lunettes spéciales. Celles qu'elle m'a données allaient très bien. J'ai réussi à lire le message.

– Qui est Jewell English ?

– Oh, une vieille dame folle de livres, une habituée de la salle de lecture.

– Mais ses mains virevoltent comme une tricheuse de black-jack à Las Vegas. Je me demande pourquoi.

Chapitre 50

Assis dans son salon, Stone pensait à sa conversation avec Marilyn Behan. Si elle disait la vérité, et il n'avait aucune raison de croire qu'elle mentait, il s'était trompé. Cornelius Behan n'avait tué ni Jonathan DeHaven ni Bob Bradley. Pourtant, il avait découvert la méthode utilisée pour tuer le malheureux bibliothécaire, ce qui avait entraîné sa perte. Dans ce cas, qui d'autre bénéficiait de la morte de DeHaven ? Et de celle de Bradley ?

— Oliver ?

Il leva les yeux. Milton se tenait dans l'encadrement de la porte.

— J'ai frappé, mais personne n'est venu.

— Excuse-moi, je crois que j'étais préoccupé.

Milton tira un dossier de la mallette de son ordinateur portable.

— Voilà ce que j'ai pu trouver sur l'équipe de Bradley.

Stone prit les documents et les lut avec attention. Plusieurs documents mettaient en valeur l'action de Bradley au sein de la commission du renseignement à la Chambre des représentants, qu'il avait présidée pendant de longues années.

— Bradley était un homme politique très capable, et il a initié plusieurs bonnes réformes dans le domaine du renseignement, dit Milton.

– C'est peut-être pour ça qu'on l'a tué, remarqua Stone. Jolie récompense.

Stone étudia plus attentivement encore les informations et les photos de l'équipe de Bradley au Congrès et à la commission du renseignement. Au moment où il terminait, Annabelle et Caleb firent leur apparition. Stone rapporta alors son entrevue avec Marilyn Behan.

– La question me semble donc réglée, dit Caleb, ça n'est pas Behan qui a fait assassiner Jonathan.

– Effectivement, dit Stone. Et vous deux, qu'avez-vous trouvé sur les bandes ?

– Nous pensions voir quelqu'un sortir de la chambre forte, expliqua Annabelle, mais ça n'a rien donné. Cela dit, nous avons découvert un élément qui pourrait être extrêmement important.

Elle décrivit l'incroyable dextérité de Jewell English.

– Vous en êtes sûre ? demanda Stone, étonné.

– Croyez-moi, je l'ai vu faire des milliers de fois.

Il se tourna vers Caleb.

– Que sais-tu de cette femme ?

– Pas grand-chose, sinon qu'elle est veuve, âgée et charmante, que c'est une habituée, qu'elle adore les livres et...

– Et quoi ?

– Et qu'elle n'arrête pas de me faire du rentre-dedans, dit-il d'un ton embarrassé.

Annabelle faillit éclater de rire.

– Mais tout ça, tu le sais parce que c'est elle qui te l'a dit, objecta Stone. Tu n'as rien vérifié.

– C'est vrai, reconnut Caleb.

– Pourquoi avoir échangé les lunettes ?

– Tout simplement, peut-être, parce qu'elles avaient une particularité et qu'elle ne voulait pas me les donner. Elle m'a prêté son autre paire pour que je n'en tire pas des conclusions fantaisistes.

– Moi non plus, je n'ai pas envie d'en tirer des conclusions fantaisistes, sauf qu'on n'imagine pas qu'une vieille dame qui fréquente la Bibliothèque du Congrès fasse preuve d'une telle dextérité. Si elle ne voulait pas te prêter cette paire de lunettes, pourquoi ne pas l'avoir dit, tout simplement, avant de te passer l'autre ?

— Je n'ai pas de réponse, avoua Caleb.

— Moi non plus, mais je crois que ça vaudrait le coup d'en obtenir une si nous voulons découvrir ce qui est arrivé à Jonathan DeHaven.

— Tu ne penses quand même pas que Jewell English soit mêlée au meurtre de Jonathan ! s'écria Caleb.

— Pour l'instant, c'est une hypothèse qu'on ne peut pas écarter. Quant à Behan, s'il a été assassiné, c'est parce qu'il avait découvert la façon dont on avait tué DeHaven. Il a dû s'apercevoir que les inscriptions sur les bonbonnes de gaz de la Bibliothèque avaient été maquillées. C'est peut-être pour ça qu'il est venu à la Bibliothèque et qu'il a demandé à visiter la chambre forte. Il cherchait à comprendre pourquoi on avait voulu tuer DeHaven. Tu te rappelles, il voulait savoir si DeHaven s'entendait bien avec tout le personnel. Il n'accusait personne en particulier, il essayait de savoir si DeHaven n'avait pas d'ennemis.

— En d'autres termes, la clé ce n'est pas Behan mais DeHaven, et peut-être quelque chose à la Bibliothèque, déduisit Annabelle.

— C'est possible, répondit Stone. Ou alors quelque chose dans sa vie privée.

Caleb se raidit à cette dernière remarque mais ne dit rien.

— Quelle place occupe le meurtre de Bradley dans cette histoire ? demanda-t-elle. Vous pensiez que c'était lié.

— Nous savons que Bradley a été tué par une balle de fusil tirée par la fenêtre d'un autre bâtiment. Behan est mort exactement de la même façon. Ça ne peut pas être une coïncidence. Ce pourrait même être le même assassin. Les tueurs professionnels utilisent en général la même méthode parce qu'ils la maîtrisent parfaitement et que ça réduit les risques d'erreur.

307

— On dirait que vous en savez long sur le sujet, fit remarquer Annabelle.

Il lui adressa un sourire des plus innocents.

— Caleb pourra vous le confirmer, je suis un grand lecteur de romans noirs. Je les trouve non seulement distrayants, mais encore pleins d'informations utiles. (Il se tourna vers Caleb.) Y aurait-il moyen d'examiner les lunettes de cette femme à son insu ?

— Bien sûr, fit Caleb d'un ton sarcastique. On peut cambrioler chez elle en pleine nuit et les lui voler.

— Bonne idée. Tu peux avoir son adresse ?

— Mais enfin, Oliver, tu plaisantes ! s'étrangla Caleb.

— Il y a peut-être un meilleur moyen, dit Annabelle. Vient-elle régulièrement en salle de lecture ?

— Oui, très régulièrement.

— Quand doit-elle venir, la prochaine fois ?

Caleb réfléchit un instant.

— En fait, demain.

— Parfait. Demain, je vous accompagne à la Bibliothèque. Vous me la montrez, et ensuite vous me laissez faire.

— Comment comptez-vous opérer ? demanda Caleb.

Annabelle se leva.

— En la prenant à son propre jeu.

Après le départ d'Annabelle, Caleb lança :

— Je ne pouvais pas parler devant elle, mais si tout cela était lié au *Bay Psalm Book* ? Il vaut une fortune et on n'arrive pas à savoir où Jonathan se l'est procuré. Peut-être a-t-il été volé, peut-être cherche-t-on à mettre la main dessus. Ils auraient pu tuer Jonathan pour le récupérer.

— Ils ne l'ont pas fait, Caleb, rétorqua Stone. Celui qui a assommé Reuben se trouvait dans la maison, ils auraient pu pénétrer dans la chambre forte et voler le livre. Et pourquoi tuer Cornelius Behan ? Et Bradley ? Ces deux-là ne sont en rien liés au *Bay*. Behan ne savait même pas que DeHaven était collectionneur. Quant à Bradley, il ignorait probablement jusqu'à l'existence de ton collègue.

Déconcerté, déprimé, Caleb finit par partir, laissant Stone et Milton éplucher une fois encore les dossiers des membres de l'équipe Bradley.

— Michael Avery a fait ses études à Yale, lut Stone, il a été assistant d'un des juges de la Cour suprême et a fait un passage obligé au Conseil national du renseignement avant d'intégrer la commission du renseignement à la Chambre. Il a suivi Bradley lorsque celui-ci est devenu président de la Chambre des représentants. (Il examina d'autres photos, d'autres biographies.) Dennis Warren, lui aussi ancien de Yale, a commencé sa carrière au ministère de la Justice. Il était chef de cabinet de Bradley et a conservé ce poste quand Bradley est devenu président de la Chambre. Albert Trent appartient depuis des années à l'équipe Bradley de la commission du renseignement ; ancien avocat formé à Harvard et employé de la CIA pendant un certain temps. Ils sortent tous des grandes universités de la côte est et ont beaucoup d'expérience. Apparemment, Bradley avait réuni autour de lui une équipe de premier ordre.

— Tu connais le proverbe : un parlementaire ne vaut que ce que vaut son équipe.

— Tu sais, dit Stone, on n'a jamais examiné de près les circonstances de la mort de Bradley.

— Et comment y remédier ?

— Ça te dirait d'exercer tes talents de comédien avec moi ?

— Tope-là.

Chapitre 51

Roger Seagraves et Albert Trent s'étaient retrouvés dans le bureau de ce dernier, sur la colline du Capitole. Seagraves venait de donner à son partenaire un dossier dont Trent ferait une copie, avant de le ranger dans les archives de la commission du renseignement. Dans ce dossier étaient dissimulés des secrets touchant à la stratégie militaire des États-Unis en Afghanistan, en Irak et en Iran. Pour les extraire, Trent utiliserait une méthode de décryptage convenue entre eux. Une fois terminée la remise des documents, Seagraves demanda :

— Vous avez une minute ?

Ils déambulèrent dans les jardins du Capitole.

— Vous avez eu de la chance, pour Behan, qu'on ait mis ça sur le dos de l'autre type, dit Trent.

— Il faut que vous compreniez une chose, c'est que la chance n'a rien à voir là-dedans. Une opportunité s'est présentée, et je l'ai saisie.

— D'accord, je ne voulais pas minimiser votre initiative. Vous croyez que les charges contre lui tiendront ?

— J'en doute. Je ne sais pas exactement pourquoi il était là, mais il surveillait la maison de Behan. Et il est copain avec

Caleb Shaw, le type qui travaille à la Bibliothèque du Congrès. Pour couronner le tout, le bonhomme avec qui j'ai eu une petite « conversation », cet Oliver Stone, appartient au même groupe.

— Shaw est l'exécuteur littéraire de DeHaven. C'est pour ça qu'il est allé dans cette maison.

Seagraves lui jeta un regard de dédain.

— Je sais, Albert. J'ai d'ailleurs rencontré Shaw pour préparer une éventuelle action. Ils ne s'occupent pas seulement de bouquins. Le type que j'ai interrogé est un ancien agent très spécial de la CIA.

— Vous ne m'aviez pas dit ça ! s'écria Trent.

— Vous n'aviez pas besoin de le savoir.

— Pourquoi faut-il que je le sache maintenant ?

— Parce que je l'ai décidé. (Seagraves jeta un regard au Jefferson Building, où se trouvait la salle de lecture des livres rares.) Ces gens sont également allés fureter du côté de Fire Control. Mon contact là-bas m'a dit que la peinture sur l'une des bonbonnes rapportées de la Bibliothèque avait été grattée. Ils doivent donc être au courant pour le CO_2.

Trent blêmit.

— Ça sent le roussi, là.

— Ne commencez pas à paniquer, Albert. J'ai un plan. J'ai toujours un plan. Le dernier versement doit bientôt arriver. En combien de temps pouvez-vous livrer le nouveau machin ?

Trent consulta sa montre.

— Demain au plus tôt, mais ce sera juste.

— Faites-le.

— On devrait peut-être annuler.

— Nous avons beaucoup de clients à satisfaire, ce ne serait pas bon pour les affaires.

— Se retrouver en prison pour trahison, ce n'est pas non plus très bon pour les affaires.

— Oh, mais je n'irai pas en prison.

— On n'en est jamais sûr.

— Mais si. Parce qu'on n'emprisonne pas les morts.

– D'accord, mais on n'est pas obligés d'en arriver là. On pourrait peut-être ralentir un peu le rythme, le temps que les choses se calment.

– À un tel niveau, les choses se calment rarement. On va continuer. Je vous l'ai dit, j'ai un plan.

– On peut savoir lequel ?

Seagraves ignora la requête.

– Je fais une nouvelle relève, ce soir. Et si c'est ce que je crois, ça peut valoir dix millions de dollars. Mais soyez vigilant, et si vous remarquez la moindre bizarrerie, vous savez où me joindre.

– Vous croyez que vous serez obligé de... vous voyez ce que je veux dire ?

– D'une certaine façon, je l'espère bien, dit Seagraves avant de s'éloigner.

Le soir même, Seagraves se rendit au Kennedy Center pour assister à un concert du National Symphony Orchestra, le NSO. Perché sur les rives du Potomac, le Kennedy Center affectait la forme d'un gros cube plutôt laid, et l'on avait rarement vu bâtiment plus terne élevé en l'honneur d'un Président des États-Unis. Mais Seagraves se moquait de l'esthétique du lieu, et même du NSO. Avec sa haute silhouette, ses larges épaules et son visage avenant, il attira les regards d'un grand nombre de femmes en se dirigeant vers l'auditorium. Il n'y prêta pas la moindre attention. Le travail avant tout.

Plus tard, au cours du bref entracte, Seagraves se joignit aux spectateurs pour aller prendre un verre et jeter un coup d'œil aux souvenirs proposés à la vente, avant de se rendre aux toilettes. Puis les lumières commencèrent à baisser, signalant la reprise du concert, et les spectateurs se hâtèrent de regagner leurs sièges.

Une heure plus tard, il alla prendre un dernier verre dans le bar situé juste en face du Kennedy Center. Il tira le programme de la poche intérieure de son veston et l'examina avec attention.

Bien entendu, ce n'était pas le sien. Quelqu'un avait profité de la bousculade, à la fin de l'entracte, pour le lui glisser dans la poche.

De retour chez lui, Seagraves tira des pages du programme les secrets qui y étaient dissimulés, et les convertit dans le format nécessaire à Albert Trent. Il les lui transmettrait lors de leur prochaine entrevue. Il sourit. Il avait en main les derniers éléments permettant le décryptage des communications diplomatiques du ministère des Affaires étrangères. À la réflexion, dix millions de dollars lui semblaient trop peu. Peut-être vingt. Il opta finalement pour vingt-cinq millions, se laissant ainsi une marge de manœuvre pour les négociations qui se déroulaient dans différents salons de discussion sur Internet. Et les secrets n'étaient livrés qu'une fois l'argent viré sur son compte. Il avait pris le parti fort sage de ne faire confiance à personne, et c'était le code des affaires qui garantissait l'honnêteté des transactions. Si par malheur il ramassait l'argent sans livrer la marchandise, il perdait le marché – et probablement la vie.

Seul raté possible à cette mécanique bien huilée, que quelqu'un vienne y fourrer son nez. S'il n'y avait eu que le bibliothécaire, il n'aurait guère eu à s'inquiéter, mais la présence d'un triple six ne pouvait être prise à la légère. Seagraves sentait venir la tempête. Voilà pourquoi, lorsqu'il avait enlevé et torturé Stone, il avait également pris l'une de ses chemises, pour l'ajouter, au besoin, à sa collection.

Chapitre 52

Stone et Caleb arrivèrent au Federalist Club vers 10 heures le lendemain matin.

Ils présentèrent leur requête, on les conduisit dans le bureau du directeur et celui-ci examina les pièces d'identité flambant neuves que Milton avait sorties sur son imprimante la veille au soir.

— Vous avez été engagés par la famille Bradley au Kansas, pour enquêter sur son assassinat ? Mais la police s'occupe déjà de l'affaire. Et le FBI. Ils sont tous venus ici un nombre incalculable de fois, ajouta-t-il, agacé.

— La famille voulait être représentée personnellement pour l'enquête, je suis sûr que vous le comprenez, dit Stone.

Les deux hommes étaient vêtus de complets cravates de couleur sombre, et Milton avait dissimulé ses longs cheveux sous un feutre qu'il gardait obstinément sur le crâne.

— Ils estiment que cette enquête n'avance pas, ajouta-t-il.

— Là, je ne peux que vous donner raison, puisque la police n'a encore arrêté personne.

– Appelez-les, si vous voulez vérifier que c'est bien la famille qui nous envoie. Mme Bradley est en convalescence à l'étranger, mais vous pouvez joindre l'avocat de la famille dans le Maryland.

Sur la carte figurait le numéro de téléphone de Milton. Ce dernier avait branché un répondeur signalant que l'avocat était occupé et qu'il rappellerait plus tard.

– Non, non, ça ira. Que voulez-vous savoir, exactement ?

– Pourquoi Bradley était-il présent au club, ce soir-là ?

– C'était une réception privée, pour fêter son élection à la présidence de la Chambre.

– Je vois. Qui avait organisé cette réception ?

– Son équipe, j'imagine.

– Quelqu'un en particulier ?

– Pas que je me rappelle. Nous avons reçu des instructions par fax. Je pense que ça devait être une surprise pour lui.

– Et il a été tué dans la salle de réception, celle de devant ?

– Nous l'appelons la salle James Madison. Je peux vous la montrer, si vous voulez.

Il les conduisit dans la vaste salle donnant sur la rue. De l'autre côté s'élevait un bâtiment dont les fenêtres donnaient directement sur la large baie vitrée. L'angle de tir était idéal, mais il fallait une complicité à l'intérieur pour que la cible se tienne au bon endroit.

– Et pourquoi est-il venu là ? interrogea Stone.

– Pour le toast en son honneur… C'était horrible. Le sénateur Pierce venait à peine de terminer son allocution que Bradley a été abattu. C'était épouvantable, il y avait du sang partout. Un tapis persan hors de prix en a été imbibé, et le sang a même pénétré dans le parquet. Ça nous a coûté une fortune pour le faire nettoyer. La police ne nous y a autorisés que très récemment. Nous n'avions même pas le droit de le recouvrir, parce que ça aurait pu abîmer un élément de preuve. Les gens avaient ça sans arrêt sous les yeux.

– Qui est propriétaire du bâtiment d'en face ? demanda Milton.

— Je l'ignore, mais j'imagine que la police, elle, doit le savoir. C'était d'abord un local d'habitation, puis une galerie d'art. Il est vide depuis à peu près cinq ans, ce qui fait peine à voir, mais qu'y pouvons-nous ? J'ai quand même entendu dire qu'il allait être rénové, probablement pour faire des appartements, mais les travaux n'ont pas encore commencé.

— Qui a fait venir Bradley dans la salle, pour le toast ? questionna Stone.

Le directeur réfléchit un moment.

— Il y avait tellement de gens, ce soir-là, je ne m'en souviens plus bien… Je ne m'occupais pas vraiment de l'organisation de cette soirée, mais j'étais à côté de la fenêtre au moment du coup de feu. La balle m'a sifflé près des oreilles. J'ai mis plusieurs jours à m'en remettre.

— J'imagine. Quelqu'un d'autre pourrait-il nous renseigner sur ce point ?

— Eh bien, un des serveurs et puis le barman qui travaillait ce soir-là. Ils sont tous les deux ici en ce moment, si vous voulez leur parler.

Le barman ne savait rien. En revanche, le serveur, un dénommé Tom, déclara :

— Je crois que c'est un membre de son staff qui a rassemblé tout le monde pour le toast.

— Vous vous rappelez son nom ?

— Pas vraiment. Il y avait tellement de gens… Et il n'a pas précisé son nom.

— C'était donc un homme ? (Tom acquiesça et Stone lui montra les photos des membres de l'équipe de Bradley.) Vous en reconnaissez certains ? Était-ce lui ? (Il désigna la photo de Dennis Warren.) C'était son chef de cabinet.

— Non, ce n'était pas lui.

— Lui, alors ? demanda Stone en lui soumettant un portrait d'Albert Trent.

— Non. (Il étudia du regard les différentes photos et s'arrêta sur l'une d'elles.) Là, c'est lui ! Maintenant, je m'en souviens.

Stone contempla le visage de Michael Avery, membre de la commission du renseignement de la Chambre à l'époque où Bradley en était le président.

Lorsqu'ils eurent quitté le Federalist Club, Milton lança à Stone :

– Et maintenant ?

– Maintenant, on va aller parler à des anciens collaborateurs de Bradley.

– Pas Avery, quand même ! Ça le mettrait sur ses gardes.

– Non, mais à Trent ou à Warren.

– On ne peut pas prétendre enquêter pour le compte de la famille Bradley, ils nous perceront à jour.

– Non, nous allons jouer franc-jeu.

– Quoi ?

– Nous allons leur dire que nous enquêtons sur la mort de Jonathan DeHaven.

Stone trouva le numéro de Warren dans l'annuaire, et celui-ci accepta de les rencontrer, bien qu'il n'eût pas connu personnellement DeHaven.

Milton et Stone gagnèrent en métro la ville de Falls Church, en Virginie. Le modeste pavillon de Warren était situé dans un quartier ancien, et au premier coup d'œil on devinait que l'homme n'était guère bricoleur ni tourné vers les plaisirs du jardinage. La pelouse était recouverte de feuilles mortes et la façade de la maison aurait eu besoin d'un bon coup de peinture.

Pourtant, l'intérieur se révélait douillet et confortable, et une quantité impressionnante de livres était rangée sur des étagères. Des amoncellements de chaussures de tennis, de tenues de sport et tout un bataclan d'objets d'adolescents montraient qu'il était également père de famille.

Dennis Warren était un homme de haute taille, corpulent, aux cheveux bruns, au crâne un peu dégarni et au visage grêlé. Sa peau grisâtre trahissait des dizaines d'années passées à travailler dans des bureaux, à la lumière des néons.

— Ne faites pas attention au désordre, dit-il en conduisant ses invités au salon. Avec trois fils entre treize et dix-huit ans, on peut dire que je ne suis plus chez moi. Je peux présenter un rapport argumenté aux chefs d'état-major ou au ministre de la Défense sur des questions touchant aux stratégies du renseignement à l'échelle mondiale, mais je n'arrive pas à obtenir de mes fistons qu'ils prennent régulièrement un bain ou mangent autre chose que des cheese-burgers.

— Oui, nous savons que vous avez appartenu à la commission du renseignement de la Chambre, dit Stone.

— Tout à fait. J'ai suivi Bradley quand il a été nommé président de la Chambre des représentants, et maintenant je suis au chômage.

— À cause de sa mort ? demanda Milton.

Warren opina du chef.

— Je lui étais totalement dévoué, et j'ai travaillé pour lui avec beaucoup de plaisir. C'était un grand homme. Vu l'époque, on avait besoin d'une personnalité de cette trempe, solide et honnête.

— Vous n'avez pas pu rester à la commission du renseignement ? demanda Stone.

— Je n'avais pas le choix. Bradley voulait que je l'accompagne et c'est ce que j'ai fait. De toute façon, j'en avais envie. Il n'y a qu'un président de la Chambre et un chef de cabinet. En outre, le nouveau président de la commission du renseignement avait ses propres poulains à placer. C'est comme ça que ça se passe au Capitole. On est attaché aux basques d'un parlementaire. Et quand il bouge, ma foi... Voilà pourquoi je me retrouve chez moi en pleine journée. Heureusement que ma femme est avocate, sans ça c'était le naufrage financier. À dire vrai, je suis encore sous le choc de ce qui s'est passé et je ne me suis pas encore mis en quête d'un autre poste. Mais vous m'aviez dit que vous enquêtiez sur la mort de ce M. DeHaven. Quel rapport avec Bradley ?

— Peut-être aucun et peut-être beaucoup, répondit Stone. Vous avez entendu du parler du meurtre de Cornelius Behan ?

— Bien sûr. Plutôt embarrassant pour sa femme, non ?

— Certes. En tout cas, DeHaven était voisin de Behan et le tueur a tiré sur lui depuis sa maison.

— Bon sang, j'ignorais ce détail. Mais je ne vois toujours pas de rapport avec Bob Bradley.

— J'essaye moi-même de trouver le lien entre ces trois affaires. Vous étiez au Federalist Club, ce soir-là ?

Warren acquiesça.

— Ce qui devait être un hommage s'est transformé en cauchemar.

— Vous avez assisté à sa mort ? questionna Milton.

— Hélas, oui ! J'étais juste à côté de Mike, Mike Avery. Le sénateur Pierce venait de terminer son allocution et paf ! le coup de feu a claqué. C'est arrivé si vite… J'ai renversé du champagne sur mon veston ! C'était horrible, on avait la nausée.

— Vous connaissez bien Avery ?

— Et comment ! Ça fait dix ans qu'on travaille ensemble jour et nuit.

— Où est-il maintenant ?

— Comme moi, il a suivi Bradley quand celui-ci a été nommé président de la Chambre. Lui aussi se pointe au chômage, maintenant.

— Nous avons cru comprendre que c'était lui qui avait arrangé la soirée au club et prévu le toast.

— Non, ce n'est pas lui. Mike et moi sommes venus ensemble en voiture. Nous figurions simplement sur la liste des invités.

— On nous a dit qu'il avait appelé les gens dans la salle pour porter le toast.

— Moi aussi, je l'ai fait. Nous aidions, c'est tout.

— Qui aidiez-vous ?

— Albert. Albert Trent. C'est lui qui avait suggéré de porter un toast. Albert proposait toujours des trucs comme ça. Moi, pour les mondanités, je suis en dessous de tout.

— Albert Trent ? Était-il l'instigateur de la soirée ?

— Je n'en sais rien. Mais ce soir-là, c'était lui le maître de cérémonie.

— Il est au chômage, lui aussi ?

— Oh, non. Albert, lui, est resté à la commission du renseignement.

— Mais je croyais que vous suiviez toujours le parlementaire auquel vous étiez attaché, objecta Stone.

— En principe, oui. Mais Albert ne voulait pas quitter la commission. Bradley n'était pas content, je peux vous le dire. Albert s'était arrangé avec le nouveau président de la commission pour être son chef de cabinet. Il sait se rendre indispensable. Mais la charge de président de la Chambre est écrasante, et la présence d'Albert nous manquait. Ce ne sont pas des bruits de couloir que je vous rapporte, c'est de notoriété publique.

— Et Bradley l'a laissé faire à sa guise ?

Warren sourit.

— Vous ne connaissiez pas Bob Bradley. Je vous l'ai dit, c'était un homme droit, honnête et travailleur, mais on ne peut pas atteindre un tel niveau de responsabilité sans être à la fois dur et opiniâtre. Et il n'aimait pas que ses subordonnés lui résistent. Tôt ou tard, Albert aurait été contraint de rejoindre son cabinet à la présidence de la Chambre.

— Or, avec la mort de Bradley, il n'en est plus question, c'est ça ?

— Exactement. Mike et moi avons respecté les usages et nous nous retrouvons le bec dans l'eau. Albert, lui, a défié le vieux, et il s'en tire bien. Mike a quatre enfants et une épouse à charge, alors que Trent est célibataire et sans enfants. Il y a comme de l'injustice, là.

Après leur départ, Milton se tourna vers Stone.

— Oui, je sais, il faut que je récolte tout sur Albert Trent.

Stone acquiesça.

— Tout, insista Stone.

— En tout cas, il y a un mobile évident pour le meurtre. Je suis étonné que la police n'y ait pas pensé. Même Warren ne semble pas avoir percuté.

— Quel mobile ? demanda Stone.

— Mais enfin, Oliver, c'est évident ! Bradley vivant, Trent devait un jour ou l'autre quitter la commission du renseignement. Bradley mort, Trent reste là où il est.

— Tu crois qu'il a tué le président de la Chambre pour éviter de changer de boulot ? Il n'a pas pu tirer lui-même puisqu'il était au club ce soir-là, il a donc dû engager un tueur. Ça semble un peu beaucoup pour conserver un poste de rang moyen. Et comme Warren l'a fait remarquer, le bureau du président de la Chambre, c'est beaucoup plus prestigieux.

— Il doit y avoir autre chose.

— Certainement. Mais quoi ?

Après le départ de Stone et Milton, Dennis Warren téléphona à son ami et ancien collègue Mike Avery, puis composa un deuxième numéro.

— Allô, Albert ? Salut, c'est Dennis. Excuse-moi de te déranger au travail, mais il y a deux types qui sont venus me poser des questions bizarres. J'ai également appelé Mike Avery, pour le mettre au courant. Ça n'est peut-être rien, mais j'ai pensé qu'il valait mieux te prévenir.

— Merci, dit Trent. Qu'est-ce qu'ils voulaient savoir, exactement ?

Warren rapporta leur conversation, puis ajouta :

— Je leur ai dit que c'était toi qui avais organisé la soirée pour Bob, et que tu avais choisi de rester à la commission du renseignement.

— À quoi ressemblaient-ils ?

Warren décrivit Stone et Milton.

— Tu les connais ?

— Non, pas du tout. Tu as raison, c'est bizarre.

— Voilà pourquoi je pensais nécessaire de t'avertir. J'espère n'avoir rien dit de compromettant.

— Je n'ai pas de secrets.

— Dis-moi, Albert, si un poste se libère à la commission, tu me préviendras, d'accord ? J'en ai marre de me rouler les pouces.

– Entendu, et merci pour l'info.

À peine eut-il raccroché qu'Albert Trent quitta son bureau et appela Seagraves d'une cabine publique. Les deux hommes convinrent de se retrouver un peu plus tard, en dehors du Capitole.

– Nous avons un problème, annonça Trent.

Chapitre 53

Tandis que Stone et Milton se livraient à leurs investigations, Annabelle pénétrait dans la salle de lecture de la Bibliothèque du Congrès. Vêtue d'une jupe plissée et d'une veste noire, d'un chemisier blanc et de chaussures à talons plats, elle tenait à la main sa carte de bibliothèque avec sa photo. Caleb se leva pour l'accueillir.

– Bonjour, puis-je vous aider, madame… ?

– Charlotte Abruzzio. Oui, je voudrais un livre.

Elle lui donna le titre du livre qu'il lui avait suggéré la veille, lorsqu'ils avaient mis au point les derniers détails. Caleb lui remit l'ouvrage en question et Annabelle s'installa à une table face à la porte.

Une heure plus tard, Caleb bondit sur ses pieds.

– Ah, Jewell, comment allez-vous ? Ça fait plaisir de vous voir.

Il s'avança vers la vieille dame en jetant un regard significatif en direction d'Annabelle.

Quelques minutes plus tard, Jewell English s'installait à une table avec le livre que lui avait apporté Caleb, tandis que le bibliothécaire s'attardait auprès d'elle en jetant de fréquents coups d'œil à Annabelle. Exaspérée, la jeune femme lui décocha un regard si dur qu'il battit en retraite vers son bureau.

323

Au bout d'une heure de lecture, Jewell English plia bagage, dit au revoir à Caleb et quitta la bibliothèque. Après avoir noué un foulard sur ses cheveux et enfilé une longue veste dissimulée dans son sac, Annabelle la rejoignit dans la rue. Alors que la vieille dame hélait un taxi, Annabelle la bouscula comme par inadvertance et en profita pour glisser prestement la main dans son sac.

— Oh, mon Dieu ! geignit Annabelle avec un fort accent du Sud. Vraiment, je vous présente mes excuses. Je ne sais pas ce qui s'est passé, j'ai trébuché…

— Ce n'est rien, dit la vieille dame, un peu choquée par la brutalité de la collision.

— Je vous souhaite une bonne journée.

— Vous aussi, dit Jewell English avec un sourire, avant de monter dans le taxi.

En s'éloignant, Annabelle caressa dans sa poche l'étui à lunettes à décor fleuri ; quelques instants plus tard, elle se retrouvait dans la salle de lecture de la Bibliothèque du Congrès. Quelqu'un d'autre se tenait au bureau d'accueil, mais Caleb se précipita vers elle.

— Je vais faire faire un petit tour de la chambre forte à mademoiselle, annonça-t-il à l'employée qui avait pris sa place. Elle n'est pas d'ici, et, euh… j'ai déjà tout arrangé avec la direction.

— C'est bon, Caleb, dit l'employée.

Caleb conduisit Annabelle dans la salle Jefferson, où ils pouvaient s'entretenir en privé. Elle lui tendit les lunettes.

— Vous voulez les essayer ? Moi, je n'ai pas vu grand-chose.

Caleb les chaussa et les retira aussitôt.

— C'est bizarre, on a l'impression de voir à travers trois ou quatre verres différents, avec de petites taches lumineuses. Je ne comprends pas, parce que, avec ses autres lunettes, je voyais parfaitement.

— Voilà pourquoi elle vous les avait données, et pas cette paire-ci, ça vous aurait paru suspect. Vous avez le livre qu'elle lisait ?

Il lui tendit le *Beadle*.

– J'ai fait semblant de le remettre en rayon.

– Il a l'air plutôt minable.

– C'est ça qui est étonnant. Ce sont des petits bouquins bon marché du XIXe siècle.

– En tout cas, elle semblait lire très à son aise avec ces verres. Elle prenait même des notes.

– Eh oui, fit Caleb en chaussant une nouvelle fois les lunettes avant d'ouvrir le livre.

– Vous arrivez à lire quelque chose ?

– C'est un peu trouble. (Il tourna les pages puis s'interrompit brusquement.) Attendez un peu, qu'est-ce que c'est que ça ?

– Quoi ?

Il désigna un mot sur la page.

– Cette lettre est surlignée. Vous ne la voyez pas, jaune fluo-rescent ?

Annabelle regarda l'endroit qu'il montrait.

– Je ne vois rien du tout.

– Là ! s'écria-t-il en posant le doigt sur le *e* d'un mot de la première ligne.

– Pour moi, ça n'est pas surligné, et... Caleb, donnez-moi les verres.

Elle les posa sur son nez et regarda la page. La lettre lui jaillit aux yeux, d'un jaune brillant. Lentement, elle ôta les lunettes.

Caleb contempla la page à l'œil nu, mais aucune lettre ne res-sortait en surbrillance. Il remit les lunettes et, aussitôt, le *e* se détacha.

– Il y a aussi un *w*, un *h* et un *f*. (Il tourna la page.) Là, un autre *w*, un *s* et un *p*. Et plein d'autres lettres. Toutes surlignées. (Il retira les lunettes.) *E, w, h, f, w, s, p*. C'est du chinois.

– Non, Caleb, c'est un code. Ces lettres forment un code secret qui ne se révèle qu'avec ces lunettes.

– Un code secret !

– Savez-vous quels livres elle a consultés, récemment ?

– Ce sont tous des *Beadle*, mais je peux vérifier les fiches.

Quelques minutes plus tard, il rapportait six volumes et en examinait les pages avec les lunettes, mais en vain.

– Je ne comprends pas. Il n'y aurait donc qu'un seul livre ?

– Impossible, fit Annabelle. (Elle prit le livre aux lettres sur-lignées.) Je pourrais vérifier ?

– Non, ce n'est pas une bibliothèque de prêt.

– Pas même pour vous ?

– En fait, si, je peux. Mais je dois remplir un imprimé en quatre exemplaires.

– En sorte que quelqu'un à la Bibliothèque pourrait le savoir.

– Oui, tout à fait.

– Ça ne va pas. Cela pourrait mettre la puce à l'oreille de quelqu'un. Écoutez, Caleb, quelqu'un a bien dû surligner ces lettres. Si vous emportez un de ces livres chez vous, ça alertera les personnes qui trempent dans cette histoire.

– Vous voulez dire qu'un employé de la Bibliothèque du Congrès introduit des codes secrets dans des vieux livres ?

– Oui ! lança-t-elle, exaspérée. Donnez-moi ce bouquin. Je le sortirai d'ici. Il est mince, petit, ça ne posera pas de problème. Attendez, est-ce qu'il y a des puces anti-vol ?

– Mais enfin, Annabelle ! Ce sont des livres rares ; ce serait les profaner.

– Ouais, en tout cas il y a quelqu'un ici qui n'hésite pas à sur-ligner des caractères. Bon, eh bien je l'emprunterai pour quelque temps.

– L'emprunter ? Mais ce livre appartient à la Bibliothèque du Congrès !

– Caleb, ne me forcez pas à vous brutaliser ! Je l'emporte. C'est probablement en rapport avec la mort de Jonathan. Et dans ce cas, je me moque du règlement de la Bibliothèque, je veux savoir la vérité. C'était votre ami, non ? Ça ne vous inté-resse pas, vous aussi, de connaître la vérité ?

Il se calma aussitôt.

– Si, bien sûr. Mais ce ne sera pas facile de sortir ce livre. En principe, nous fouillons tous les sacs des personnes qui quittent la salle de lecture. Je peux faire semblant, mais les gardiens procèdent eux aussi à une fouille des sacs !

– Je vous l'ai dit, ça ne sera pas un problème. Je l'emporte ce soir chez Oliver. Retrouvez-moi là-bas après votre travail. J'ai l'impression que lui, il arrivera à comprendre tout ça.

– Je suis d'accord, il est très habile et il a des connaissances souvent peu ordinaires, mais les codes secrets… ?

– Pour un homme qui passe le plus clair de son temps dans les livres, je vous trouve singulièrement peu perspicace ! Et maintenant, donnez-moi du ruban adhésif.

– Pour quoi faire ?

– Comme ça.

À regret, il prit un rouleau de ruban adhésif dans un placard.

– Et maintenant, tournez-vous.

– Quoi ?

Elle lui fit faire demi-tour, puis releva sa jupe jusqu'à la taille, et fixa le livre à l'intérieur de sa cuisse gauche, à l'aide du ruban adhésif.

– Ça tiendra, mais ce ne sera pas agréable à enlever.

– Efforcez-vous au moins de ne pas endommager la reliure. Il a une grande valeur historique.

– Tournez-vous et voyez par vous-même.

Il pivota sur ses talons, vit le livre, la peau blanche des cuisses, un petit bout de dentelle et réprima un cri.

– Je crois que ce livre sera très bien là où il est, qu'en pensez-vous, Caleb ?

– De toute ma carrière dans cette vénérable institution…

Sa voix tremblait et son cœur cognait dans sa poitrine, mais pas un seul instant il ne détourna le regard de ses jambes.

Lentement, avec un sourire impitoyable, elle rabaissa sa jupe.

– Ça vous a plu, hein ? (Elle lui donna un coup de hanche en passant devant lui.) À tout à l'heure, don Juan !

Chapitre 54

Recouvrant un soupçon de sérénité, Caleb feignit de se plonger dans son travail, mais fut interrompu un peu plus tard par Kevin Philips.

– Caleb, pourriez-vous venir, s'il vous plaît ?

– Bien sûr. Que se passe-t-il ?

L'air fort préoccupé, Kevin baissa la voix.

– Des policiers demandent à vous parler.

Caleb éprouva soudain un grand vide intérieur, alors même que les pensées se bousculaient dans son esprit. Que pouvaient bien lui vouloir les flics ? Cette satanée bonne femme s'était-elle fait pincer avec le bouquin accroché près de l'entrejambe ? Jewell English l'accusait-elle du vol de ses lunettes ? Allait-il finir sur la chaise électrique ?

– Euh, Caleb, vous voulez bien vous relever et m'accompagner ?

Il se rendit compte qu'en voulant se rasseoir il avait manqué sa chaise et s'était étalé par terre. Il se redressa maladroitement, blanc comme un linge, et bredouilla :

– Mais enfin, je me demande ce qu'ils peuvent bien me vouloir.

À l'extérieur de la salle de lecture, Philips le conduisit vers deux inspecteurs de police, vêtus de pantalons de style baggy et de vestes de sport ornées de logos, et prit la fuite sous le regard éploré de Caleb. Les deux hommes l'escortèrent ensuite jusqu'à un bureau vide, et tout le temps que dura le trajet Caleb eut du mal à mouvoir les jambes de façon synchronisée.

Le plus costaud des deux policiers cala son postérieur sur un bureau, tandis que Caleb, appuyé au mur, raide comme un piquet, attendait le claquement sec des menottes sur ses poignets, la fin ignominieuse d'une vie respectable. L'autre policier tira alors de sa poche un trousseau de clés.

— Ce sont les clés de la maison de DeHaven, monsieur Shaw. (Caleb les prit d'une main tremblante.) On les a retrouvées sur votre ami, Reuben Rhodes.

— Je ne dirais pas que c'est un ami, bredouilla Caleb. Plutôt une relation.

Les deux inspecteurs échangèrent un regard.

— En tout cas, dit le grand, il faut que vous sachiez qu'il a été mis en liberté sous caution personnelle.

— Cela veut-il dire que vous ne le considérez plus comme suspect ?

— Non. Mais nous avons vérifié sa version et la vôtre. Pour l'instant, nous en restons là.

— Puis-je aller dans la maison, ou est-elle encore sous scellés ?

— Nous avons terminé la collecte des éléments de preuve, donc vous êtes autorisé à y aller. Mais enfin… au cas où, évitez de vous rendre au grenier.

— Je voulais vérifier la collection de livres. Je suis l'exécuteur littéraire de feu Jonathan DeHaven.

— C'est ce que nous ont dit les avocats.

Caleb regarda autour de lui.

— Je peux partir ? balbutia Caleb.

— À moins que vous n'ayez autre chose à nous dire ?

Caleb évita le regard des deux policiers.

– Euh… je vous souhaite du succès dans votre enquête.

– Merci.

La tête lui tournant, Caleb demeura sur place un instant, incapable de croire à sa bonne fortune. Puis il se prit à réfléchir. Pourquoi avoir libéré Reuben ? Et pourquoi lui rendre les clés de la maison de Jonathan ? N'était-ce pas un piège ? Peut-être l'attendaient-ils devant son bureau, prêts à l'arrêter sous prétexte qu'il avait volé les clés ou tenté de s'échapper. Caleb regardait la télévision, il savait que ce genre de choses arrivait.

Il entrouvrit la porte et risqua un coup d'œil au-dehors. Personne. La Bibliothèque semblait normale. Aucun commando en embuscade. Il patienta encore deux minutes, en vain. Incapable d'attendre plus longtemps, il quitta la Bibliothèque plus tôt et gagna en voiture la maison de DeHaven.

Dans la chambre forte, il se dirigea droit sur le petit coffre, derrière le tableau ; il lui fallait absolument savoir si le livre portait la marque de la Bibliothèque du Congrès. Il composa le code et ouvrit la porte. Une nouvelle fois, il manqua de défaillir.

Le *Bay Psalm Book* avait disparu.

Ce soir-là chez Stone, ils retrouvèrent Reuben, récemment libéré, qu'ils congratulèrent chaleureusement. Après quoi, Oliver écrivit quelques mots sur une feuille de papier, qu'il leur montra :

– Je préfère ne pas discuter ici.

Il rédigea ensuite une série d'instructions, tandis que les autres se lançaient dans une discussion des plus anodines.

Au bout d'une demi-heure, Milton et Caleb quittèrent la maison. Vingt minutes plus tard, ce fut au tour de Reuben et d'Annabelle. Une heure après la tombée du jour, les lumières s'éteignirent dans la maison de Stone. Une demi-heure plus tard, il rampa dans l'herbe haute du cimetière et sortit par un trou de la barrière métallique, derrière une grosse pierre tombale.

Après une série de détours dans le vieux quartier de Georgetown, Stone retrouva les autres dans une ruelle. Il déverrouilla une porte dissimulée par un conteneur d'ordures et leur fit signe de le suivre. Comme l'endroit ne comportait pas de fenêtre, ils ne craignirent pas d'allumer la lumière, et prirent place sur les chaises bancales et les caisses qui se trouvaient là. Annabelle jeta un regard sur la pièce sale, humide et froide.

— Vous savez recevoir les dames. On peut organiser des fêtes, ici ?

— On écoute votre rapport, se contenta de répondre Stone.

Elle décrivit alors par le menu la découverte qu'ils avaient faite, puis tendit à Stone les lunettes et le livre. Stone chaussa les lunettes et ouvrit le livre.

— Vous avez raison, ça ressemble à un code.

— Qui pourrait bien distiller des messages codés dans des livres rares ?

Stone posa le livre et les lunettes, que Milton reprit aussitôt. Reuben se caressa le menton d'un air perplexe.

— Cela aurait-il un rapport avec le meurtre de Behan ? Il travaillait pour le ministère de la Défense et pour les services de renseignement. Dieu sait que ces deux secteurs fourmillent d'espions.

Stone acquiesça.

— Bien vu, mais je crois que ça va plus loin.

Il rapporta alors leurs conversations au Federalist Club puis avec Dennis Warren.

— Ainsi, cet Albert Trent est resté à la commission du renseignement, dit Annabelle. Et quelle conclusion peut-on en tirer ?

— Il a accès à des secrets monnayables, cela je peux vous l'assurer, dit Reuben. Quand je travaillais aux renseignements militaires, nous avions sans cesse des réunions avec le Capitole. Les parlementaires de la commission du renseignement et les membres de leur cabinet ont accès à des informations ultraconfidentielles.

— Tout le monde sait que les agents secrets ne disent pas tout au Congrès, dit Milton en levant les yeux de son livre. Trent pourrait-il disposer d'informations monnayables ?

– N'oublions pas que Trent n'a pas toujours travaillé là, fit valoir Stone. Il a été à la CIA autrefois.

– Donc il a pu garder des contacts là-bas. Et peut-être même aussi à la NSA, et à tout l'alphabet, quoi ! s'écria Reuben. Et s'il avait monté un petit supermarché d'espionnage ?

– Mais comment passe-t-on d'une taupe comme Trent à des codes secrets dans des livres rares ? demanda Annabelle.

– Je l'ignore, reconnut Stone. Il faut en savoir plus sur cette Jewell English. Si on arrivait à la faire parler, on pourrait remonter à la source. À l'heure qu'il est, elle a dû se rendre compte de la disparition de ses lunettes.

– La faire parler ? protesta Reuben. On ne peut quand même pas la torturer jusqu'à ce qu'elle avoue.

– On peut confier les lunettes et le livre au FBI, et laisser les fédéraux poursuivre l'enquête, suggéra Stone.

– Ça, c'est parlé, fit Reuben. Plus on se tiendra éloignés de ces gens-là, mieux ce sera.

Stone se tourna vers Caleb, assis dans un coin, l'air lugubre.

– Que se passe-t-il ?

Le bibliothécaire laissa échapper un soupir mais évita de croiser leur regard.

– Caleb, excusez-moi si je me suis montrée un peu vive, aujourd'hui, dit Annabelle, visiblement mortifiée. Vous avez fait du bon travail.

Il hocha la tête.

– Il ne s'agit pas de ça. Vous avez raison, je suis d'une nullité consternante dans votre partie.

– Mais que se passe-t-il ? demanda Stone, agacé.

– La police est venue à la Bibliothèque aujourd'hui, pour me rendre les clés de la maison de Jonathan. Aussitôt, je suis allé vérifier sa collection. (Il s'interrompit, jeta un rapide coup d'œil vers Annabelle puis se pencha à l'oreille de Stone.) Le *Bay* a été dérobé, chuchota-t-il.

Stone se raidit, tandis que Milton et Reuben dévisageaient Caleb.

– Quand même pas ce livre-là ? s'exclama Milton.

Caleb opina du chef d'un air contrit.

– Si je suis de trop, dites-le-moi, s'écria Annabelle.

– Comment a-t-il pu se volatiliser ? s'enquit Stone en faisant signe à Annabelle de ne plus les interrompre.

– Je n'en sais rien. Il faut des codes pour pénétrer dans la chambre forte, puis pour ouvrir le coffre, et aucune des deux portes n'a été forcée.

– Qui d'autre possède ces codes ? interrogea Reuben.

– L'avocat, c'est sûr, dit Stone. Il avait les clés et le code de la chambre forte. Il a pu relever le code avant de te le donner et faire faire un double de la clé.

– C'est vrai, je n'y avais pas pensé. Mais le coffre ? Il n'en avait pas le code.

– Il a pu le deviner, comme toi. Au fond, ce n'était pas très difficile. Si l'avocat connaissait bien Jonathan et lui avait rendu visite en salle de lecture, le mot de passe a pu lui venir à l'esprit. D'ailleurs, peut-être que Jonathan lui-même le lui a indiqué…

– S'il voulait le voler, pourquoi ne pas l'avoir fait avant de me rencontrer ? Je n'aurais même pas su que ce livre se trouvait là-bas.

– C'est vrai, reconnut Stone, intrigué. Mais je ne vois toujours pas le rapport avec cette série de meurtres.

– En tout cas, grommela Caleb, Vincent Pearl va me tuer quand il saura ça. Ce devait être le couronnement de sa carrière. Je parie qu'il va même m'accuser du vol.

– C'est peut-être lui qui l'a volé, dit Milton en levant les yeux du livre.

– Comment ? Il ne pouvait pas entrer dans la maison et il n'avait ni les clés ni les codes de la chambre forte, répondit Caleb. Et il est bien placé pour savoir que ce livre est invendable sans des documents attestant de sa provenance. Il ne pourrait rien en tirer. S'il essayait de le négocier, il serait arrêté.

Ils demeurèrent silencieux un moment, jusqu'à ce que Reuben reprenne la parole.

– C'est une tuile, l'histoire de ce livre, mais il ne faut pas oublier ce qui nous occupe principalement. Demain, nous irons trouver le FBI.

– Et Jewell English ? demanda Milton.

Caleb se redressa, probablement soulagé de ne plus avoir à penser au *Bay*.

– Si elle revient à la Bibliothèque, je lui proposerai d'aller vérifier si ses lunettes sont au bureau des objets trouvés.

– Si c'est vraiment une espionne, dit Reuben, elle a dû quitter le pays.

– Il est possible qu'elle ne se soit pas encore rendu compte de la disparition de ses lunettes, dit Stone. Elle ne s'en sert que pour repérer les lettres codées dans la salle de lecture, à la Bibliothèque.

– Donc, fit remarquer Caleb, si on les lui rapporte avant qu'elle se soit rendu compte de leur disparition, elle pourrait ne pas se méfier.

– Il faudra qu'on les montre au FBI, mais si on leur explique notre plan, ils nous autoriseront peut-être à les lui rendre, de façon à pouvoir la surveiller, dit Reuben. Comme ça, quand elle transmettra les codes à quelqu'un, on la prendra en flagrant délit.

– Ça me paraît un bon plan, dit Stone.

– Eh bien pas du tout, déclara Milton. Impossible d'apporter ce livre au FBI.

Tous les regards se tournèrent vers lui. Il avait poursuivi sa lecture pendant leur conversation, mais personne ne s'était rendu compte qu'il tournait les pages de plus en plus vite. La main tremblante, il ôta la paire de lunettes et montra le livre.

– Et pourquoi ? demanda Caleb, agacé.

Pour toute réponse, Milton lui tendit le livre et les lunettes.

– Regarde par toi-même.

Caleb chaussa les lunettes et ouvrit le livre. Il tourna une page, puis une autre et une autre encore… frénétiquement. Il finit par le refermer avec un claquement sec, l'air à la fois furieux et incrédule.

– Qu'y a-t-il ? demanda Stone.

– Les surlignages ont disparu.

Chapitre 55

À son tour, Stone mit les lunettes, feuilleta les pages et passa le doigt sur l'une des lettres qu'il avait vues surlignées auparavant. Plus rien ne la distinguait de ses voisines. Il referma le livre et ôta les lunettes en soupirant.

— La solution chimique utilisée pour le surlignage a une durée de vie limitée. Au bout d'un certain temps, elle s'évapore.

— Comme de l'encre sympathique ? dit Milton.

— C'est un peu plus sophistiqué que ça. J'aurais dû y penser, ajouta-t-il avec colère.

— Tu connais ce genre de produits, Oliver ? demanda Caleb.

— Pas celui-ci, non. Mais ça paraît logique. Au cas où les lunettes tomberaient entre de mauvaises mains, il vaut mieux que le livre ne révèle plus rien. Celui qui a procédé au surlignage devait savoir que Jewell English aurait ce livre en main avant que la solution ne s'évapore. Comment faisait-il ?

— Il faudrait traiter le livre sur place, dit Caleb. Puis la contacter d'une façon ou d'une autre pour lui dire quel livre demander. Elle se rendait alors tout de suite à la Bibliothèque.

Stone étudia la couverture de l'ouvrage.

— Ça devait être fastidieux de marquer comme ça les lettres une à une. Et plutôt long.

— Il y a beaucoup d'allées et venues dans les chambres fortes, mais il y en a certaines qui ne reçoivent guère de monde. En tout cas, si l'un des employés restait quelque part pendant des heures, ça se remarquerait.

— Celui ou celle qui a fait ça était peut-être très habile, très rapide, et a pu utiliser un gabarit, suggéra Reuben.

— Et s'il avait fait ça en dehors des heures de travail ? dit Stone.

Caleb fit la moue.

— Dans la chambre forte ? Très peu de gens en auraient l'autorisation. Je ne vois que deux personnes, le directeur et le chef bibliothécaire. L'ordinateur est programmé pour refuser l'accès aux autres membres du personnel en dehors des heures de travail, sauf autorisation spéciale. En tout cas, ça ne pourrait pas se faire tous les jours.

— DeHaven aurait donc eu accès à la chambre forte après son temps de travail ?

Caleb hocha lentement la tête.

— Oui. Tu crois qu'il faisait partie de ce réseau d'espionnage ? Et que c'est pour ça qu'il a été tué ?

Annabelle voulut protester puis se ravisa.

— Je ne sais pas, dit Stone en se levant. Ce qu'il faut, maintenant, c'est agir. Caleb, appelle Jewell English et dis-lui que tu as retrouvé ses lunettes qu'elle avait fait tomber dans la salle de lecture. Dis-lui que tu vas les lui rapporter.

— Ce soir ? Mais il est déjà presque 21 heures !

— Il faut essayer. De toute évidence, le temps est compté. Et si elle a pris la fuite, il faut qu'on le sache.

— Ça pourrait être dangereux, fit remarquer Annabelle. Et si elle était encore là et qu'elle soupçonnait quelque chose ?

— Caleb portera un micro. Je sais que Milton a ce genre de gadget chez lui. Il ira avec lui chez English mais il restera dehors, caché. S'il se passe quelque chose, il pourra appeler la police.

— Et si on s'en prend à moi physiquement ? gémit Caleb.

– Tu m'as dit que c'était une vieille dame, rétorqua Stone. Tu devrais pouvoir te débrouiller. Mais, à mon avis, elle ne sera plus là. Dans ce cas, essaye de pénétrer chez elle et de trouver quelque chose.

Caleb se tordait nerveusement les mains.

– Mais si elle n'est pas partie ? Et si elle est avec une espèce de tueur qui m'attaque ?

Stone haussa les épaules.

– Évidemment, ce serait dommage.

Le bibliothécaire vira au cramoisi.

– Dommage ? Facile à dire, pour toi. Et toi, qu'est-ce que tu feras pendant que je risquerai ma vie ?

– Je pénétrerai par effraction chez Albert Trent. (Il jeta un coup d'œil à Annabelle.) Vous en êtes ?

– Tout à fait, répondit-elle avec un grand sourire.

– Et moi, Oliver ? demanda Reuben. Je croyais que j'étais ton acolyte.

Stone secoua la tête.

– Tu as déjà été arrêté et tu encore considéré comme un suspect, Reuben. Tu ne peux pas prendre de risque. Cette fois, il faudra que tu te tiennes à l'écart.

– Génial, grommela-t-il.

Chapitre 56

Caleb arrêta sa Nova au pot d'échappement bringuebalant au fond d'une impasse, coupa le moteur et jeta un regard inquiet à Milton. Son ami était tout de noir vêtu, sa longue chevelure ramenée sous un bonnet de ski ; il s'était également noirci le visage.

– Mon Dieu, Milton, on dirait l'ennemi public numéro un.

– C'est la tenue normale quand on est de surveillance. Et la communication ?

Caleb passa la main sur son bras, là où Miton avait installé l'émetteur-récepteur. Il avait également une batterie accrochée à la ceinture.

– Ça me gratte horriblement, et la batterie est tellement grosse sous la ceinture que je peux à peine respirer.

– Ce doit être la nervosité.

Caleb le foudroya du regard.

– Tu crois ? (Il descendit de voiture.) J'espère que tu as mis le numéro d'urgence en mémoire.

– Bien sûr.

Milton tira de son sac une paire de jumelles à vision nocturne et un pistolet Taser à impulsion électrique.

Au téléphone, Jewell English avait semblé enchantée qu'il eût retrouvé ses lunettes. Ce soir, ce serait très bien, lui avait-elle dit, en dépit de l'heure tardive.

– Je ne dors pas beaucoup, mais je serai peut-être en chemise de nuit, avait-elle ajouté, mutine.

– Très bien, avait répondu Caleb d'un ton las.

En se dirigeant vers chez elle, il observa les autres maisons, plutôt anciennes, en brique, avec de jolis petits jardins, toutes plongées dans l'obscurité. Un chat qui traversait une pelouse le fit sursauter. Il respira profondément plusieurs fois de suite et se répéta à voix basse :

– Ce n'est qu'une vieille dame qui a perdu ses lunettes. Une vieille dame qui a perdu ses lunettes. Une vieille dame qui est peut-être une espionne, avec un tueur prêt à m'égorger.

Il jeta un coup d'œil à la voiture. Il ne vit pas Milton, mais son partenaire devait être occupé à photographier un merle suspect assoupi sur une branche.

Dans la maison de Jewell English, les lumières étaient allumées. On distinguait des rideaux de dentelle aux fenêtres et, à travers la large baie vitrée du salon, tout un bric-à-brac sur le dessus de la cheminée. Aucune voiture sous l'abri rouillé. Soit elle avait cessé de conduire en raison de son âge, soit sa voiture était en réparation. La pelouse était soigneusement tondue et deux buissons de roses en colonnes gardaient l'entrée de la maison. Il appuya sur la sonnette et attendit. Personne. Il sonna à nouveau. Aucun bruit de pas. Il regarda autour de lui. La rue était vide, calme. Peut-être trop calme, songea-t-il. Le calme avant d'être abattu, poignardé, égorgé.

Il l'avait appelée un peu plus d'une heure auparavant. Que pouvait-il lui être arrivé, entre-temps ? Et si elle n'avait pas entendu la sonnette ? Il cogna à la porte. « Jewell ? » Il répéta son nom, plus fort. Quelque part, un chien se mit à aboyer. Il sursauta. L'aboiement ne venait pas de l'intérieur, mais probablement de chez un voisin. Il frappa plus énergiquement et la porte s'ouvrit sous la poussée.

Il pivota sur ses talons, prêt à s'enfuir. Pas question d'entrer dans une maison dont la porte s'ouvre aussi facilement. Soudain, une voix retentit.

– Caleb ?

Il saisit la rampe du perron pour ne pas tomber dans les buissons.

– Caleb ! répéta la voix.

– Quoi ? Qui est-ce ?

Il se retourna, paniqué, cherchant à voir qui l'appelait ainsi, glissa sur le béton humide et manqua s'étaler de tout son long.

– C'est moi, Milton.

Accroupi, s'efforçant de ne pas céder à la nausée qui le submergeait, il dit d'une voix faible :

– Milton ?

– Oui !

– Où es-tu ?

– Je suis encore dans la voiture. Tu m'entends grâce à l'appareil. N'oublie pas que c'est aussi un émetteur-récepteur.

– Mais pourquoi tu ne me l'avais pas dit ?

– Bien sûr que si, je te l'ai dit, mais tu as dû oublier. Je sais que tu es nerveux.

– Tu m'entends bien ? demanda Caleb entre ses dents.

– Oui, très bien.

Avec son débit haché, M. Caleb Shaw aurait pu en remontrer aux chanteurs de rap du monde entier. Cet échange fut suivi d'un long silence que Milton finit par rompre.

– J'ai l'impression que tu es un peu perdu.

– Ouais !

Avec lenteur, Caleb se redressa, puis s'étira alors même que son cœur battait toujours la chamade. S'il mourait d'une crise cardiaque en cet instant, il se jurait de revenir hanter les nuits de ce farceur de Milton.

– Bon… elle ne répond pas. J'ai frappé à la porte, qui s'est ouverte. Qu'est-ce que je fais ?

– À ta place, je partirais tout de suite !

– J'espérais bien que tu me dirais ça.

Caleb s'apprêtait à redescendre les marches du perron quand il se ravisa. Et si elle gisait dans sa salle de bains, victime d'une crise cardiaque ou d'une fracture du fémur ? Car en dépit de l'évidence, Caleb ne parvenait toujours pas à croire que la charmante vieille dame qui aimait tellement les vieux livres puisse en même temps participer à un réseau d'espionnage. Ou si c'était le cas, elle devait forcément être innocente et manipulée.

– Caleb ? Tu es déjà parti ?

– Non. Je réfléchis.

– À quoi ?

– Je me demande si je ne devrais pas entrer quand même, voir s'il ne lui est rien arrivé.

– Tu veux que je vienne avec toi ?

Il hésita. Milton avait un Taser. Si Jewell était bel et bien une espionne et l'attaquait avec un hachoir, à deux ils pourraient la maîtriser.

– Non, Milton, reste où tu es. Je suis sûr que ce n'est rien.

Caleb poussa la porte et pénétra dans la maison. Le salon et la petite cuisine étaient vides. Sur la cuisinière, il avisa une poêle avec quelques oignons et de la viande hachée, ce qui expliquait l'odeur qui flottait encore dans la pièce. Dans l'évier, on apercevait une assiette, une tasse et une fourchette sales. En repassant par le salon, il s'empara d'un chandelier en bronze qui pourrait lui servir d'arme le cas échéant et poursuivit son chemin dans le couloir. Il regarda d'abord dans la salle de bains. Le siège des toilettes était abaissé, le rideau de douche ouvert, et heureusement aucun corps ensanglanté n'occupait la baignoire. S'il ne vérifia pas le contenu de l'armoire à pharmacie, c'était qu'il craignait d'apercevoir son visage terrifié dans le miroir.

La première chambre était vide, et le placard rempli de draps et de serviettes de bain.

Ne restait plus qu'une chambre. Le chandelier levé au-dessus de la tête, il poussa la porte du pied. Il faisait sombre à l'intérieur et il mit un moment à accommoder. Il retint sa respiration : une forme gisait sous les couvertures.

— Il y a quelqu'un dans le lit, chuchota-t-il. Les couvertures sur le visage.

— Elle est morte ? demanda Milton.

— Je ne sais pas, mais d'habitude on ne dort pas avec les couvertures sur le visage.

— Tu veux que j'appelle la police ?

— Attends une seconde.

Il y avait un petit placard, dont la porte était entrouverte. Le chandelier toujours prêt, il ouvrit cette porte avec le pied et bondit en arrière. Mais aucun assassin ne lui sauta dessus et il ne vit que des vêtements pendus à des cintres.

Il se retourna vers le lit, mais son cœur cognait si fort dans sa poitrine qu'il avait presque envie de demander à Milton d'appeler une ambulance. Pour lui. Allez, allez, songea-t-il, un cadavre ça ne peut pas frapper ! Mais il n'avait aucune envie de la voir dans cet état. Si on l'avait tuée, il en était en partie responsable pour avoir participé au vol de ses lunettes et ainsi révélé ses activités.

— Je regrette, Jewell, murmura-t-il. Même si vous étiez une espionne.

D'un geste sec, il tira le haut de la couverture.

Un homme le contemplait de ses yeux morts. C'était Norman Janklow, l'amateur d'Hemingway et l'ennemi intime de Jewell English.

Chapitre 57

Albert Trent vivait dans une vieille maison au bout d'une route de campagne, dans l'ouest du comté de Fairfax.

– Ça lui fait une trotte pour aller tous les jours d'ici à Washington, remarqua Stone.

Dissimulé derrière un taillis de bouleaux noirs, il observait les lieux avec des jumelles. Annabelle, vêtue d'un jean noir, d'une veste à capuche également noire et chaussée de tennis de même couleur, se tenait à son côté. Stone avait également apporté un sac à dos.

– Elle a l'air occupée ? demanda-t-elle.

– D'ici, on ne voit aucune lumière, mais le garage est fermé, alors on ne sait pas si la voiture est encore là.

– Un type qui travaille avec les services de renseignement doit avoir un système d'alarme.

– Je serais étonné qu'il n'en ait pas, acquiesça Stone. On le désactivera avant d'entrer.

– Vous savez comment faire ?

– Comme je l'ai dit un jour à Reuben, qui me posait le même genre de question, la Bibliothèque est ouverte à tout le monde.

La demeure de Trent était isolée, mais pour éviter d'être vus ils s'approchèrent par l'arrière en rampant, avant de descendre

343

la pente courbés en deux, jusqu'à une vingtaine de mètres de la maison. Ils s'immobilisèrent et Stone procéda à une nouvelle inspection. La bâtisse était construite à flanc de pente, avec un entresol, et l'arrière semblait aussi sombre que le devant. En l'absence de lampadaires, les jumelles à vision nocturne de Stone, malgré le halo vert, offraient une vision excellente.

— Je ne distingue aucun mouvement, mais appellez quand même, dit-il à Annabelle.

Milton avait obtenu le numéro personnel de Trent via Internet. Elle appela sur son portable, et à la quatrième sonnerie une voix enregistrée lui demanda de laisser un message.

— Notre espion semble être de sortie. Vous êtes armé ?

— Je n'ai même pas d'arme chez moi. Et vous ?

— Je ne suis pas là-dedans.

— Ça vaut mieux.

— Vous avez l'air de parler d'expérience.

— Ce n'est pas le moment de se raconter sa vie.

— Je sais, j'ouvre seulement des pistes pour quand ça viendra.

— Je croyais que vous ne deviez pas vous attarder ici.

— Et moi, je ne croyais même pas être encore ici pour ce truc-là. Vous voyez, on ne sait jamais.

— Bon, le boîtier d'alarme est accroché à l'un des poteaux de la terrasse. On y va doucement.

Tandis qu'ils s'approchaient en rampant, un cheval hennit dans le lointain. Il y avait de nombreuses fermes dans les environs, mais elles disparaissaient sous les coups de boutoir de la promotion immobilière qui faisait jaillir de terre, dans le plus grand désordre et à une cadence stupéfiante, lotissements, maisons de ville, immeubles et villas de luxe. En chemin, ils étaient passés devant plusieurs de ces fermes, toutes flanquées d'écuries, de paddocks et de prairies. Des tas de crottin parsemaient les rues comme pour attester la présence de chevaux dans la région.

Lorsqu'ils atteignirent le boîtier, Stone passa cinq minutes à en étudier le fonctionnement, puis cinq autres à le désactiver. Le dernier fil dérouté, il se tourna vers Annabelle.

– Essayons cette fenêtre, là. Les portes doivent avoir des verrous. J'ai apporté un outil pour les forcer, mais il vaut mieux essayer le point de moindre résistance.

Or la fenêtre, condamnée, se révéla plus coriace que prévu.

Ils gagnèrent l'arrière de la demeure et finirent par trouver une fenêtre fermée seulement par une crémaillère. Stone découpa un cercle dans le verre, passa la main à l'intérieur et ouvrit la poignée. Une minute plus tard, ils marchaient dans un couloir en direction de la cuisine, Stone en tête, une lampe torche à la main.

– Belle maison, mais la décoration est minimaliste, observa Annabelle.

L'ameublement était spartiate, une table par-ici, une chaise par-là. La cuisine était presque vide.

– Il est célibataire, nota Stone. Il doit prendre ses repas à l'extérieur.

– Par où voulez-vous commencer ?

– Voyons s'il a un bureau quelque part.

Ils trouvèrent le bureau, presque aussi vide que le reste de la maison, dépourvu de papiers ou de dossiers. Stone désigna l'une des photos disposées sur une étagère derrière la table. On y voyait un homme corpulent, le visage franc et ouvert, d'épais cheveux blancs et de gros sourcils grisonnants, à côté d'un homme plus petit, les cheveux mal taillés, l'air mou et sournois.

– Le grand, c'est Bob Bradley. À côté de lui, c'est Trent.

– Trent a l'air d'une fouine. (Elle se raidit.) Qu'est-ce que c'est que ce bourdonnement ?

– Merde, c'est mon téléphone. (Il regarda l'écran.) C'est Caleb. Je me demande ce qu'ils ont trouvé.

Il n'eut pas le temps de décrocher. Un coup frappé par-derrière réussit à l'assommer.

Annabelle poussa un cri tandis qu'on plaquait sur sa bouche et sur son nez un tissu mouillé. Avant de sombrer dans l'inconscience, elle aperçut dans le miroir qui lui faisait face deux hommes au visage dissimulé par un masque, et un troisième tête nue, se tenant en retrait. Albert Trent, l'homme de la photo, qui ne se rendait pas compte qu'elle l'avait reconnu.

Conformément aux instructions de Roger Seagraves, l'un des hommes retira la montre d'Annabelle de son poignet. Seagraves avait déjà une chemise appartenant à Stone. Bien qu'il ne comptât pas les tuer lui-même, c'était lui qui organisait leur disparition, ce qui satisfaisait aux critères de sa collection. Il appréciait particulièrement l'adjonction d'un triple six et comptait donner à sa relique une place de choix.

Chapitre 58

En reprenant connaissance, Annabelle aperçut deux hommes au travail. L'un se tenait sur une échelle tandis que l'autre lui passait des objets. Elle était allongée sur un sol froid en béton, pieds et mains liés. Stone gisait face à elle, ligoté de la même façon, les yeux fermés. Puis elle le vit battre plusieurs fois des cils. Lorsqu'il croisa son regard, elle tourna les yeux vers les deux hommes. Ni l'un ni l'autre n'étaient bâillonnés, mais il ne fallait pas que leurs ravisseurs s'aperçoivent qu'ils étaient réveillés.

Stone se rendit compte rapidement qu'ils se trouvaient dans l'entrepôt de Fire Control et parvint à lire l'inscription sur le flanc de la bonbonne qu'ils installaient au-dessus d'eux, au moyen de chaînes.

« Dioxyde de carbone, 5 000 ppm », lui dit-il silencieusement en se contentant de remuer les lèvres.

Ils allaient les tuer en utilisant la même méthode que pour Jonathan DeHaven.

Stone promena frénétiquement le regard autour de lui, à la recherche d'un objet lui permettant de trancher ses liens. Après le départ des deux hommes, le gaz ne tarderait pas à se répandre. Il repéra quelque chose au moment même où ils finissaient leur travail.

– Ça devrait aller, dit le premier en descendant de l'échelle.

Lorsqu'il s'avança dans une flaque de lumière, Stone le reconnut. C'était le contremaître de l'équipe qui avait emporté les bonbonnes de la Bibliothèque du Congrès.

Lorsqu'ils tournèrent le regard vers eux, Stone ferma immédiatement les yeux. Annabelle fit de même.

– C'est bon, dit le contremaître. Ne perdons pas de temps. Le gaz commencera à filer dans trois minutes, ensuite on aérera la salle et on les sortira de là.

– Où on les mettra, après ?

– Très loin d'ici. Même si les flics les retrouvent, la cause de leur mort sera indécelable.

Ils sortirent en emportant l'échelle. Dès que la porte se fut refermée sur eux, Stone s'assit et recula sur les fesses jusqu'à l'établi ; il parvint à se relever, saisit un cutter, se rassit et retourna près d'Annabelle.

– Vite, chuchota-t-il. Prenez ce cutter et coupez les cordes. Vite ! On a moins de trois minutes.

De dos à Stone, Annabelle s'efforça maladroitement de manœuvrer la lame de haut en bas. Une fois, elle entailla la chair et Stone étouffa un cri de douleur.

– Continuez ! Ne vous inquiétez pas pour ça. Vite ! Vite !

Il ne quittait pas des yeux la bonbonne qu'Annabelle ne pouvait voir, étant donné sa position. Il y avait une minuterie sur la bonbonne et les secondes défilaient rapidement.

Annabelle coupait le plus vite qu'elle pouvait et commençait d'éprouver de violentes douleurs dans les épaules. Des gouttes de sueur dégoulinaient sur son visage.

Enfin, Stone sentit les cordes se relâcher. Il ne leur restait plus qu'une minute. Il écarta les mains, lui laissant plus d'espace pour travailler. Les cordes finirent par céder. Stone défit les liens à ses chevilles et bondit sur ses pieds. Il ne chercha même pas à atteindre la bonbonne, placée trop haut ; de toute façon, il lui aurait fallu trouver le moyen d'arrêter la minuterie, et les deux hommes seraient revenus en n'entendant pas le gaz filer. Il s'empara de la bonbonne d'oxygène et du masque qu'il avait vus lors de sa précédente visite, et se précipita vers Annabelle. Il leur restait trente secondes.

Il saisit Annabelle par ses mains liées et l'entraîna dans un coin de la salle, derrière un amoncellement d'appareils. Il jeta sur eux une bâche, colla sa tête contre celle d'Annabelle, plaqua sur leurs deux visages le large masque à oxygène et ouvrit l'alimentation. Un sifflement et un léger souffle sur leur peau leur indiquèrent que le système fonctionnait.

Quelques instants plus tard, ils entendirent comme une petite explosion suivie par un rugissement semblable à celui d'une chute d'eau. Pendant dix longues secondes, le CO_2 se déversa dans toute la pièce. À mesure que l'effet « neige » se déployait, la température chutait de façon vertigineuse ; Stone et Annabelle se mirent à trembler de tous leurs membres, aspirant goulûment l'oxygène dispensateur de vie.

En dépit de cet apport, Stone sentait son esprit s'engourdir petit à petit et la pression atmosphérique s'alourdir. Il imaginait l'horreur qui avait dû s'emparer de DeHaven dans les derniers instants de sa vie.

Puis le rugissement cessa aussi brutalement qu'il avait commencé. Annabelle voulut écarter le masque de son visage, mais Stone l'en empêcha.

– Le niveau d'oxygène est encore trop bas, chuchota-t-il. Il faut attendre.

Le bruit d'un ventilateur jaillit alors dans le silence, lancinant. Stone, lui, ne quittait pas la porte des yeux. Finalement, il écarta son visage du masque mais le laissa plaqué sur celui d'Annabelle. Il inspira une première fois, puis une deuxième. Après quoi il tira Annabelle de sous la bâche et la transporta à l'endroit exact où elle se trouvait auparavant. Puis il s'empara de la bonbonne d'oxygène et se dissimula derrière la porte.

Il n'attendit pas longtemps. Une minute plus tard, la porte s'ouvrit sur le premier des deux hommes. Stone attendit. Lorsque le deuxième apparut, Stone lui abattit la bonbonne sur le crâne. Le malfaiteur s'effondra, raide comme un piquet.

L'autre voulut saisir l'arme à sa ceinture, mais la bonbonne l'atteignit en pleine face, le projetant de dos sur l'établi et sur l'étau qui y était fixé. Le visage en sang, il poussa un cri de douleur en se tenant le dos à deux mains. Stone le frappa de nouveau, sur la tempe cette fois, et l'homme s'écroula sur le sol. Il se précipita ensuite vers Annabelle et défit ses liens. Elle se releva, chancelante, et regarda les deux hommes à terre.

— Jamais je ne me fâcherai avec vous, dit-elle.

— Filons avant que quelqu'un d'autre ne se pointe.

Ils se ruèrent vers la sortie, escaladèrent la grille et dévalèrent la rue au pas de course. Trois minutes plus tard, ils durent s'arrêter, haletants, le visage crasseux et ruisselant de sueur. Après avoir inspiré de longues goulées d'air frais, ils reprirent leur course sur cinq cents mètres environ jusqu'à ce que leurs jambes refusent de les porter. Ils s'affalèrent contre le mur d'un entrepôt.

— Ils m'ont pris mon portable, dit Stone, haletant. Et, à part ça, je suis trop vieux pour ce genre de conneries.

— Ils m'ont aussi pris mon portable. Et moi aussi j'ai passé l'âge... Oliver, j'ai vu Trent dans la maison. Son reflet dans le miroir.

— Vous en êtes sûre ?

— Tout à fait. C'était lui.

Stone regarda aux alentours.

— Il faut contacter Caleb ou Milton.

— Après ce qui nous est arrivé, vous croyez que ça va, pour eux ?

— Je n'en sais rien, répondit-il d'un air sombre.

Il bondit sur ses pieds et tendit la main à Annabelle pour l'aider à se relever.

— C'est comme ça que Jonathan est mort ? demanda-t-elle alors qu'ils avançaient d'un pas rapide.

— Oui. C'est terrible.

— Mon Dieu, dit-elle en essuyant une larme.

— Oui. Susan, je m'en veux de vous avoir entraînée dans cette histoire.

– D'abord, je ne m'appelle pas Susan.

– D'accord.

– Ensuite... dites-moi votre vrai nom et je vous dirai le mien.

Stone hésita une seconde.

– Franklin, mais mes amis m'appellent Frank. Et vous ?

– Eleanor, et mes amis m'appellent Ellie.

– Franklin et Eleanor ? s'écria-t-il, stupéfait.

– C'est vous qui avez commencé, répliqua-t-elle en souriant mais les yeux pleins de larmes. Jonathan...

Stone lui posa la main sur l'épaule.

– Je ne comprends pas ce qui m'arrive, dit-elle. Ça fait plus de quinze ans que je ne l'avais pas vu.

– Mais vous éprouvez encore des sentiments pour lui. Il n'y a rien de mal à cela.

– Je ne m'en rendais pas compte... jusqu'à maintenant.

– Ce n'est pas interdit.

– Ça ira. Non, c'est vrai, j'ai connu pire.

À peine avait-elle prononcé ces derniers mots qu'Annabelle se mit à sangloter sans pouvoir s'arrêter. Stone la serra contre lui et ils se laissèrent glisser contre le mur.

Quelques minutes plus tard, ses larmes cessèrent mais elle continuait d'être agitée de frissons. S'écartant de lui, Annabelle frotta ses yeux gonflés et essuya d'un revers de manche son nez qui coulait.

– Pardon. Je ne pensais...

– Pleurer parce qu'on a perdu quelqu'un, cela arrive à tout le monde.

– Ça n'est pas que... enfin... vous n'avez jamais...

Stone lui posa la main sur les lèvres.

– Mon vrai nom est John Carr.

L'espace d'un instant, elle se raidit.

– Et moi, je m'appelle Annabelle Conroy. Bonjour, John. (Elle laissa échapper un soupir.) Ça ne m'arrive pas souvent.

– D'utiliser votre vrai nom ? Je comprends. La dernière personne à qui je l'ai dit a tenté de me tuer.

Il se leva, et, une nouvelle fois, l'aida à se remettre debout. Elle garda sa main dans la sienne.

– Merci, John, merci pour tout.

Il semblait embarrassé par sa gratitude, mais elle vint à son secours.

– Allons voir si Milton et Caleb ont besoin d'aide. D'accord ?

Un instant plus tard, ils reprenaient leur course à petites foulées.

Chapitre 59

Ils téléphonèrent à Caleb depuis une station-service. Encore secoué par la découverte du corps de Norman Janklow, il parvint tout de même à leur raconter ce qui s'était passé. Stone appela ensuite Reuben, et ils convinrent de se retrouver tous dans la cachette de Stone. Une heure plus tard, Annabelle et lui rapportèrent ce qui leur était arrivé.

— Putain ! s'exclama Reuben. Heureusement que tu as pensé à l'oxygène.

Caleb et Milton firent ensuite le récit de leur découverte.

— On a appelé la police depuis un téléphone public, précisa Caleb. Sauf qu'il nous a fallu environ une heure pour en trouver un. Heureusement, j'ai pensé à emporter le chandelier sur lequel il y avait mes empreintes.

— Tu as touché autre chose ? demanda Stone.

— J'ai mis la main sur la rampe extérieure, répondit-il, soucieux. (Il jeta un regard furieux à Milton.) Tout ça parce que notre amateur de gadgets avait décidé de me foutre la trouille. Et j'ai peut-être touché d'autres objets dans la maison, je ne me rappelle plus. J'ai dû évacuer ça de ma mémoire.

— Tes empreintes sont dans la base de données fédérale ? demanda Stone.

– Bien sûr, admit Caleb en laissant échapper un soupir. C'est pas la première fois que j'ai affaire aux flics, et j'ai comme l'impression que ce ne sera pas la dernière.

– Quel rapport ce Norman Janklow peut-il avoir avec tout ça ? questionna Reuben.

– C'était peut-être un espion, comme Jewell English, avança Stone. Les livres qu'il demandait étaient peut-être marqués, eux aussi.

– Ils faisaient peut-être semblant de se détester, dit Caleb. Pour donner le change.

– D'accord, mais pourquoi tuer Janklow ? insista Reuben.

– Si c'était un espion, une fois que Mlle English était démasquée, tout le réseau risquait de tomber, suggéra Annabelle. Ils ont peut-être écarté English et laissé là le corps de Janklow pour brouiller les pistes.

– On devrait prévenir la police, dit Milton.

– Pour dire quoi ? rétorqua Stone. Les marques dans les livres ont disparu. Et si on explique qu'on a failli être assassinés ce soir, il faudra avouer avoir pénétré par effraction chez Albert Trent. Je suis sûr qu'il a dû prévenir la police qu'on avait cambriolé chez lui. (Il jeta un regard à Annabelle.) Et même si vous l'avez reconnu, ce serait votre parole contre la sienne. Et si je n'ai pas prévenu la police pour ce qui s'est passé chez Fire Control, c'est parce que entre-temps les deux hommes que j'ai assommés auront certainement été évacués. Et comme Caleb se trouvait chez Jewell English et qu'il doit y avoir ses empreintes partout, si on va voir la police, il sera considéré comme un suspect. Si on ajoute à cela que Caleb et Reuben sont déjà dans le collimateur, jamais les autorités ne nous croiront.

– Qu'est-ce qu'on fait, alors ? demanda Annabelle. On attend qu'ils nous attaquent ?

– Non. Demain, Caleb ira au travail comme si de rien n'était. Ce sera la folie à la Bibliothèque, après le meurtre de leur directeur et d'un habitué. Bob Bradley, Jonathan DeHaven, Cornelius Behan et maintenant Norman Janklow ont été assassinés. Je crois que Bradley a été tué parce qu'il voulait obliger Albert Trent à quitter la commission du renseignement à la Chambre. Trent ne voulait pas partir, à mon avis, parce qu'il utilisait sa position pour vendre des secrets d'État. DeHaven, lui, a été tué soit parce qu'il participait à la transmission de ces secrets, soit à cause de ce qu'il a découvert. Ce pourrait être la même chose pour Norman Janklow. Behan a été tué parce qu'il avait compris qu'on s'était servi de l'une de ses sociétés pour tuer DeHaven et qu'il comptait pousser l'enquête plus loin. Trent avait une taupe chez Fire Control qui a dû lui révéler les soupçons de Behan.

– Mais comment Jonathan, Jewell English ou Norman Janklow ont-ils pu participer à un réseau d'espionnage ? Qui aurait l'idée d'utiliser la salle de lecture des livres rares pour communiquer par code des secrets d'État ?

– C'est justement parce que personne n'y a pensé que l'idée est bonne, fit valoir Stone. Et n'oublie pas que la plupart des espions se font prendre au moment de transmettre leurs informations, en général dans des endroits publics. Là, on a des lettres codées dans des vieux bouquins. Aucune surveillance possible. Il y a des gens âgés qui lisent des livres et qui rentrent ensuite chez eux. Personne ne songerait à les soupçonner.

– Mais il fallait encore faire parvenir à la Bibliothèque les secrets que Trent avait volés. Ce n'était pas lui qui surlignait les lettres dans les livres. Et dans le *Beadle* que nous avons emporté, ça ne pouvait pas être Jonathan, puisqu'il était déjà mort.

– D'accord. C'est ce qu'il nous reste à découvrir. C'est d'ailleurs notre seule chance de résoudre cette affaire. Si Janklow, Jewell ou DeHaven étaient des espions, il doit bien y avoir des preuves quelque part.

– On a déjà fouillé la maison de DeHaven et on a rien découvert, fit observer Milton.

– Et en fouillant celle de Jewell, renchérit Caleb, je n'ai découvert qu'un cadavre.

Stone opina.

– On trouverait peut-être quelque chose chez Norman Janklow.

– Le seul problème, c'est qu'en ce moment sa maison doit grouiller de flics, dit Reuben. Même chose chez English, d'ailleurs.

– Ça commence à devenir très dangereux, dit Stone, et il va falloir être extrêmement prudents. Je propose qu'à partir de maintenant nous ne nous déplacions plus qu'en tandem. Milton et Caleb, vous pouvez rester chez Milton, la maison est bien sécurisée. Reuben, toi et moi on peut aller chez toi, puisqu'ils savent déjà où j'habite. Quant à vous, Annabelle, restez avec nous si ça vous dit.

Reuben semblait enchanté par la proposition.

– Ma piaule, c'est pas le grand luxe, mais j'ai plein de bières, de chips et une télé grand format à écran plasma. Et je fais un excellent chili con carne. Côté sécurité, j'ai une chienne pitbull particulièrement mauvaise.

– Je crois que je vais plutôt rester à mon hôtel. Mais je serai sur mes gardes, ne vous inquiétez pas.

– Vous en êtes sûre ? insista Stone.

– Tout à fait. Merci quand même pour la proposition. En fait, je suis plutôt du genre solitaire. Je me sens mieux comme ça, ajouta-t-elle en évitant le regard de Stone.

Au moment où ils se séparaient, Stone prit Annabelle à part.

– Ça va ?

– Très bien. Pourquoi ? C'est un jour comme un autre.

– Manquer de se faire tuer, ce n'est pas habituel.

– Ça dépend.

– Bon, seriez-vous disposée à remettre ça avec Albert Trent ? Je ne veux pas dire pénétrer une nouvelle fois chez lui, mais le suivre.

– Vous croyez qu'il est encore dans le coin ?

Stone acquiesça.

– Si Trent quitte Washington maintenant, tout est fini pour lui. À mon avis, ils vont garder profil bas jusqu'à ce que les choses évoluent. Si on a vraiment affaire à un réseau d'espionnage, ses amis et lui vont vouloir sauver une partie des meubles. Visiblement, ils ont travaillé dur pour monter cette opération.

– Et ils ne plaisantent pas, hein ?

– Moi non plus.

Chapitre 60

Il s'éveilla, s'étira et regarda par la fenêtre. Le temps était semblable à celui de la veille, ensoleillé avec une brise océane qui embaumait tout ce qu'elle touchait. Il se leva, ceignit une serviette autour de ses reins et gagna la fenêtre. Il avait loué cette villa pour un an, mais songeait sérieusement à l'acheter. La propriété, très isolée, était équipée d'une immense piscine à eau de mer, d'une cave à vin, d'un court de tennis et d'un cabanon pourvu d'un lit qui ne servait guère à se sécher après la baignade, puisqu'il se baignait rarement seul, et toujours sans maillot. Le vaste garage abritait un coupé Maserati et une moto Ducati. Il bénéficiait également des services d'une cuisinière, d'une femme de chambre et d'un jardinier en échange d'un loyer nettement inférieur à ceux pratiqués à Los Angeles. Outre un terrain de plusieurs hectares, la maison possédait une plage privée, et il sentait qu'il pourrait y passer le reste de ses jours.

Il n'avait pas vraiment écouté Annabelle, qui lui avait conseillé de ne pas dépenser son argent de façon ostentatoire. De toute façon, Bagger n'avait aucun moyen de le retrouver.

Il ne l'avait même jamais vu. Et dans cette région, ce n'étaient pas les jeunes gens riches qui manquaient. Tout allait pour le mieux.

En l'entendant monter l'escalier, il retourna au lit sans tirer les draps. Lorsqu'elle ouvrit la porte, il constata que sur le plateau il n'y avait qu'un seul petit déjeuner. C'était la deuxième nuit qu'elle passait avec lui, mais elle n'osait pas encore partager son repas. Peut-être parce qu'elle était servante.

— *Dos huevos, un jugo de naranja, tostada y café con leche*, annonça-t-elle.

— Et toi, dit-il en l'attirant à lui lorsqu'elle eut posé le plateau sur la table de nuit.

Elle l'embrassa sur les lèvres et le laissa ôter sa chemise de nuit sans bretelles. Il laissa courir le bout de ses doigts sur son long cou à la peau hâlée, caressa sa poitrine, puis son ventre plat et descendit plus bas encore.

— *No tienes hambre* ? minauda-t-elle en frottant sa jambe nue contre celle de l'homme et en lui embrassant délicatement la nuque.

— *Hambre* de toi, répondit-il en lui mordillant l'oreille.

Il s'écarta et la laissa choir sur le lit, puis souleva l'une des jambes de la fille entre ses deux bras.

Elle le saisit par les épaules et le fit tomber sur elle.

La porte de la chambre claqua alors violemment contre le mur. Plus question de baise avant le petit déjeuner : quatre costauds firent leur entrée, suivis d'un homme plus petit aux larges épaules, vêtu d'un complet et d'une chemise à col ouvert, l'air triomphant.

— Salut, Tony ! s'écria Jerry Bagger. Chouette piaule que t'as là. Elle me plaît vachement. C'est fou ce qu'on peut s'acheter avec le pognon des autres, hein ?

Tony s'assit dans le lit, tandis que Carmela, terrifiée, tentait de se couvrir avec le drap.

— T'es pas obligée, chérie, railla Bagger. T'es vraiment mignonne… comment on dit, ici ? *Bonita* ! C'est ça, *muy bonita* !

Il fit signe à l'un de ses hommes, qui souleva Carmela et alla la jeter par la fenêtre ouverte. On entendit un long hurlement suivi d'un bruit sourd.

Bagger prit le verre de jus d'orange sur la table de nuit et l'avala d'un trait avant de s'essuyer les lèvres avec une serviette.

– Tous les jours, je bois du jus d'orange. Tu sais pourquoi ? Parce que c'est plein de vitamines. J'ai soixante-six ans, mais franchement, je ne les fais pas, hein ? Qu'est-ce que t'en penses ? Tiens, Tony, tâte un peu ces muscles !

Il fléchit son biceps droit, mais Tony semblait paralysé. Bagger feignit la surprise.

– Qu'est-ce qui te tracasse ? Oh, c'est la pute est passée par la fenêtre ? T'inquiète pas pour ça, va. (Il se tourna vers l'homme qui l'avait jetée dans le vide.) Hé, Mike, t'as visé la piscine, hein ? Comme dans ce James Bond. C'était lequel, d'ailleurs ?

– *Les diamants sont éternels*, monsieur Bagger, répondit aussitôt Mike.

– C'est ça, *Les diamants sont éternels*. Putain, j'adore ce film. C'est celui où il y a… comment elle s'appelle, l'autre, avec son mini bikini ? Stephanie Powers ?

– Jill Saint-John, monsieur Bagger, corrigea poliment Mike. Mais j'ai pas réussi à atteindre la piscine avec la dame, monsieur Bagger, ajouta-t-il d'un air contrit.

– Mais t'as essayé, Mike, t'as essayé, c'est ça l'important. En plus, c'est mieux comme ça, à cause des deux vieux, en bas. T'y croiras pas, mais quand ils nous ont vus arriver, ils ont tourné de l'œil et y sont morts. Et c'est pas une jolie petite comme celle-là qu'aurait pu entretenir toute seule une grosse baraque comme ça. Finalement, c'est un service qu'on lui a rendu, tu crois pas, Tony ?

Tony acquiesça avec difficulté.

– Et maintenant, tâte-moi ces biceps. Que tu sentes comme je suis costaud.

Sans attendre le geste de Tony, Bagger lui prit la main et la posa sur son biceps.

– S'il vous plaît, monsieur Bagger, ne me tuez pas, gémit Tony. Je regrette. Je regrette.

Bagger serra très fort les doigts de Tony avant de les relâcher.

– Allez, un homme qui s'excuse, il a l'air faible. En plus, c'était une super arnaque, première classe. Dans le milieu du jeu, tout le monde sait maintenant que vous m'avez entubé de quarante millions de dollars.

Bagger détourna le regard et prit une profonde inspiration, se retenant visiblement de démembrer le jeune homme à mains nues.

– Mais d'abord, réglons un truc important. Je veux que tu me demandes comment je t'ai retrouvé. Alors demande-moi, Tony, demande-moi comment je t'ai retrouvé, alors qu'après m'avoir baisé t'aurais pu aller n'importe où dans le monde. (Bagger saisit Tony par le cou et le força à se rapprocher.) Pose-moi la question, petit con.

Une veine battait à sa tempe.

– Comment m'avez-vous retrouvé, monsieur Bagger ? demanda Tony d'une voix haletante.

D'un violent revers d'avant-bras, le patron du casino le repoussa contre la tête de lit puis se mit à faire les cent pas.

– Tu vois, la salope qui a monté le coup, le premier soir, elle t'a demandé de m'observer, pour me faire croire que j'étais sous surveillance. Mais le seul moyen de voir dans mon bureau, c'est depuis une chambre du vingt-deuxième étage de l'hôtel, en face du casino. Alors je suis allé là-bas, et j'ai demandé qui occupait les chambres à cet étage, ce jour-là. Et j'ai inspecté tous les clients de la liste.

Il s'immobilisa et adressa un sourire à Tony.

– Jusqu'à ce que je te trouve. T'as été assez malin pour pas utiliser ton vrai nom à l'hôtel, mais t'as fait un faux pas que la salope et son toutou ont pas fait, eux. C'est pour ça que j'ai pas pu les rattraper, parce qu'ils avaient rien laissé derrière eux.

(Il agita l'index dans sa direction.) Mais toi, t'as demandé un massage, j'ai vérifié. Et t'as dragué la masseuse, histoire qu'elle te fasse un extra. Mais t'as fait trop vite avec elle, et t'es allé dégueuler dans la salle de bains. Pendant que t'étais là-dedans, la petite pute a fouillé ton portefeuille pour arrondir les minables cent dollars que tu lui avais filés. Et c'est comme ça qu'elle a vu le permis de conduire à ton vrai nom. C'était con de le garder là, Tony. T'as cru que la pipe t'avait coûté que cent dollars, mais là tu peux constater que l'addition est un peu plus salée. Et la petite traînée m'a dit tout ce que je voulais savoir pour mille dollars seulement. Te fie jamais aux poufiasses, Tony, elles te baiseront la gueule à chaque fois.

« T'as une sacrée réputation, gamin. T'es le genre à faire tout ce qu'il veut avec un ordinateur. Comme foutre un espion sur mon système de virement bancaire et me piquer quarante millions. T'es un petit génie. Mais moi, j'ai graissé pas mal de pattes, je suis allé voir tes amis, ta famille, j'ai relevé quelques coups de téléphone que t'as passés chez toi, j'ai descendu quelques personnes qu'avaient pas envie de coopérer, et voilà, je me retrouve assis à côté de toi, sur la côte du Portugal, de l'Espagne, ou de j'sais pas où.

Il abattit violemment le plat de la main sur la jambe nue de Tony.

– Bon, maintenant que je me suis épanché, on peut continuer.

Il fit signe à l'un de ses hommes, qui tira un pistolet de son étui, y vissa un silencieux, fit monter une cartouche dans la culasse et le tendit à Bagger.

– Non, non, gémit Tony.

Bagger le fit taire en lui enfonçant le pistolet dans la bouche.

Puis il le renversa sur le lit en lui appuyant l'avant-bras sur la pomme d'Adam et posa le doigt sur la détente.

– Bon, Tony, écoute-moi bien. Je te laisse une chance. Une seule chance. Et seulement parce que je me sens d'humeur généreuse. Pourquoi, j'en sais rien. Peut-être parce que avec l'âge je m'attendris. (Il s'interrompit et se passa la langue sur les lèvres.) La salope. Je veux son nom et tout ce que tu sais sur elle. Si tu me dis ça, tu vivras. Pas ici, pas avec mon fric. Mais tu vivras. Mais si tu veux pas parler… (Il retira brutalement le pistolet de la bouche de Tony. Le canon était recouvert de sang.) Oh, tu croyais que j'allais seulement te descendre ? (Il éclata de rire.) Non, non, c'est pas comme ça que ça marche. C'est beaucoup trop rapide.

Il donna le pistolet à un autre de ses hommes et tendit la main. Mike y déposa un couteau à cran d'arrêt.

— On fait les choses lentement, et on a de la pratique.

Bagger étendit l'autre main et l'un de ses hommes y enfila un gant en plastique.

Bagger saisit les testicules de Tony et tira violemment. Celui-ci poussa un hurlement, mais les autres le maintinrent fermement allongé.

— Franchement, je comprends pas ce qu'elle te trouvait, la petite mignonne. (Il leva le couteau.) Bon, tu accouches ?

Tony émit un son guttural.

— Hein ? J'ai pas bien compris.

— A… Ann…

— Parle plus fort, petit trou du cul, j'entends pas très bien.

— Annabelle ! hurla-t-il.

— Annabelle ? Annabelle qui ? beugla Bagger en crachant des postillons.

— Annabelle… Conroy.

Bagger baissa lentement son couteau et lâcha les testicules de Tony. Il tendit l'arme à l'un de ses hommes, ôta le gant, gagna la fenêtre et observa l'océan.

Annabelle Conroy ? La fille de Paddy ? Impossible. Et pourtant… Deux arnaqueurs de cette envergure portant le même nom, avec une telle différence d'âge : ce ne pouvaient être que le père et la fille. La fille de Paddy Conroy était venue dans son casino, dans son bureau, et s'était payé sa tête. Incroyable.

Très bien, Annabelle. J'ai buté ta mère, maintenant à ton tour.

Il se craqua les phalanges, pivota sur ses talons et contempla Tony, la bouche ensanglantée, qui sanglotait sur le lit, la main sur son sexe.

– Quoi d'autre ? dit-il. Dis-moi tout et tu vivras.

Tony raconta par le menu sa rencontre avec Annabelle et les détails de leur plan.

– C'est bon, les gars, allez-y, dit Bagger. On n'a pas que ça à faire.

L'un des hommes ouvrit une boîte noire contenant quatre battes de base-ball. Il en tendit trois à ses compagnons et garda la dernière pour lui.

– Mais vous avez dit que vous me laisseriez vivre, hurla Tony. Vous l'avez dit.

Bagger haussa les épaules.

– C'est vrai. Et quand les gars en auront fini avec toi, tu respireras encore. À peine. Jerry Bagger est un homme de parole.

Au moment de sortir, il entendit le premier coup briser le genou droit de Tony. Bagger se mit à siffloter, ferma la porte pour étouffer les hurlements, et descendit boire une tasse de café.

Chapitre 61

Le lendemain matin, le plus grand tumulte régnait à la Bibliothèque du Congrès. Le meurtre de Norman Janklow, survenu si peu de temps après la mort de DeHaven, plongeait le Jefferson Building dans le désarroi. Lorsque Caleb arriva à son travail, la police locale et le FBI procédaient déjà aux interrogatoires des employés. Caleb fit de son mieux pour répondre aux questions de la façon la plus concise, mais malheureusement il fut interrogé par les inspecteurs qui lui avaient remis les clés de la maison de Jonathan. Il sentait peser sur lui des regards soupçonneux. L'aurait-on aperçu chez Jewell English ? Y avait-on trouvé ses empreintes ? En outre, étant donné l'heure à laquelle il avait été libéré, Reuben aurait pu commettre le meurtre. Le soupçonnaient-ils également ?

Il songea alors au *Beadle* qu'Annabelle avait emprunté. Il l'avait rapporté ce matin et tout s'était bien passé, mais il en tremblait encore. Les gardes ne fouillaient les sacs qu'à la sortie, et à l'entrée seuls les visiteurs devaient passer les leurs aux rayons X. Pourtant, la présence de la police ne faisait qu'accroître sa tension. Après son interrogatoire, il poussa un soupir de soulagement et glissa le livre dans un tiroir de son bureau.

Lorsqu'un relieur rapporta quelques ouvrages de l'atelier de réparation, Caleb se proposa pour les ranger dans la chambre forte, ce qui lui donnerait un excellent prétexte pour remettre le *Beadle* à sa place. Il s'apprêtait à le poser sur l'étagère lorsqu'il s'aperçut qu'en le coinçant contre sa cuisse avec un élastique Annabelle en avait abîmé l'un des coins.

Elle aurait pu faire un peu plus attention ! pesta-t-il. Il allait falloir le confier à l'atelier de réparation. Il remplit la paperasse nécessaire à l'opération et reporta la requête dans le système informatique. Après quoi il gagna le Madison Building par le souterrain, sans oser jeter un regard à la salle où avait été entreposée la bonbonne de gaz qui avait tué Jonathan DeHaven. Il donna alors le livre à Rachel Jeffries, une femme qui exécutait toujours un travail impeccable.

Après avoir brièvement évoqué avec elle les nouvelles du jour, Caleb retourna en salle de lecture et prit place à son bureau. Son regard s'attarda sur la pièce si belle, si propice à l'étude, et affreusement vide à cette heure après la mort de deux personnes qui y étaient étroitement associées.

Kevin Philips entra, tendu, l'air égaré. Ils s'entretinrent pendant quelques minutes, et Philips apprit à Caleb qu'il songeait à démissionner.

– C'en est trop, expliqua-t-il. Depuis la mort de Jonathan, j'ai perdu cinq kilos. Et depuis l'assassinat de son voisin et de Janklow, les policiers semblent trouver suspecte la mort de Jonathan.

– Ils ont peut-être raison.

– Mais à votre avis, qu'est-ce qui se passe, Caleb ? C'est quand même une bibliothèque. Nous ne sommes pas censés vivre ce genre de choses.

– J'aimerais pouvoir vous répondre, Kevin.

Un peu plus tard, Caleb s'entretint avec Milton, qui n'avait cessé de surveiller les différents médias. D'après lui, les spéculations allaient bon train sur la mort de Janklow, mais les autorités n'avaient encore rien révélé sur les causes du décès.

Jewell English, elle, avait loué sa maison deux ans auparavant. Seul lien entre elle et le mort, leurs fréquentes visites à la Bibliothèque du Congrès. La vieille dame s'était volatilisée. Les recherches sur son passé n'avaient rien donné. Apparemment, il s'agissait d'une fausse identité, ce qui était aussi probablement le cas de Janklow.

Quelle surprise ! songea Caleb en raccrochant. Tenaillé par la faim, il décida de sortir acheter un sandwich.

– Oh, monsieur Foxworth ! s'exclama Caleb en voyant s'avancer vers lui, depuis la rue d'en face, le bel homme qui était venu le voir à la Bibliothèque.

Seagraves lui adressa un sourire.

– Appelez-moi Bill, vous vous souvenez ? Je venais justement vous voir.

– Je comptais aller m'acheter un sandwich, expliqua Caleb. Quelqu'un d'autre vous aidera à trouver un volume en salle de lecture.

– En réalité, je venais vous demander si vous accepteriez de venir voir mes livres.

– Pardon ?

– Ceux de ma collection. Ils sont dans mon bureau, qui n'est qu'à quelques rues d'ici. Je suis lobbyiste, spécialisé dans l'industrie pétrolière, et pour mes affaires, je me dois d'être proche du Capitole.

– Je comprends.

– Vous pensez que vous pourriez me consacrer quelques minutes ? Je sais que c'est beaucoup demander.

– Non, ça ira. Cela vous ennuie si j'achète un sandwich au passage ? Je n'ai même pas pris le temps de déjeuner.

– Pas du tout. Je voulais aussi vous dire que j'ai pour cinq jours en examen des livres d'Ann Radcliffe et de Fielding.

– Excellents auteurs. Quels titres ?

– *Le Roman de la forêt*, d'Ann Radcliffe, et *Joseph Andrews*, de Henry Fielding.

– Bravo, Bill. Ann Radcliffe était un véritable génie du roman gothique. Aujourd'hui, les gens qui trouvent les romans d'horreur dépassés devraient lire Radcliffe. C'est terrifiant. Quant à *Joseph Andrews*, c'est une excellente parodie de la *Pamela* de Richardson. Ce qui est amusant chez Fielding, c'est qu'au fond c'est un véritable poète, mais qu'il s'est rendu célèbre comme romancier et auteur dramatique.

– Passionnant, dit Seagraves. Le marchand de Philadelphie qui m'a confié les livres m'a assuré qu'il s'agissait de premières éditions, et dans sa lettre il cite un certain nombre de preuves, mais il me faudrait l'œil d'un expert. Ces livres ne sont pas bon marché.

– J'imagine. Eh bien, je les examinerai, et si je n'arrive pas à me prononcer avec certitude, ce qui, sans fausse modestie, me paraît assez improbable, je pourrai vous adresser à plus qualifié que moi.

– Ah, monsieur Shaw, je ne sais comment vous remercier.

– Je vous en prie, appelez-moi Caleb.

Caleb acheta un sandwich chez un traiteur sur Independence Avenue et suivit Seagraves jusqu'à l'entrée de service de l'immeuble où se trouvait son bureau.

Seagraves ouvrit une porte et s'effaça pour laisser passer Caleb.

– L'ascenseur est un peu plus loin.

– Parfait. Je pense que…

Caleb s'effondra sur le sol, assommé. Seagraves se tenait au-dessus de lui, brandissant une matraque qu'il avait dissimulée dans une anfractuosité du mur.

Seagraves ligota et bâillonna Caleb, puis le déposa dans une caisse ouverte posée contre le mur. Il cloua ensuite le couvercle de la caisse et donna un coup de téléphone. Cinq minutes plus tard, une camionnette venait se ranger dans l'allée. Avec l'aide du chauffeur, Seagraves hissa la caisse à l'arrière, puis les deux hommes montèrent à bord et la camionnette démarra.

Chapitre 62

Avant l'aube, Annabelle et Stone s'étaient installés non loin de la maison de Trent. Ils avaient emprunté le vieux pick-up cabossé de Reuben, qui passerait plus inaperçu dans cette zone rurale que la Chrysler que conduisait Annabelle la veille. Après leur enlèvement, cette voiture était d'ailleurs demeurée sur un chemin, à cinq cents mètres de l'endroit où ils se trouvaient, et Annabelle avait dû en louer une autre à l'aéroport.

Stone observait les lieux avec ses jumelles. Il faisait sombre, l'air était froid et humide, et Annabelle s'emmitoufla dans son manteau, mais Stone semblait insensible à la température. Jusque-là, ils n'avaient vu passer qu'un seule véhicule, dont les phares trouaient le brouillard, quelques centimètres au-dessus du sol. Le conducteur, à moitié endormi, l'oreille vissée à son téléphone portable, avalait des tasses de café et gardait un œil sur un journal tout en conduisant.

Une heure plus tard, alors que l'aube commençait à poindre, Stone se raidit.

– Ah, ça vient.

Une berline venait de quitter l'allée de la maison de Trent. Alors qu'elle ralentissait pour aborder la route, Stone braqua ses jumelles sur elle.

– C'est Trent.

Annabelle observa les environs déserts.

– Si on veut le suivre, on va se faire repérer.

– On n'a pas le choix.

Heureusement, un gros break fit son apparition, une femme au volant et trois enfants à l'arrière.

– Parfait, dit Stone, elle fera tampon entre lui et nous. Dans son rétroviseur, il ne verra qu'une famille.

Annabelle démarra aussitôt.

D'autres véhicules les rejoignirent, mais Annabelle réussit à coller au train du break. Lorsqu'ils atteignirent la route 7, une artère à grande circulation traversant Tyson's Corner, la Virginie et Washington, le trafic s'accrut considérablement. On travaillait tôt dans le district de Columbia, et sur les voies principales les embouteillages commençaient d'ordinaire vers 5 h 30 du matin.

– Ne le perdez pas, dit Stone.

– Non, non, je ne le lâche pas.

Elle se faufilait adroitement dans la circulation, sans perdre de vue la berline de Trent, mais il est vrai que la lumière rendait la chose désormais plus facile.

– On dirait que vous avez déjà pratiqué des filatures, remarqua Stone.

– Milton m'avait fait la même réflexion, alors je vais vous faire une réponse identique : la chance sourit aux débutants. Bon, à votre avis, où se dirige Trent ?

– Vers son travail, j'espère.

Stone avait raison : quarante minutes plus tard Trent les amenait au Capitole. Ils le virent pénéter dans la zone d'accès restreint ; la barrière de sécurité s'enfonça dans le sol et un garde le salua.

– S'il savait que ce type est un espion et un assassin… dit Annabelle.

– Il va falloir le prouver, sinon il est présumé innocent. C'est comme ça, en démocratie.

– Ça donnerait presque envie de vivre dans un pays fasciste, non ?

– Non, pas du tout, répondit fermement Stone.

– Et maintenant ?

– Maintenant, on attend et on surveille.

Même avant le 11 septembre 2001, il n'était guère aisé d'entreprendre une surveillance aux abords du Capitole. À présent, il fallait faire preuve d'une habileté redoublée et d'une infinie ténacité. Annabelle dut changer continuellement le pick-up de place avant de se poster assez loin pour ne pas éveiller les soupçons des flics. À deux reprises, Stone alla chercher du café et des vivres. Ils écoutaient la radio, tout en s'aventurant avec précaution dans les méandres de leur histoire personnelle.

Milton appela Stone sur le portable qu'il lui avait prêté. Il avait peu d'éléments à rapporter. La police ne se montrait guère loquace et les médias relataient en boucle les mêmes informations. Stone posa le portable à côté de lui, s'enfonça dans son siège et se tourna vers Annabelle.

– Je m'étonne que vous ne vous plaigniez pas de la monotonie de cette surveillance.

– Patience et longueur de temps...

Stone détourna le regard.

– J'imagine que Trent va passer la journée à son travail, mais on ne peut pas risquer de manquer sa sortie.

– La Bibliothèque du Congrès n'est pas dans les environs ?

– Si, une rue plus loin. Je me demande comment va Caleb. Je suis sûr que la police s'est rendue là-bas, aujourd'hui.

– Pourquoi ne pas l'appeler ?

Stone téléphona à Caleb sur son portable, mais celui-ci ne répondit pas. Il appela alors la salle de lecture.

– Il est sorti il y a un moment pour acheter de quoi déjeuner, répondit une femme.

Stone coupa la communication.

– Un problème ? demanda Annabelle.

– Je ne pense pas. Caleb est sorti acheter de quoi manger.

La sonnerie du portable retentit. Sur l'écran, Stone reconnut le numéro.

– C'est Caleb. (Il colla l'appareil à son oreille.) Caleb, où es-tu ?

Stone se raidit. Une minute plus tard, il reposa le portable.

– Alors ? demanda Annabelle. Qu'est-ce qu'il a dit ?

– Ce n'était pas Caleb, mais ceux qui le détiennent.

– Quoi ?

– Il a été enlevé.

– Mon Dieu ! Qu'est-ce qu'ils veulent ? Et pourquoi ils vous appellent, vous ?

– Ils ont eu le numéro par l'intermédiaire de Milton. Ils veulent nous rencontrer pour discuter. En cas de présence policière, ils le tuent.

– Comment ça, ils veulent nous rencontrer ?

– Ils veulent que nous venions tous, Milton, Reuben, vous et moi.

– Commode, pour se débarrasser de tout le monde d'un seul coup.

– Oui. Mais si nous ne venons pas, ils tueront Caleb.

– Comment savoir s'il n'est pas déjà mort ?

– Ils disent que ce soir à 22 heures, ils appelleront et le laisseront nous parler. À ce moment-là, ils nous donneront l'heure et le lieu de rendez-vous.

Annabelle se mit à pianoter sur le volant.

– Qu'est-ce qu'on fait ?

Stone se prit à contempler pensivement le Capitole.

– Jouez-vous au poker ?

– Je n'aime pas les jeux d'argent, répondit-elle sans ciller.

– Eh bien, il nous faut une main supérieure à la leur. Et je crois savoir où trouver les cartes qui nous manquent.

Stone savait qu'il touchait là aux limites de l'amitié, mais il n'avait pas d'autre piste. Il composa un numéro de téléphone qu'il connaissait par cœur.

– Alex ? C'est Oliver. J'ai besoin de ton aide. C'est terriblement urgent.

— Que se passe-t-il ? répondit Alex Ford, qui se trouvait à ce moment-là dans son bureau du Service secret de l'antenne de Washington.

— C'est une longue histoire, mais il faut que tu l'écoutes jusqu'au bout.

Lorsque Stone eut terminé, Ford laissa échapper un long soupir.

— Tu peux nous aider ?

— Je ferai de mon mieux.

— J'ai un plan.

— J'espère pour toi. Apparemment, nous n'avons guère le temps de nous retourner.

Albert Trent quitta le Capitole en début de soirée et rentra chez lui en empruntant la route 7, puis les petites routes de campagne. En abordant le dernier tournant, il dut ralentir : un pick-up avait quitté la voie, et une ambulance, une dépanneuse et une voiture de police bloquaient le passage. Un agent en uniforme, au milieu de la route, lui fit signe de s'arrêter. Trent baissa sa vitre et le policier se pencha vers lui.

— Je vais vous demander de faire demi-tour, monsieur. Un pick-up a quitté la chaussée et endommagé un régulateur de pression et des canalisations de gaz. Il a eu de la chance, il aurait pu tout faire sauter, lui et le quartier.

— J'habite là, après le tournant. Et je n'ai pas le gaz chez moi.

— D'accord, mais j'aurais besoin de voir vos papiers d'identité avec votre adresse.

Trent prit dans sa poche son permis de conduire et le tendit à l'agent, qui l'examina à la lueur de sa lampe torche avant de le lui rendre.

— C'est bon, monsieur Trent.

— Dans combien de temps ce sera réparé ?

— Ça dépend. Oh, autre chose.

Il tendit la main et aspergea de gaz le visage de Trent, qui toussa et s'effondra aussitôt sur son siège.

Au même instant, Stone, Milton et Reuben descendirent de l'ambulance. Avec l'aide du policier, Reuben tira Trent de sa voiture, le déposa dans un autre véhicule conduit par Annabelle. Alex Ford émergea à son tour de l'ambulance et tendit à Stone un sac à dos en cuir.

– Tu veux que je te montre de nouveau comment ça fonctionne ?

– Non, c'est bon. Écoute, Alex, je te suis reconnaissant pour tout. Je ne savais pas à qui d'autre m'adresser…

– T'inquiète pas, Oliver, on va récupérer Caleb. Et s'il s'agit vraiment du réseau d'espionnage dont tout le monde parle à mots couverts, vous mériterez tous une médaille. J'ai le soutien de plusieurs services pour cette affaire. Je n'ai pas eu à chercher bien loin des volontaires, parce qu'il y a plein de gars qui ont envie de serrer ces salopards.

Stone grimpa dans la voiture avec les autres.

– Et maintenant on joue la main, dit Annabelle.

– Oui, on joue la main.

Chapitre 63

La sonnerie du téléphone retentit à 22 heures précises, alors que Stone, Annabelle et les autres membres du Camel Club se trouvaient dans une suite d'hôtel. L'homme commença à lui dicter l'heure et le lieu de la rencontre, mais Stone le coupa.

– Ça ne se fera pas comme ça. Nous avons Albert Trent. Si vous voulez le récupérer, l'échange se fera suivant nos conditions.

– Inacceptable.

– Très bien, dans ce cas nous allons livrer votre ami à la CIA et il se mettra à table en un rien de temps. Vous vous ferez cueillir par le FBI avant même d'avoir eu le temps de plier bagage.

– Vous voulez que votre ami meure ?

– J'essaye de vous expliquer que nos amis respectifs peuvent rester en vie, et que vous pouvez éviter de passer le reste de vos jours en prison.

– Comment être sûr que ce n'est pas un piège ?

– Comment être sûr que vous ne me collerez pas une balle dans la tête ?

Un long silence suivit ses paroles.

– Où ?

Stone lui précisa le lieu et l'heure, avant d'ajouter :

— Si vous faites le moindre mal à Caleb, je vous tue de mes propres mains.

Stone raccrocha et se tourna vers les autres. Milton avait l'air effrayé, mais déterminé. Reuben examinait le contenu du sac qu'Alex Ford leur avait donné. Annabelle, pour sa part, ne quittait pas Stone des yeux.

Stone s'avança vers Reuben.

— À quoi ça ressemble ?

Reuben lui montra deux seringues et deux flacons de liquide.

— Impressionnant, ce truc. Je me demande ce qu'ils vont inventer, maintenant.

Stone gagna la pièce voisine, où Trent, inconscient, était attaché sur un lit.

— La journée sera longue demain, il faut dormir. On surveillera Trent à tour de rôle, toutes les deux heures. Je prends le premier tour de garde.

Milton se roula aussitôt en boule sur le canapé, tandis que Reuben s'installait sur l'un des deux lits doubles. Les deux hommes s'endormirent presque aussitôt. Stone retourna dans l'autre pièce et s'assit sur une chaise, à côté de Trent, et ne tarda pas à être rejoint par Annabelle, qui prit place à côté de lui et lui tendit une tasse de café. Elle était encore vêtue d'un jean et d'un chandail mais avait les pieds nus.

— Vous devriez dormir un peu, lui dit-il.

— En fait, je suis plutôt de la nuit, moi. (Elle jeta un coup d'œil vers Trent.) Il y a des chances que tout se passe bien, demain ?

— Aucune. Dans ce genre de situation, c'est toujours comme ça, mais on fait tout ce qu'on peut.

— Vous parlez d'expérience, on dirait.

— Pas vous ?

— Je raconte des craques, comme tout le monde, mais pas vous.

Il avala une gorgée de café et détourna le regard.

– Alex Ford est un chic type. Avec lui j'irais au bout du monde. Ce que j'ai fait, d'ailleurs. Au fond, je pense qu'on a de bonnes chances de réussir.

– Et moi j'aimerais bien buter cette enflure, lâche-t-elle en regardant Trent, toujours inconscient.

Stone opina.

– Il a l'air d'une souris, d'un employé de bureau, et d'ailleurs tout le monde le considère comme ça. Le genre à ne pas faire de mal à une mouche. Ce sont les autres qui se chargent de ça pour lui, et sa cruauté est sans limites, puisqu'il n'a pas à se salir les mains lui-même. Ce sont des gens comme lui qui ont toujours mis le pays en danger.

– Tout ça pour de l'argent ?

– J'en ai connu qui prétendaient agir pour une cause, un idéal, voire parce que c'était excitant, mais en réalité c'était toujours pour l'argent.

Elle lui lança un regard curieux.

– Vous avez croisé d'autres traîtres ?

– Vous trouvez cette conversation intéressante ?

– C'est vous que je trouve intéressant.

Voyant qu'il gardait le silence, elle ajouta :

– On parlait d'autres traîtres, il me semble ?

Il haussa les épaules.

– J'en ai fréquenté plus que je n'aurais voulu. Mais jamais très longtemps. (Il se leva et gagna la fenêtre.) En fait, poursuivit-il presque en chuchotant, la plupart, je ne les ai vus que quelques secondes avant leur mort.

– C'est ça que vous faisiez ? Vous assassiniez les traîtres ?

En voyant Stone se raidir, elle se hâta d'ajouter :

– Pardon, John, je n'aurais pas dû dire ça.

Il se retourna vers elle.

– J'ai oublié de vous le rappeler, John Carr est mort. Alors, à partir de maintenant, restons-en à Oliver ?

Il se rassit, sans croiser son regard.

– Vous devriez dormir un peu.

Avant de quitter la pièce, elle jeta un coup d'œil en arrière. Assis sur sa chaise, raide, Stone semblait observer Albert Trent, mais Annabelle était persuadée qu'il ne songeait nullement à l'espion menotté sur le lit. Ses pensées, plus probablement, vagabondaient plus loin dans le passé, lorsqu'il ne cherchait qu'à liquider les traîtres.

Non loin de là, Roger Seagraves chapitrait son équipe, s'efforçant d'anticiper les moindres mouvements de la partie adverse. Soupçonnant qu'il était arrivé quelque chose à Trent, il n'était pas rentré chez lui. Les deux hommes étaient en effet convenus de se rappeler à un moment de la soirée pour s'assurer que tout se déroulait comme prévu, mais il n'avait reçu aucun appel. Le fait qu'on ait neutralisé Trent compliquait la situation, sans la rendre pour autant insoluble. Oliver Stone et les autres avaient certainement fait appel aux autorités, et il aurait donc plusieurs obstacles à surmonter pour récupérer Trent, en espérant que celui-ci ne l'avait pas déjà dénoncé. Pourtant, loin de craindre le lendemain, Seagraves l'attendait avec une certaine impatience. Au fond, il ne vivait que pour de tels instants. Seul le meilleur survivrait. Et Seagraves était persuadé qu'il serait celui-là. Comme il était persuadé que Caleb Shaw et ses amis allaient trouver la mort.

Chapitre 64

Le lendemain matin, Stone et les autres transportèrent Trent dans une grosse malle qu'ils chargèrent dans une camionnette. Ensuite, Stone lui fit une injection dans le bras, attendit dix minutes et lui administra une deuxième injection. Quelques instants plus tard, Trent cligna des paupières. En reprenant peu à peu conscience, il se mit à regarder frénétiquement autour de lui et tenta de s'asseoir.

Stone lui posa une main sur la poitrine, tira un couteau de sa ceinture, et, sous le regard horrifié de Trent, glissa la lame contre sa peau pour couper le bâillon.

– Qu'est-ce que vous faites ? dit Trent d'une voix tremblante. Je suis fonctionnaire fédéral. Vous pourriez aller en prison...

– Laissez tomber, Trent. Nous savons tout. Et si vous ne tentez rien d'idiot, nous vous échangeons en douceur contre Caleb Shaw. Mais si vous refusez de coopérer, je vous tuerai de ma main, à moins que vous ne préfériez terminer vos jours en prison pour haute trahison.

– Je ne comprends absolument pas ce que...

Stone brandit le couteau sous son nez.

– Ce n'est pas ce que j'entendais par être coopératif. Nous avons le livre, le code et la preuve que vous avez piégé Bradley pour le faire assassiner. Nous savons également tout au sujet de Jonathan DeHaven et Cornelius Behan. Et vous avez failli nous ajouter, elle et moi, à la liste, mais nous n'étions pas disposés à mourir.

Annabelle regarda Trent en souriant.

— Quand vous engagez des tueurs pour nous liquider chez vous, évitez de vous planter devant un miroir. S'il ne tenait qu'à moi, je vous trancherais la gorge et je jetterais votre corps sur une décharge.

Stone ôta les menottes qui lui entravaient les poignets et les chevilles.

— Nous allons procéder à un échange. On récupère Caleb, vous êtes libre.

— Et maintenant, debout !

Trent se releva, les jambes tremblantes, et regarda tous ces gens qui l'entouraient à l'arrière de la camionnette.

— Si vous avez prévenu la police…

— Ta gueule ! lança Stone.

Reuben ouvrit la portière et ils descendirent, avec Trent au milieu.

— Mon Dieu, que se passe-t-il, ici ? s'écria ce dernier en contemplant une véritable marée humaine se déversant dans le parc du National Mall.

— Vous ne lisez pas les journaux ? dit Stone. C'est le Festival du livre.

— Et la marche contre la pauvreté, ajouta Milton.

— Deux cent mille personnes au total, précisa Reuben. Belle journée pour notre capitale. Lire des livres en militant contre la précarité. (Il donna une bourrade dans les côtes de Trent.) Allez, faut pas être en retard.

Le parc du National Mall s'étendait sur plus de trois kilomètres et demi, bordé à l'ouest par le Lincoln Memorial et à l'est par le Capitole, entouré de vastes musées et bâtiments officiels.

Le Festival du livre, un événement annuel, attirait désormais les foules. D'immenses tentes de la taille de chapiteaux de cirque s'alignaient sur le Mall, chacune dédiée à un thème : fiction, histoire, littérature pour enfants, romans noirs, poésie... Écrivains, illustrateurs, conteurs attiraient un public important, captivé.

De l'autre côté, sur Constitution Avenue, la marche contre la pauvreté se dirigeait vers le Capitole. Après la manifestation, de nombreux protestataires rejoindraient sans nul doute le Festival du livre.

Stone et Alex Ford avaient soigneusement choisi le lieu de l'échange sur Jefferson Street, près du Smithsonian Castle. Parmi les milliers de personnes présentes dans la rue, il serait pratiquement impossible à un tireur embusqué d'abattre sa cible, même de loin. Dans son sac à dos, Stone emportait le matériel nécessaire à son projet : une fois Caleb en sécurité, il n'était pas question de laisser s'échapper Albert Trent et ses complices.

— Devant à 14 heures ! s'écria soudain Reuben. Près du râtelier à vélos.

Caleb se tenait au centre d'une petite pelouse partiellement entourée d'une haie à mi-hauteur, au pied d'une grande fontaine sculptée. L'endroit se trouvait un peu en retrait et à l'abri de la foule environnante. Deux hommes l'encadraient, lunettes noires sur le nez, la tête recouverte d'une capuche. Ils devaient être armés, mais des tireurs d'élite du FBI avaient pris place sur le toit du Smithsonian Castel et devaient déjà pointer sur eux leurs fusils, bien qu'ils eussent reçu l'ordre de n'ouvrir le feu qu'en cas de nécessité. Alex Ford se trouvait dans les environs, coordonnant l'opération.

Stone chercha à attirer l'attention de Caleb, mais il y avait trop de monde autour d'eux. En outre, au-delà de la panique qu'on devinait dans son regard, Stone crut déceler chez lui quelque chose de plus inquiétant encore : un véritable désespoir. Soudain, il en comprit la raison.

— Mon Dieu, murmura-t-il. Reuben, tu as vu ?

— Les salauds !

Stone se retourna vers Milton et Annabelle, qui les suivaient.

David Baldacci

– Restez en arrière !

– Quoi ? dit Annabelle.

– Mais enfin, Oliver… protesta Milton.

– En arrière, j'ai dit !

Ils s'immobilisèrent, tandis que Reuben et Stone s'avançaient vers Caleb et ses ravisseurs. Le gémissement de Caleb couvrit le bruissement de la fontaine derrière lui, et il montra le collier de chien autour de son cou.

– Oliver ?

– Je sais, Caleb, je sais.

Et à l'intention des hommes à capuche, il ajouta :

– Enlevez-lui ça, tout de suite !

Les deux hommes secouèrent la tête. L'un d'eux tenait à la main une petite boîte noire.

– Seulement quand on sera loin, en sûreté.

– Vous croyez que je vais vous laisser partir alors que mon ami a une bombe attachée au cou ?

– Dès que nous serons partis, nous la désactiverons.

– Et je suis censé vous faire confiance ?

– Exactement.

– Dans ce cas, vous ne partez pas, et nous sauterons tous en même temps.

– Ce n'est pas une bombe. (Il montra la boîte noire.) Si j'appuie sur le bouton rouge, il recevra une dose de poison capable de tuer un éléphant. Il sera mort avant même que j'aie relâché le bouton. Si j'appuie sur le bouton noir, ça désactive le système et vous pourrez retirer le collier sans libérer le poison. N'essayez pas de vous emparer de la télécommande. Et si un tireur d'élite fait feu sur moi, j'appuierai par réflexe sur le bouton.

Le doigt posé sur le bouton rouge, il adressa un sourire à Stone.

– Nous savons qu'il y a des flics partout qui chercheront à nous arrêter dès que votre ami sera libéré. Alors, ne nous en veuillez pas si nous prenons quelques précautions.

— Et qu'est-ce qui vous empêcherait d'appuyer sur le bouton une fois que vous serez en sécurité ? Et ne me refaites pas le coup de la confiance, ça m'énerve.

— Nous avons reçu l'ordre de ne le tuer que si notre fuite est impossible. Si vous nous laissez partir, il vivra.

Stone dévisagea alternativement Reuben et Caleb.

— Caleb, écoute-moi. Nous sommes obligés de leur faire confiance.

— Je t'en supplie, Oliver, aide-moi.

— Je vais t'aider, Caleb, je vais t'aider. Combien d'aiguilles avez-vous dans ce machin ?

— Quoi ? demanda l'homme, surpris par la question.

— Combien !

— Deux. Une à droite et une à gauche.

Stone remit son sac à dos à Reuben.

— Si on meurt, chuchota-t-il, fais en sorte qu'on ne soit pas morts pour rien.

Livide, Reuben prit le sac et opina. Stone pivota sur ses talons et tendit la main gauche.

— Laissez-moi glisser la main sous le collier, de sorte que l'aiguille gauche me tue aussi.

— Dans ce cas, vous mourrez tous les deux, s'écria l'homme, abasourdi.

— Exactement. Nous mourrons ensemble !

Cessant de trembler, Caleb s'adressa directement à Stone.

— Non, Oliver, tu ne peux pas faire ça.

— Ferme-la, Caleb. (Stone regarda l'homme.) Dites-moi où mettre la main.

— Je ne sais pas si…

— Dites-le-moi !

L'homme désigna un endroit où Stone glissa la main. Sa peau touchait désormais celle de Caleb.

— C'est bon, fit Stone. Quand saurai-je qu'il est désactivé ?

— Quand le voyant rouge sur le côté passera au vert. À ce moment-là, vous pourrez défaire la boucle et il s'ouvrira. Mais si vous tentez de le forcer avant ça, les aiguilles s'enfonceront automatiquement.

– Compris. (Il lança un regard à Trent.) Et maintenant, emportez-moi cette merde et foutez le camp d'ici.

Albert Trent se dégagea de l'emprise de Reuben et s'avança vers les hommes encapuchonnés. Alors qu'ils s'éloignaient, Trent se retourna en souriant.

– *Adios !*

Stone gardait les yeux rivés sur le visage de Caleb et lui parlait à voix basse, sous le regard médusé des passants qui contemplaient le spectacle ahurissant d'un homme, la main glissée sous le collier de chien que portait un autre homme à son cou.

– Respire profondément, Caleb. Ils ne vont pas nous tuer. Je t'assure qu'ils ne vont pas nous tuer. Respire profondément.

Il consulta sa montre. Soixante secondes s'étaient écoulées depuis que Trent et les deux hommes s'étaient évanouis au milieu de la foule.

– Encore deux minutes et on sera libres. C'est bon, tout se passe bien. (Nouveau coup d'œil à sa montre.) Quatre-vingt-dix secondes. On y est presque. Tiens bon, Caleb. Tiens bon.

Haletant, le visage cramoisi, Caleb s'agrippait au bras de Stone avec l'énergie du désespoir, mais il se tenait droit, et il lui dit finalement :

– Ça va, Oliver.

À un moment, jugeant la scène suspecte, un policier en uniforme s'approcha d'eux, mais deux hommes en combinaison blanche, qui feignaient jusque-là de nettoyer les poubelles, l'interceptèrent. Déjà, ils avaient transmis l'information aux tireurs d'élite qui avaient quitté leur poste.

Entre-temps, Milton et Annabelle les avaient rejoints et, en quelques mots, Reuben leur avait expliqué la situation. Horrifié, Milton ne put retenir ses larmes, tandis qu'Annabelle, la main sur la bouche, contemplait les deux hommes serrés l'un contre l'autre.

— Trente secondes, Caleb, on y est presque. (Stone, désormais, ne quittait plus des yeux le petit voyant rouge, sur le côté du collier.) Dix secondes et on est libres.

Ensemble, ils comptèrent à haute voix les secondes qui restaient. Mais le voyant ne vira pas au vert. Caleb, qui ne pouvait l'apercevoir, demanda à son ami :

— Tu peux l'enlever, maintenant, Oliver ?

Stone ferma les yeux, attendant la piqûre de l'aiguille délivrant son poison mortel.

— Oliver ! s'écria soudain Annabelle. Regardez.

Stone ouvrit les yeux et découvrit la petite lueur verte sur le collier.

— Reuben, aide-moi !

Reuben bondit jusqu'à lui ; tous deux ouvrirent le collier et l'ôtèrent du cou de Caleb, qui tomba à genoux, aussitôt rejoint par les autres. Lorsqu'il leva enfin les yeux, il saisit la main de Stone.

— Personne n'a jamais fait preuve d'autant de courage, Oliver. Merci.

Stone regarda autour de lui, et, soudain, la vérité s'imposa à lui. En un éclair, il réagit.

— Couchez-vous ! hurla-t-il.

Il lança le collier vers la fontaine, par-dessus la haie.

Deux secondes plus tard, une énorme explosion fit jaillir des geysers d'eau et projeta dans les airs des morceaux de béton. Un mouvement de panique s'empara de la foule et les gens s'éparpillèrent en tous sens. Stone et les autres se relevèrent lentement.

— Mon Dieu, Oliver, comment as-tu deviné ? demanda Caleb.

— C'est une vieille tactique : nous rassembler tous au même endroit et faire en sorte que nous baissions la garde. S'il m'a dit où se trouvaient les aiguilles, c'est qu'il savait que ce serait la bombe et non pas le poison qui allait nous tuer. En admettant qu'il y ait eu du poison.

Stone tira alors du sac à dos un petit objet plat muni d'un écran. Sur l'écran, un petit point rouge se déplaçait à vive allure.

— Et maintenant, qu'on en finisse !

Chapitre 65

Lancé au pas de course, le groupe se frayait un chemin au milieu de la foule et de détachements de policiers.

– Ils ont pris le métro à la station Smithsonian, annonça Reuben en consultant l'écran de l'appareil que Stone tenait à la main.

– C'est pour ça qu'on avait choisi cet endroit, répondit Stone.

– Mais le métro va être noir de monde. Comment les retrouver ?

– On les suit à la trace. J'ai injecté à Trent un produit chimique fourni par Alex Ford : il transmet un signal au récepteur. Grâce à cela, on pourra le localiser au milieu de milliers de gens. Alex et ses hommes ont également un récepteur.

– J'espère que ça va marcher, soupira Caleb. Je veux les voir croupir en prison.

Soudain, des hurlements leur parvinrent de la station de métro, en dessous.

– On y va ! s'écria Stone.

Ils dévalèrent l'escalier mécanique.

Tandis que Trent et les deux hommes attendaient la rame, deux agents déguisés en ouvriers d'entretien s'approchèrent d'eux par-derrière, mais, avant d'avoir eu le temps de sortir leur arme, ils s'effondrèrent sur le sol avec une balle dans le dos. Roger Seagraves, vêtu d'un grand manteau, rengaina à sa ceinture ses deux pistolets munis de silencieux. Le brouhaha de la cohue avait couvert les détonations, mais, devant ces deux hommes tombés à terre, ensanglantés, les hurlements commencèrent à fuser et les badauds s'enfuirent dans toutes les directions. Pourtant, avant de mourir, l'un des agents eut le temps d'abattre d'une balle dans la tête l'un des deux hommes encapuchonnés. En tombant, celui-ci laissa choir la télécommande.

Avec fracas, une rame fit alors son entrée en station et dégorgea des voyageurs qui ne firent qu'ajouter au chaos.

Profitant de la panique, Trent et son garde du corps bondirent dans un wagon. Seagraves fit de même, mais, gêné par les usagers, ne put monter que dans la voiture suivante.

Une fraction de seconde avant la fermeture des portes, Stone et les autres parvinrent à se hisser à bord. La rame était bondée, mais, grâce à son écran de contrôle, Stone constata que Trent se trouvait tout près d'eux. Il scruta la foule des voyageurs et l'aperçut à l'autre extrémité de la voiture, en compagnie de l'homme à la capuche. À tout moment, Trent et son garde du corps pouvaient eux aussi les apercevoir.

Quelques instants plus tard, Alex Ford et plusieurs agents se frayèrent un chemin au milieu de la foule. Hélas le train quittait déjà la station. Alex hurla un ordre, et ses hommes remontèrent l'escalier au pas de course.

– Reuben, assieds-toi vite, chuchota Stone.

Comme il dépassait d'une bonne tête la plupart des passagers, Reuben risquait d'être repéré. Il poussa quelques adolescents et s'assit sur le sol. Stone, lui, se courba en avant en gardant le regard rivé sur Trent, qui parlait avec son garde du corps et pour une raison inconnue plaquait ses mains sur ses oreilles. Depuis l'autre voiture, Roger Seagraves observait Stone par la vitre. Il s'apprêtait à lui loger une balle dans la tête lorsque la rame s'arrêta à la station suivante. Bousculé par les voyageurs qui sortaient, il ne put conserver sa position de tir.

Lorsque le train redémarra, Stone se dirigea vers Trent, un poignard dissimulé dans sa manche. Il comptait tuer son garde du corps, mais non pas soustraire Trent à la prison à perpétuité.

Stone ne put mettre son plan à exécution. Le train venait d'entrer dans Metro Center, la station la plus fréquentée du réseau, et les portes s'ouvrirent brutalement. Trent et son compagnon bondirent sur le quai, imités par Seagraves dans l'autre voiture. Stone et les autres eurent toutes les peines du monde à se frayer un chemin au milieu d'une masse compacte de passagers.

Stone ne quittait pas des yeux Trent, toujours flanqué de sa silhouette encapuchonnée. Du coin de l'œil, il aperçut deux hommes vêtus de combinaisons blanches se dirigeant vers Trent. Roger Seagraves sortit de sa poche un objet en métal, tira une goupille avec les dents, le jeta au loin puis se retourna en se bouchant les oreilles.

En voyant le cylindre oblong fendre l'air, Stone pivota sur ses talons, et hurla à l'intention de Reuben et des autres :

– Couchez-vous ! Bouchez-vous les oreilles !

Une terrible explosion s'ensuivit et des dizaines de personnes furent projetées au sol, aveuglées, assourdies, hurlant de douleur.

Trent et son garde du corps, en revanche, avaient pris la précaution de mettre des bouchons dans leurs oreilles et de détourner le regard pour ne pas être aveuglés.

Stone était étourdi, bien qu'il eût gardé le visage contre le sol et se fût protégé les oreilles de ses mains. Alors qu'il se redressait, un gros homme qui s'enfuyait, pris de panique, le renversa. Le détecteur lui échappa des mains et tomba sur la voie. Lorsque la rame eut quitté la station, il se pencha au bord du quai et aperçut l'appareil écrasé sur les rails.

En se retournant, il vit Reuben qui se battait avec l'homme à capuche. Stone se rua à son aide, même si son ami s'en sortait fort bien tout seul. Reuben immobilisa son adversaire grâce à une demi-clef, puis le souleva de terre et lui frappa violemment la tête sur un poteau en métal avant de le projeter au loin. Mais au moment où il se ruait une nouvelle fois sur lui, Stone plaqua Reuben au sol.

– Qu'est-ce que… ? gronda Reuben, au moment où une balle lui sifflait aux oreilles.

Stone avait aperçu l'homme à capuche tirant une arme de sa ceinture et n'avait eu que le temps de protéger son compagnon.

Un genou à terre, l'homme s'apprêtait à faire feu une seconde fois lorsqu'il fut abattu de trois balles dans la poitrine par deux agents fédéraux, arrivés sur les lieux avec des policiers en uniforme.

Stone aida Reuben à se relever et chercha leurs amis du regard. Entourée de Milton et de Caleb, Annabelle lui adressa de loin un signe de la main.

– Où est Trent ? cria Stone.

Annabelle secoua la tête. Furieux, Stone scruta le quai. Ils l'avaient perdu.

– Là, sur l'Escalator ! hurla soudain Caleb. C'est l'homme qui m'a enlevé, Foxworth !

– Et Trent ! ajouta Milton.

Ils tournèrent les yeux dans la direction indiquée. En s'entendant appeler par son pseudonyme, Seagraves jeta un regard par-dessus son épaule, faisant glisser son capuchon et révélant son visage au grand jour.

– Merde, grommela-t-il.

Il poussa Trent au milieu de la foule et ils sortirent en courant de la station de métro. Dans la rue, Seagraves fit monter Trent dans un taxi, indiqua une adresse au chauffeur et glissa à voix basse à son compagnon :

– Un avion privé doit nous emmener hors du pays. Voici les billets de voyage et vos nouvelles pièces d'identité. On modifiera aussi votre apparence physique.

Il fourra un paquet de documents et un passeport dans les mains de Trent, s'apprêta à claquer la portière et se ravisa brusquement.

– Albert, donnez-moi votre montre.

– Quoi ?

Sans prendre la peine de le lui redemander, Seagraves arracha sa montre du poignet de Trent et ferma la portière du taxi. La voiture s'éloigna, tandis que Trent, paniqué, le regardait par la vitre arrière.

Seagraves traversa la rue, grimpa à bord d'une camionnette garée dans une ruelle et changea de vêtements. Puis il attendit l'arrivée de ses poursuivants. Cette fois, il ne les raterait pas.

Chapitre 66

Stone et les autres sortirent de la station de métro au milieu d'une centaine de personnes affolées. Alors que des voitures de police arrivaient sur les lieux, toutes sirènes hurlantes, ils descendirent la rue, sans but précis.

– Grâce au ciel, Caleb est sain et sauf, dit Milton.

– Oui, heureusement, renchérit Reuben en prenant leur ami par les épaules. Qu'est-ce qu'on deviendrait, nous, si on ne pouvait plus te charrier ?

– Comment s'y est-il pris pour t'enlever ? demanda Stone.

Caleb expliqua comment il avait fait la connaissance du dénommé William Foxworth.

– Il m'a dit qu'il voulait me montrer des livres, et brusquement je suis tombé dans les pommes.

– Foxworth, c'est le nom qu'il a utilisé ?

– Oui, c'est celui qui figurait sur sa carte de bibliothèque, et comme il a dû montrer une pièce d'identité pour l'obtenir...

– En tout cas, on a pu voir sa tête.

– Ce que je ne comprends toujours pas, lança Milton, c'est comment ils appliquaient la solution chimique dans les livres. Albert Trent travaille à la commission du renseignement.

À qui transmet-il les secrets qu'il obtient ? Et comment échouent-ils dans des livres que Jewell English et probablement Norman Janklow pouvaient déchiffrer ?

Tandis qu'ils réfléchissaient à la question, Stone appela Alex Ford sur son portable. Ils recherchaient toujours Trent, mais Ford conseilla à Stone et consorts de renoncer à leur traque.

– Inutile de courir de nouveaux dangers. Vous en avez assez fait.

Stone relaya l'information auprès de ses amis.

– Bon, où on va, maintenant ? demanda Caleb. Chacun rentre chez soi ?

Stone secoua la tête.

– La Bibliothèque du Congrès est tout près d'ici. Je veux y aller.

– Pourquoi ?

– Parce que c'est là que tout a commencé.

Caleb put les faire entrer dans la bibliothèque, mais non pas dans la salle de lecture, fermée le dimanche.

– Ce qui me trouble le plus dit Stone alors qu'ils parcouraient les couloirs, ce sont les contraintes de temps. Jewell English est venue à la Bibliothèque il y a deux jours, et dans le *Beadle* les lettres étaient surlignées. Un peu plus tard, au cours de la nuit, le surlignage avait disparu. La marge de manœuvre est très restreinte.

– C'est d'autant plus étonnant, fit valoir Caleb, que la plupart des livres ne quittent pas la chambre forte pendant des années, voire des dizaines d'années. Jewell English devait savoir exactement quel livre demander, parce que le jour même le surlignage disparaissait.

Stone s'immobilisa et s'appuya à une rampe en marbre.

– Comment s'assurer que le système fonctionnerait ? Impossible de laisser la solution dans les livres très longtemps, au cas où la police mettrait la main dessus. D'ailleurs, si nous avions agi un peu plus tôt, nous aurions pu transmettre le livre au FBI avant que la solution ne s'évapore. Logiquement, on a dû procéder au surlignage très peu de temps avant l'arrivée de Jewell English.

— Ce jour-là, je suis sorti plusieurs fois de la chambre forte avant l'arrivée de Jewell. Seuls quelques employés s'y sont rendus, et aucun n'est resté plus de dix minutes ou un quart d'heure. Ça n'aurait pas suffi pour surligner toutes ces lettres. Et ils n'auraient pas pu le faire ailleurs, parce qu'il aurait fallu qu'ils emportent le livre chez eux. Attendez un peu… si l'un des employés a emporté le livre chez lui, je peux le vérifier. Il aura dû remplir le formulaire en quatre exemplaires. Venez ! La salle de lecture est fermée, mais je peux faire la vérification ailleurs.

Il les conduisit au comptoir principal, s'entretint quelques instants avec la femme qui y travaillait, passa derrière et s'assit à l'ordinateur. Une minute plus tard, il eut l'air déçu.

— Aucun *Beadle* n'est sorti. D'ailleurs, depuis quatre mois, le personnel de la Bibliothèque n'a emprunté aucun livre.

À cet instant, Rachel Jeffries fit son apparition. C'était la restauratrice à qui Caleb avait confié le *Beadle* comportant les codes, pour réparation.

— Bonjour, Caleb. Je ne savais pas que vous veniez le week-end.

— Bonjour, Rachel. J'effectue quelques recherches.

— Moi, j'essaye de rattraper le retard dans mon travail de restauration. Au fait, tant que vous êtes là, je voulais vous dire que le *Beadle* que vous m'avez donné à restaurer venait de regagner la chambre forte après réparation.

— Quoi ? s'étonna Caleb.

— La couverture était abîmée et quelques pages se détachaient. Quand j'ai consulté sa fiche, j'ai été surprise parce que, comme je viens de vous le dire, il venait d'être rapporté à la chambre forte. Vous ne savez pas comment il a pu être endommagé aussi vite ?

– Quand exactement l'a-t-on rendu ? demanda Caleb, ignorant la question.

– La veille du jour où vous me l'avez donné.

– Attendez une minute, Rachel.

Caleb se remit à pianoter sur l'ordinateur, cherchant à savoir combien de *Beadle* avaient été envoyés en restauration dernièrement. La machine lui donna la réponse presque instantanément.

– Trente-six *Beadle* ont été envoyés en restauration depuis deux ans, annonça-t-il aux autres.

Il compara ensuite les demandes de communication d'ouvrages effectuées par Jewell English et Norman Janklow, ainsi que la liste des livres envoyés en restauration au cours des six mois précédents. Il découvrit ainsi que Jewell English avait commandé soixante-dix pour cent des *Beadle* restaurés. Et elle les avait demandés le jour même où ils revenaient de l'atelier de restauration. Il en allait de même pour Norman Janklow.

Il communiqua à ses amis le résultat de ses recherches.

– Les *Beadle* réclament un gros travail de restauration parce que c'étaient des ouvrages très bon marché.

Stone, toujours en avance sur les autres, se tourna vers Rachel Jeffries.

– Quel restaurateur s'est occupé de ce *Beadle* ?

– C'était Monty Chambers.

Stone et les autres partirent au pas de course dans le long couloir. Par-dessus son épaule, Caleb lança :

– Rachel, je vous aime.

Elle rougit violemment, mais parvint à lui dire :

– Vous savez que je suis mariée, Caleb. Mais nous pourrions peut-être prendre un verre ensemble un de ces jours.

– Tu sais où habite ce Chambers ? demanda Stone à Caleb lorsqu'ils se retrouvèrent dans la rue.

Caleb acquiesça.

– Pas très loin d'ici.

Ils grimpèrent dans deux taxis et, un quart d'heure plus tard, se retrouvèrent dans une rue calme et résidentielle bordée de jolies maisons identiques.

– Je ne sais pas pourquoi, mais cet endroit me semble familier, dit Stone.

– Il y a plein de quartiers de ce genre dans le coin, répondit Caleb.

Il les conduisit vers l'une des maisons en brique bleue et aux volets noirs. Des pots de fleurs étaient disposés sur les appuis de fenêtre.

– Visiblement, tu es déjà venu ici, dit Stone.

Caleb acquiesça.

– Monty possède un atelier chez lui, où il restaure des livres pour son compte. Je lui ai souvent envoyé des clients. Il a même réparé deux de mes livres. Je n'arrive pas à croire qu'il puisse être mêlé à une histoire pareille. Ça fait des années que la Bibliothèque du Congrès n'a pas eu de meilleur restaurateur.

– Tout le monde a son prix, et le restaurateur est le mieux placé pour trafiquer des livres, répondit Stone en observant la maison. J'imagine qu'il n'est pas chez lui, mais on ne sait jamais. Reuben et moi, on va frapper à la porte, pendant que vous resterez en arrière.

Stone frappa mais n'obtint aucune réponse. Il regarda autour de lui.

– Reuben, cache-moi du mieux que tu peux.

Reuben se plaça de façon à dissimuler Stone aux regards de la rue et, une minute plus tard, la serrure cédait. Stone pénétra à l'intérieur, suivi de Reuben. Le rez-de-chaussée ne révéla rien d'intéressant. Les meubles étaient anciens sans être pour autant des antiquités, des gravures ornaient les murs, le réfrigérateur contenait des plats à emporter déjà périmés, il n'y avait rien dans le lave-vaisselle. À l'étage, les deux chambres présentaient aussi peu d'intérêt. Vestes, chemises et pantalons étaient suspendus dans un placard, les sous-vêtements rangés dans une petite commode. La salle de bains contenait des produits usuels et dans l'armoire à pharmacie ils ne trouvèrent que l'assortiment habituel de médicaments et d'articles cosmétiques. Rien ne permettait de penser que Chambers était parti.

De retour en bas, ils trouvèrent les autres dans le vestibule.

– Quelque chose ? demanda Caleb, anxieux.

– Tu as parlé d'un atelier ?

– Au sous-sol.

Ils s'y rendirent et passèrent le lieu au peigne fin, sans découvrir autre chose que l'attirail d'un restaurateur de livres.

– Chou blanc, déclara Reuben.

Stone se prit alors à regarder par la fenêtre du sous-sol.

– Ça donne sur une ruelle bordée de bâtiments des deux côtés, fit-il observer.

– Et alors ? dit Reuben. Un espion en fuite ne va pas traîner dans une ruelle en attendant que les Fédéraux se pointent.

Stone ouvrit la porte et sortit dans l'allée.

– Attendez-moi ! s'écria-t-il soudain.

Quand il revint, quelques minutes plus tard, il avait les yeux brillants.

– Qu'est-ce que vous fabriquez, Oliver ? demanda Annabelle.

– Tu m'as dit que cet endroit te semblait familier, dit Reuben en fronçant les sourcils. Tu es déjà venu ici ?

– Nous sommes tous venus ici, Reuben.

Chapitre 67

Stone les conduisit alors jusqu'aux pavillons identiques situés derrière celui de Chambers. Il s'immobilisa au milieu de la rue et leur fit signe de ne pas bouger tandis qu'il observait une maison.

– Mon Dieu, s'écria soudain Caleb. En plein jour, je ne l'avais pas reconnue.

– Sonne, Caleb, lui enjoignit Stone.

Caleb s'exécuta et une voix grave s'éleva.

– Oui, qui est là ?

– Bonjour, monsieur Pearl, c'est moi, Caleb Shaw. Euh… je voulais vous parler du *Bay*.

– Je ne suis pas ouvert. Mes horaires sont clairement indiqués sur la plaque.

– C'est très urgent. Je vous en prie. Ce ne sera pas long.

Un long moment s'écoula avant qu'on entende un déclic. Caleb ouvrit la porte et ils pénétrèrent tous à l'intérieur. Vincent Pearl apparut quelques instants plus tard, vêtu d'un pantalon noir, d'une chemise blanche et d'une blouse de travail de couleur verte. Sa longue chevelure était mal coiffée et sa barbe en bataille. Il sembla surpris de voir les autres en compagnie de Caleb.

– Je suis très occupé en ce moment, Shaw, dit-il avec colère. Je ne peux pas tout laisser de côté simplement parce que vous débarquez sans prévenir.

Stone s'avança vers lui.

– Où est Albert Trent ? Dans l'arrière-boutique ?

– Pardon ? Qui ça ?

Stone l'écarta de son passage et ouvrit d'un coup de pied la porte de l'arrière-boutique.

Il revint une minute plus tard.

– En haut, alors ?

– Mais qu'est-ce que vous fabriquez ? hurla Pearl. Je vais appeler la police.

Stone se rua vers l'escalier en colimaçon et fit signe à Reuben de le suivre.

– Fais attention, Foxworth est peut-être avec lui.

Une minute plus tard, on entendit des cris et des bruits de lutte. Puis les bruits cessèrent brusquement et les deux hommes redescendirent, tenant fermement entre eux Albert Trent.

Ils le jetèrent dans un fauteuil et Reuben demeura debout à son côté.

– Donne-moi seulement un prétexte pour te rompre le cou, gronda Reuben à l'intention du haut fonctionnaire.

Stone se tourna alors vers Pearl, qui, à la différence de Trent, n'avait rien perdu de sa superbe.

– Je ne comprends rien à ce que vous faites, dit-il en passant le tablier au-dessus de sa tête. Cet homme est un de mes amis, et c'est mon invité.

– Où est Chambers ? demanda Caleb. Vous l'avez aussi invité ?

– Qui ça ?

– Monty Chambers, lança Caleb, exaspéré.

– Il est ici même, Caleb, dit Stone.

Il tira fermement sur la barbe de Pearl, qui se décolla en partie. De l'autre main, il saisit une poignée de cheveux, mais Pearl l'arrêta.

— Je vous en prie, laissez-moi faire.

Il tira d'abord sur la barbe, puis ôta la perruque, révélant un crâne chauve.

— Ôtez le coussin sur son ventre et les couches de fond de teint sur le visage, changez les lunettes et probablement les lentilles pour la couleur des yeux, et vous obtiendrez Monty Chambers. Pour dissimuler votre identité, ne laissez pas traîner une brosse à cheveux et du shampoing dans votre salle de bains. Ce sont des articles que les chauves utilisent rarement.

Pearl se laissa choir dans un fauteuil et passa la main sur sa perruque.

— Je lavais cette perruque et la fausse barbe dans mon lavabo avant de les brosser.

Sidéré, Caleb contemplait Vincent Pearl métamorphosé en Monty Chambers.

— Et dire que je n'ai jamais deviné que vous étiez une seule et même personne…

— Le déguisement était excellent, dit Stone. Des cheveux et une barbe, des lunettes différentes, plus de corpulence, des vêtements bizarres. Tout cela modifie l'apparence en profondeur. Et tu reconnais toi-même n'avoir vu Pearl que deux fois, ici, à sa boutique. Et seulement de nuit, sous un éclairage médiocre.

— À la Bibliothèque, vous parliez très peu, fit Caleb. Et d'une voix haut perchée. Alors qui est le vrai personnage, Vincent Pearl ou Monty Chambers ?

Pearl sourit faiblement.

— Mon vrai nom est Monty Chambers. Vincent Pearl n'était que mon alter ego.

— Pour quelle raison l'avoir inventé ? demanda Stone.

Chambers hésita à répondre, mais finit par hausser les épaules.

— J'imagine que maintenant ça n'a plus d'importance. J'ai été acteur dans ma jeunesse. J'adorais me déguiser, jouer des rôles. Mais disons que j'avais plus de talent que d'occasions de jouer. Mon autre passion, c'étaient les livres. J'ai fait mon apprentissage avec un excellent restaurateur, puis j'ai été engagé à la Bibliothèque du Congrès et ça a été le début d'une belle carrière. Mais je voulais aussi avoir une collection de livres, ce que ne permet pas le salaire de la Bibliothèque. Alors je suis devenu marchand de livres rares. J'avais les connaissances et l'expérience nécessaires, mais qui aurait fait confiance à un humble relieur ? En tout cas pas la clientèle que je visais. Alors j'ai inventé le personnage de Vincent Pearl : théâtral, mystérieux, infaillible.

– Et dont la boutique n'était ouverte que le soir, de façon à lui permettre de travailler en journée, ajouta Stone.

– J'ai acheté cette boutique parce qu'elle se trouvait au bout de la ruelle, derrière chez moi. Je pouvais me déguiser et m'y rendre incognito. Ça marchait très bien. Avec les années, ma réputation n'a fait que croître.

– Comment un marchand de livres anciens devient-il espion ? demanda Caleb d'une voix tremblante. Comment un restaurateur de livres devient-il un assassin ?

– Ne dites rien ! lança Trent. Ils n'ont rien contre nous.

– Nous avons les codes, dit Milton.

– Eh non, dit Trent d'un ton méprisant. Si vous les aviez, vous seriez déjà allés voir la police.

– *E, w, f, w, s, p, j, e, m, r, t, i, z.* Je dois continuer ?

Les autres le regardèrent, stupéfaits.

– Mais enfin, Milton, dit Caleb, pourquoi n'avoir rien dit avant ?

– Je pensais que ce n'était pas important, puisque la preuve s'était dissipée. Mais j'avais lu les lettres avant qu'elles ne disparaissent. Et une fois que j'ai vu quelque chose, je ne l'oublie jamais, ajouta-t-il à l'adresse de Trent en feignant l'innocence. Et puis je me suis dit que, puisque je me rappelais les lettres, les autorités pourraient essayer de les déchiffrer.

Chambers regarda Trent et haussa les épaules.

– Le père d'Albert et moi étions amis, je veux dire amis en tant que Monty Chambers. À sa mort, j'ai dû devenir une sorte de figure paternelle pour Albert, ou du moins un mentor. C'était il y a plusieurs années. Après ses études, Albert est revenu à Washington et a été engagé par la CIA. Pendant des années, lui et moi avons parlé du monde du renseignement, de l'espionnage. Puis il a rejoint le Capitole. Et nous avons poursuivi nos discussions. À ce moment-là, je lui avais révélé mon secret. Lui, il n'aimait pas particulièrement les livres. Un défaut que, malheureusement, je n'ai jamais songé à lui reprocher.

— Et l'espionnage ? demanda sèchement Stone.

— Fermez-la, vieil idiot ! hurla Trent.

— C'est bon, c'est l'heure d'aller au dodo.

Reuben assomma Trent d'un coup de poing à la mâchoire, puis se tourna vers le marchand de livres :

— Allez-y, continuez.

Chambers jeta un coup d'œil à Trent, effondré dans son fauteuil.

— Oui, il n'a pas tort, je suis un vieil idiot. Petit à petit, Albert m'a expliqué qu'il y avait de l'argent à se faire en vendant des secrets mineurs. Il expliquait qu'il s'agissait moins d'espionnage que d'affaires courantes. Dans le cadre de son travail à la commission du renseignement, il avait rencontré un homme qui avait noué des contacts avec tous les services et désirait traiter avec lui. Il est apparu par la suite que cet homme était très dangereux. Mais Albert m'expliquait que ce commerce de secrets, des deux côtés, c'était courant.

— Et vous l'avez cru ? demanda Stone.

— J'avais besoin d'y croire, parce que la bibliophilie est une passion coûteuse. Albert me disait que les espions finissaient toujours par se faire prendre en livrant leurs informations, mais qu'il avait trouvé un moyen de le faire en toute sécurité grâce à moi.

— Grâce à votre travail de restaurateur ; vous aviez les compétences et l'accès à la Bibliothèque, dit Caleb.

— Oui. Et puis Albert et moi étions de vieux amis, et il n'y avait rien de suspect dans le fait qu'il m'apportait des livres ; après tout, c'était mon métier. À l'intérieur de ces livres, certaines lettres étaient marquées. Je relevais ces lettres et les surlignais avec une solution chimique dans des volumes de la Bibliothèque. L'idée m'en est venue à force d'admirer, dans les incunables, ces lettres merveilleusement enluminées. Pour moi, c'étaient des tableaux miniatures, vieux de plusieurs siècles, qui paraissaient aussi lumineux qu'à l'époque où ils avaient été réalisés. Moi-même j'avais travaillé pendant des années avec des matériaux semblables, c'était mon passe-temps. Mais il n'y a plus aucune demande pour ce genre de choses. Je n'ai pas eu beaucoup de difficulté à concocter un produit visible seulement si l'on s'équipait d'un certain type de lunettes de ma fabrication. J'aime tellement mon travail à la Bibliothèque… Enfin… disons que je l'aimais, parce que à présent ma carrière est terminée. Et donc Albert et ses amis se débrouillaient pour que des gens viennent à la Bibliothèque avec ces lunettes spéciales.

— Des vieilles dames et des vieux messieurs qui se plongent dans des livres rares ne peuvent éveiller de soupçons, intervint Stone. Ils pouvaient recopier les secrets, puis les envoyer par la poste à des « parents » vivant à l'étranger, sans que la puissante NSA s'en doute, malgré ses superordinateurs et ses satellites de surveillance. C'était un système parfait.

— Je disais à Albert quel livre était prêt à revenir dans la chambre forte, il émettait des petites phrases sur certains sites Internet, et comme cela les lecteurs savaient quel livre réclamer. Moi, j'avais rendu l'ouvrage le matin de leur visite. Le stock de réparations était important, alors il n'y avait pas de problème. Ils venaient en salle de lecture, copiaient le code et repartaient. Quelques heures plus tard, la solution chimique s'évaporait, et la preuve avec elle.

— Et vous étiez très bien payé, sur un compte à l'étranger, dit Annabelle.

— Quelque chose comme ça, reconnut-il.

— Mais vous l'avez dit vous-même, les affaires de Vincent Pearl marchaient très bien. Pourquoi ne pas avoir assumé cette identité à plein temps ? demanda Stone.

– Je vous l'ai dit, j'aimais mon travail à la Bibliothèque. Et puis c'était drôle de tromper tout le monde. Je crois que je voulais profiter des avantages des deux univers.

– L'espionnage ce n'était pas très joli, mais alors le meurtre ! s'écria Caleb. Robert Bradley, Cornelius Behan, Norman Janklow, probablement Jewell English. Et Jonathan ? Vous avez fait tuer Jonathan !

– Je n'ai fait tuer personne ! protesta Chambers d'un ton véhément. (Il désigna Trent.) C'est lui qui est responsable. Et ceux qui travaillent avec lui.

– M. Foxworth, dit lentement Stone.

– Mais pourquoi Jonathan ? demanda Caleb avec amertume. Pourquoi lui ?

D'un geste nerveux, Chambers se frotta les mains l'une contre l'autre.

– Un soir, après les heures de travail, il est entré à l'improviste dans l'atelier de restauration et il m'a vu préparer un livre. J'étais en train d'appliquer la solution chimique. J'ai essayé de lui donner une explication plausible, mais je n'étais pas sûr qu'il m'ait cru. J'ai immédiatement raconté à Albert ce qui s'était passé, et aussitôt après Jonathan a été tué. Albert m'a expliqué ensuite que, comme la salle de lecture était le lieu central de l'échange, il fallait que sa mort semble naturelle.

– Vous saviez donc ce qui s'était passé. Pourquoi n'avoir rien révélé ? dit Caleb d'un ton accusateur.

– Je serais allé droit en prison, s'exclama Chambers.

– C'est ce qui va vous arriver, dit Stone. Et lui aussi, ajouta-t-il en regardant Trent, toujours effondré sur son fauteuil.

– Peut-être pas, lança alors une voix.

Roger Seagraves s'avança vers eux, un pistolet dans chaque main.

– Monsieur Foxworth ? dit Caleb.

– Fermez-la ! lança Seagraves tout en regardant Trent qui commençait à revenir à lui.

– Ah ! Roger, Dieu merci, dit Trent en le voyant.

– Désolé, Albert, fit Seagraves en souriant.

Il lui tira une balle dans la poitrine. Avec un cri, Trent glissa de son fauteuil et s'affala sur le sol. Seagraves braqua ensuite son autre pistolet vers Stone et Reuben, qui avaient fait un pas vers lui.

– À votre place, je ne bougerais pas.

Il dirigea ensuite son arme sur Chambers.

– Nous n'avons plus besoin de vos services.

Chambers se raidit, attendant l'impact de la balle, mais Stone bondit entre lui et Seagraves.

– La police est en route. Si vous comptez vous échapper, le moment me semble bien choisi.

– C'est vraiment touchant : un triple six qui s'inquiète pour un autre triple six.

Stone tressaillit.

– Ainsi, c'est vrai, dit Seagraves en souriant. Vous connaissez donc la règle d'or dans notre métier : ne jamais laisser de témoin oculaire. Mais je serais curieux de savoir comment vous avez fini par travailler dans un cimetière. C'est une sacrée dégringolade pour un type comme vous.

– En fait, je considère plutôt ça comme une promotion.

Seagraves hocha la tête.

– Je me serais épargné bien des ennuis en vous tuant quand j'en avais l'occasion. Vous avez bousillé une excellente opération. Mais enfin, de toute façon, j'ai suffisamment d'argent pour vivre à mon aise.

– Si vous vous en tirez, dit Annabelle.

– Oh, je m'en tirerai.

– Je n'en suis pas si sûr, dit Stone en glissant la main vers la poche de sa veste. Le service secret et le FBI sont prévenus, maintenant. Et je suis sûr qu'en ce moment même ils se dirigent vers nous.

– Ne bougez plus ! hurla Seagraves en voyant les doigts de Stone s'approcher de sa poche. Les mains en l'air, vieux jeton !

– Quoi ? dit Stone, feignant la surprise.

— Les mains en l'air, triple six, que je les voie ! Tout de suite !

Stone obéit. Seagraves étouffa un cri et tituba vers l'avant. Lâchant ses deux pistolets, il tenta de retirer le poignard fiché dans sa gorge, mais la lame avait sectionné la carotide. Le sang jaillissait avec une telle force qu'il était déjà tombé à genoux. Puis il s'effondra sur le ventre et roula lentement sur le dos. Sous l'œil horrifié de ses amis, Stone alla chercher le poignard qu'il avait lancé au moment où il levait les mains en l'air.

Le dernier homme qu'il avait tué avec un poignard dissimulé dans sa manche était semblable à celui-ci. Il l'avait plus que mérité.

Milton détourna les yeux, tandis que Caleb paraissait sur le point de s'évanouir. Quant à Reuben et Annabelle, ils ne pouvaient détacher leur regard de l'homme mortellement blessé.

Alors que Seagraves rendait le dernier soupir, on entendit des sirènes dans le lointain.

— Quand j'ai compris que la maison de Chambers se situait derrière la boutique de livres, j'ai appelé Alex Ford, expliqua Stone.

— C'est pour les livres que j'ai fait tout ça, vous savez, dit Chambers en détournant le regard. Pour les livres. Pour pouvoir en acheter, les garder en bon état pour les générations futures. Avec l'argent que j'ai gagné, j'ai acheté des volumes extraordinaires…

S'apercevant alors que tous le considéraient avec dégoût, il se leva.

— J'ai quelque chose à vous donner, Caleb.

Stone, méfiant, le suivit jusqu'au comptoir. Lorsqu'il tendit la main vers un tiroir, Stone lui saisit le poignet.

— C'est moi qui vais le faire.

— Ce n'est pas une arme, protesta Chambers.

— On verra bien, hein ?

Stone tira du tiroir une petite boîte qu'il ouvrit et referma après avoir jeté un coup d'œil à son contenu. Elle contenait la première édition du *Bay Psalm Book*. Il tendit la boîte à Caleb.

– Mon Dieu, merci ! s'écria Caleb, soulagé. (Il se tourna vers Chambers.) Comment l'avez-vous eu ? Vous n'aviez ni la clé ni le code de la chambre forte.

– Vous vous rappelez que je me suis senti mal quand nous étions sur le point de quitter la chambre forte et que vous aviez proposé d'aller me chercher un verre d'eau dans la salle de bains ? Dès que vous êtes sorti, j'ai ouvert le coffre-fort. J'avais mémorisé le code ; c'était celui de la salle de lecture. J'ai pris le livre et l'ai glissé dans ma veste. Puis vous êtes revenu, vous avez refermé la chambre forte et nous sommes partis.

– Espèce d'ahuri ! grommela Reuben. Tu l'as laissé seul dans la chambre forte ?

– Je ne m'attendais pas à ce qu'il vole ce bouquin, riposta Caleb.

– Ce n'était qu'un acte impulsif de ma part. Je n'avais jamais fait une chose pareille auparavant. Avec mes clients, je suis d'une honnêteté scrupuleuse. Mais ce livre ! Pouvoir seulement le tenir dans mes mains ! (L'espace d'un instant, son regard brilla avec intensité.) En tout cas, je peux dire que je l'ai eu en ma possession, au moins un peu. Je vous poussais à le faire évaluer, en me disant qu'une fois la disparition découverte ça ferait peser les soupçons sur vous et non sur moi.

Annabelle regarda à l'intérieur de la boîte.

– Oh, ce livre-là ! Alors il l'a conservé.

Caleb la regarda, abasourdi.

– Quoi ? Vous êtes au courant de ça ?

– C'est une longue histoire.

Chapitre 68

Une minute plus tard, Alex Ford faisait son entrée dans la maison, accompagné par une armée d'agents. Albert Trent était encore vivant, quoique grièvement blessé ; les documents de voyage, dans la poche intérieure de sa veste, avaient quelque peu intercepté la balle. Une ambulance l'emmena. Chambers fit une déclaration circonstanciée à la police, répétant tout ce qu'il avait déjà révélé aux autres. Au moment où on l'emmenait, il lança à Caleb :

– S'il vous plaît, prenez grand soin du *Bay*.

La réponse de Caleb surprit tout le monde, et probablement son auteur plus que quiconque.

– Ce n'est qu'un bouquin, Monty, Vincent ou je ne sais qui. Je préférerais mille fois avoir Jonathan vivant plutôt que ce tas de vieux papiers.

Avec le temps, la plupart des hypothèses avancées par Stone et ses amis se révélèrent correctes. Bradley avait bel et bien été tué parce qu'il s'apprêtait à obliger Trent à quitter la commission du renseignement, ce qui les aurait empêchés, Seagraves et lui, de poursuivre leur relation. Et Behan avait été assassiné parce qu'il avait découvert que la mort de Jonathan était due à l'absorption de CO_2 dérobé dans l'une de ses filiales.

Grâce aux déclarations de Chambers, on apprit également que l'un des hommes de Trent, embauché chez Fire Control, avait disposé une caméra dans la gaine d'aération, sous prétexte de régler le diffuseur de gaz. Annabelle et Caleb ne l'avaient pas vu sur la bande de surveillance parce qu'il avait opéré un samedi, à une heure de fermeture de la salle, lorsque les caméras étaient désactivées.

Un homme avait pris place au sous-sol, dans la salle où était entreposé le halon, pour surveiller le moment où DeHaven pénétrerait dans la zone mortelle, ce qui était arrivé le deuxième jour, avant qu'il ait pu révéler à quiconque ce qu'il avait vu. Chambers avoua s'être rendu ensuite dans la chambre forte pour retirer la caméra.

Milton avait transmis la série de lettres à la NSA, qui avait déjà déchiffré le code. D'après le peu de renseignements que Stone et les autres avaient pu obtenir, ce code se fondait sur une formule vieille de plusieurs siècles. Il était aisément déchiffrable par les superordinateurs des services de renseignement, mais Seagraves devait se dire que jamais on ne soupçonnerait d'espionnage des Monty Chambers, Norman Janklow et autres Jewell English. De toute façon, les clés de chiffrage modernes étaient toutes créées par ordinateur et consistaient en longues séries de chiffres capables de résister aux assauts d'autres ordinateurs, et il eût été impossible de les reproduire dans des livres anciens.

Trent, remis de sa blessure, parlait d'abondance, surtout après avoir appris que l'État cherchait à requérir contre lui la peine de mort. Le rôle de Seagraves comme cheville ouvrière du réseau d'espionnage apparaissait chaque jour un peu plus clairement. Le FBI enquêtait de façon approfondie sur la moindre de ses relations, et de nouvelles arrestations semblaient imminentes.

On avait également fouillé sa maison et découvert sa « collection ». Au départ, la police n'avait pas compris le sens de cette accumulation d'objets, mais, lorsque la vérité se fit jour, les choses n'en devinrent que plus compliquées, car nombre de ces objets appartenaient à des gens que Seagraves avait tués pour le compte de la CIA.

Stone s'était longuement entretenu avec Alex Ford, des agents du FBI et les deux inspecteurs de la police du district de Columbia qui avaient rencontré Caleb à la Bibliothèque.

— Nous savions qu'un réseau d'espionnage opérait à Washington, dit l'un des agents du FBI, mais nous n'avions jamais pu remonter à la source. En tout cas, on n'aurait jamais pensé que la Bibliothèque du Congrès ait pu être mêlée à ça.

— Il faut dire que nous avions un atout que vous n'aviez pas, dit Stone.

— Ah bon ? Lequel ?

— Un bibliothécaire extrêmement compétent, nommé Caleb Shaw, répondit Alex Ford.

— Shaw... répéta l'un des inspecteurs de Washington. Vraiment, il est bien ? Il m'avait semblé un peu... disons, nerveux.

Stone répondit :

— Disons que son manque de courage personnel est compensé par une...

— ... une veine insensée ? l'interrompit l'inspecteur.

— Une grande attention aux détails.

Ils remercièrent Stone pour son aide et laissèrent la porte ouverte à une future collaboration.

— Si un jour vous avez besoin d'aide, n'hésitez pas à nous appeler, dit l'un des agents du FBI en lui tendant une carte de visite.

Stone l'empocha en priant le ciel de n'avoir jamais besoin d'une telle aide.

Lorsque les choses se furent un peu calmées, ils se retrouvèrent tous au cottage de Stone. Caleb, alors, brandit le *Bay* et exigea d'Annabelle qu'elle leur dise la vérité. Elle s'exécuta de bonne grâce.

— Un jour, j'ai demandé à Jonathan : « Si, entre tous les livres du monde, tu pouvais en avoir un seul, lequel choisirais-tu ? » Il m'a répondu que ce serait le *Bay Psalm Book*. Alors, je me suis renseignée sur ce livre et j'ai appris que tous les exemplaires existants se trouvaient dans des institutions. Mais une d'entre elles me semblait moins inaccessible que les autres.

— Laissez-moi deviner, dit Caleb : la Old South Church à Boston ?

— Comment le savez-vous ?

— Plus facile à cambrioler que la Bibliothèque du Congrès, ou celle de Yale, enfin j'espère.

— En tout cas, j'y suis allée avec un de mes amis. J'ai prétendu que nous étions étudiants et que nous rédigions un mémoire sur les livres célèbres.

— Et ils vous ont laissés le regarder, dit Caleb.

— Oui. Et prendre des photos, tout ça. Ensuite, j'avais un autre ami qui faisait d'excellents faux pap... euh, enfin qui était très habile de ses mains.

— Et donc il a fabriqué un faux *Bay Psalm Book* ? s'écria Caleb.

— Il était magnifique, on ne voyait aucune différence entre les deux. (L'enthousiasme d'Annabelle retomba lorsqu'elle vit son air furieux.) Finalement, on y est retournés et on a opéré une petite substitution.

— Une petite substitution ? s'écria Caleb, le visage cramoisi. Vous avez opéré une petite substitution avec l'un des livres les plus rares des États-Unis ?

— Pourquoi ne pas avoir donné à DeHaven cette excellente copie ? demanda Stone.

— Donner un faux à l'homme que j'aimais ? Pas question !

Caleb se laissa tomber sur une chaise.

— Je n'arrive pas à y croire.

Elle se hâta de poursuivre.

— Jonathan a été stupéfait quand je lui ai donné le livre, mais bien sûr je lui ai dit que ce n'était qu'une copie. Je ne sais pas s'il m'a crue ou pas. J'imagine qu'il a dû appeler les différentes institutions pour savoir si le livre s'y trouvait toujours. J'imagine aussi qu'il a dû se dire que je ne gagnais pas toujours ma vie de façon très avouable.

— Vraiment ? Quel choc ça a dû être ! dit Caleb d'un ton sarcastique.

Elle ignora sa remarque.

— Mais comme la Old South Church ne savait pas que son exemplaire était faux et qu'aucun *Bay* n'avait disparu, Jonathan a dû penser, à la fin, que je disais la vérité. Ça lui faisait tellement plaisir ! Après tout, ce n'était qu'un vieux bouquin.

— Qu'un vieux bouquin ! s'emporta Caleb.

Stone lui posa la main sur l'épaule.

— Allez, tu vas pas remettre ça.

— Remettre ça ? bredouilla Caleb.

— C'est moi qui vais le remettre, proposa Annabelle.

— Pardon ?

— Je vais rapporter le livre et procéder à l'échange.

— Vous plaisantez ?

— Pas du tout. Je l'ai échangé une première fois, je peux le refaire.

— Et s'ils vous pincent ?

Elle considéra Caleb avec une certaine pitié.

— Je suis bien meilleure maintenant qu'à l'époque. (Elle se tourna vers Milton.) Ça vous dirait de m'aider ?

— Et comment ! s'écria Milton, enthousiaste.

Caleb semblait au bord de la crise d'apoplexie.

— Je t'interdis absolument de commettre un tel délit !

— Tu veux pas nous lâcher un peu, Caleb ? s'exclama Milton. Et puis ça n'est pas un délit, puisqu'on va remettre le vrai livre à sa place.

Caleb voulut riposter, mais se ravisa.

— Je me charge des détails, déclara Annabelle. Il faudra seulement que vous me donniez le livre, Caleb.

Elle tendit la main, mais il serra aussitôt l'ouvrage sur sa poitrine.

— Est-ce que je peux le garder jusqu'à ce que vous en ayez vraiment besoin ?

— Tu as pourtant dit à Monty Chambers que ce n'était qu'un vieux bouquin, lui rappela Reuben.

— Je sais, gémit Caleb, accablé. Depuis, je n'arrive plus à fermer l'œil de la nuit. J'ai l'impression que les fées des livres m'ont jeté un sort.

— Bon. Tu peux le garder encore un peu.

Reuben jeta un regard brillant à Annabelle.

— Maintenant que la fête est finie, vous voulez bien sortir avec moi un de ces soirs ? Ce soir, par exemple ?

Elle sourit.

— Ce sera pour une autre fois, Reuben. Mais j'apprécie l'invitation.

— Ce ne sera pas la dernière, madame, dit-il en lui baisant la main avec une exquise galanterie.

Après le départ des autres, Annabelle rejoignit Stone, parti travailler dans le cimetière.

Tandis qu'il nettoyait une pierre tombale, elle fourrait des mauvaises herbes arrachées dans un sac en plastique.

— Vous n'êtes pas obligée de m'aider. Je n'imagine pas quelqu'un comme vous travaillant dans un cimetière.

Elle mit les mains sur ses hanches.

— Et quel genre de vie vous imaginez-vous pour quelqu'un comme moi ?

— Un mari, des enfants, une jolie maison dans une banlieue tranquille, l'association des parents d'élèves, peut-être un chien.

— Vous plaisantez, hein ?

— Oui. Et maintenant ?

— Eh bien, il faut que je rende le livre, pour que Caleb me fiche la paix.

— Et ensuite ?

Elle haussa les épaules.

– Je ne fais pas de projets à si long terme.

Elle prit une autre éponge, s'agenouilla et aida Stone à laver la pierre tombale. Ensuite, ils prirent ensemble, sur la véranda, le dîner qu'Annabelle avait préparé.

– Je suis contente d'être revenue.

– Moi aussi, Annabelle.

Elle sourit en l'entendant l'appeler par son vrai nom.

– Ce Seagraves, là, il vous a appelé triple six. Qu'est-ce que ça signifie ?

– Ça signifie que c'était il y a trente ans.

– Compris. On a tous nos secrets. Vous n'avez jamais songé à vous en aller très loin ?

Il secoua la tête.

– On finit par s'y habituer.

Peut-être, songea-t-elle. Ils gardèrent le silence un long moment, en contemplant la lune.

À quatre heures de route de là, plus au nord, Jerry Bagger contemplait aussi la lune, par la fenêtre. Il avait menacé et passé à tabac un nombre impressionnant de gens, et les lignes de défense d'Annabelle tombaient l'une après l'autre. Il s'approchait du but. Très bientôt, ce serait son tour. Et ce qu'il avait fait à Tony Wallace apparaîtrait comme un enfantillage à côté du sort qu'il lui réservait. Chaque fois qu'il y songeait, un sourire mauvais éclairait son visage. Il reprenait la situation en main. Bagger tira sur son cigare d'un air satisfait et avala une gorgée de bourbon.

Prépare-toi, Annabelle Conroy, Jerry Bagger est sur tes traces.

composition : Compo-Méca S.AR.L
64990 Mouguerre

Impression réalisée sur CAMERON par

C P I
Brodard & Taupin
La Flèche

pour le compte des Éditions Michel Lafon
en février 2008

Imprimé en France
Dépôt légal : février 2008
N° d'impression : 46040
ISBN 13 : 978-2-7499-0793-2

GRAND JEU
Les Collectionneurs

Gagnez 1 voyage pour 2 personnes à Washington

Question

Avant de devenir un auteur de thrillers mondialement connu, quelle profession exerçait David Baldacci ?

A - Médecin légiste

B - Inspecteur de police

C - Avocat